DES
MILITA
RIZAR

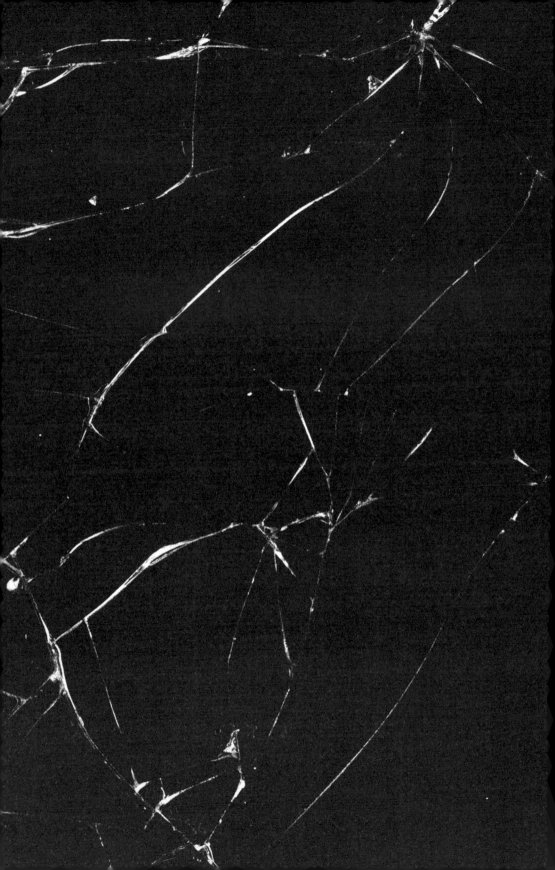

DES MILITA RIZAR

LUIZ EDUARDO SOARES

SEGURANÇA PÚBLICA
E DIREITOS HUMANOS

© desta edição, Boitempo, 2019
© Luiz Eduardo Soares, 2019

Todos os direitos reservados.

Direção geral Ivana Jinkings
Edição Isabella Marcatti
Assistência editorial Andréa Bruno e Carolina Mercês
Preparação Thais Rimkus
Revisão Clara Altenfelder
Coordenação de produção Livia Campos
Capa Ronaldo Alves
Diagramação Antonio Kehl

Equipe de apoio: Ana Carolina Meira, André Albert, Artur Renzo, Bibiana Leme, Clarissa Bongiovanni, Débora Rodrigues, Elaine Ramos, Frederico Indiani, Heleni Andrade, Higor Alves, Ivam Oliveira, Joanes Sales, Kim Doria, Luciana Capelli, Marina Valeriano, Marlene Baptista, Maurício Barbosa, Raí Alves, Talita Lima, Tulio Candiotto

CIP-BRASIL. CATALOGAÇÃO NA PUBLICAÇÃO
SINDICATO NACIONAL DOS EDITORES DE LIVROS, RJ

S655d

Soares, Luiz Eduardo
Desmilitarizar : segurança pública e direitos humanos / Luiz Eduardo Soares. - 1. ed. - São Paulo : Boitempo, 2019.

Inclui bibliografia
ISBN 978-85-7559-696-8

1. Segurança pública - Brasil. 2. Direitos humanos - Brasil. 3. Direitos fundamentais - Brasil. I. Título.

19-56228
CDD: 363.10981
CDU: 351.78:342.7(81)

Vanessa Mafra Xavier Salgado - Bibliotecária - CRB-7/6644

É vedada a reprodução de qualquer parte deste livro sem a expressa autorização da editora.

1ª edição: maio de 2019

BOITEMPO
Jinkings Editores Associados Ltda.
Rua Pereira Leite, 373
05442-000 São Paulo SP
Tel.: (11) 3875-7250 | 3875-7285
editor@boitempoeditorial.com.br | www.boitempoeditorial.com.br
www.blogdaboitempo.com.br | www.facebook.com/boitempo
www.twitter.com/editoraboitempo | www.youtube.com/tvboitempo

Dedico este livro às mães dos jovens mortos pelas polícias e às mães dos policiais mortos nessa estúpida guerra fratricida. Que o destino trágico as una pelo menos nesta página. Se elas compreenderem, algum dia, que são irmãs na dor e que o inimigo está em outro lugar, a politização do sofrimento promoverá uma revolução no Brasil.

Sumário

Apresentação – *Marcelo Freixo* 9

Introdução 11

I. Polícia 21
    Polícia Militar e Justiça Criminal como promotoras de desigualdades 23
    Por que tem sido tão difícil mudar as polícias? 39
    Debate sobre uma proposta de mudança 53
    Segurança pública: dimensão essencial do Estado democrático de direito 85
    Políticas de segurança pública 93
    A política nacional de segurança pública: histórico, dilemas e perspectivas 107
    UPP: considerações sintéticas 137
    O Sistema Único de Segurança Pública e o poder embriagado 149

II. Drogas 155
    Contra a drogafobia e o proibicionismo: dissipação, diferença
    e o curto-circuito da experiência 157
    A cocaína no mundo, segundo Roberto Saviano 169

III. Raízes da violência 177
    Raízes do imobilismo político na segurança pública 179
    Juventude e violência no Brasil contemporâneo 195

IV. Direitos humanos, cultura e poder 213
    A segunda morte de Marielle ou Ainda é possível falar em
    segurança pública e direitos humanos no Brasil? 215
    Direitos humanos e ciências sociais no Brasil – *Luiz Eduardo Soares e
    Miriam Krenzinger A. Guindani* 219

Posfácio – Lições de Marielle 265
Glossário da segurança pública 271
Apêndice – Excertos do texto original da PEC-51 285
Referências bibliográficas e outras 291
Sobre o autor 295

Apresentação

Luiz Eduardo Soares é um intelectual pioneiro no debate sobre segurança pública, em uma perspectiva progressista. Enquanto boa parte da sociedade e da esquerda brasileira negligenciava a importância da reflexão e da ação nesse campo, ele já pensava e nos alertava sobre a centralidade da segurança pública em relação à democracia, vínculo esse que se expressa tanto nos princípios defendidos quanto nas políticas públicas propostas ao longo de sua história. Afinal, Luiz é um pesquisador que não abre mão do exercício de suas convicções, colocando seu conhecimento a serviço da prática, da construção de políticas de segurança pública comprometidas com a redução das desigualdades e da promoção da cidadania.

Milito na área da segurança há quase trinta anos. Luiz sempre foi uma inspiração e uma referência para o exercício do meu trabalho como defensor de direitos humanos e deputado; não só por suas contribuições como pensador – ele é precursor na defesa da reforma do modelo policial e da desmilitarização da Polícia Militar –, mas também por sua capacidade de diálogo e pela coragem de jamais transigir em seu compromisso com valores democráticos num tema tão permeado pelo populismo irresponsável e salvacionista. Essas qualidades fazem de Luiz Eduardo Soares um intelectual imprescindível para a produção de políticas cidadãs de segurança pública e principalmente para a construção da democracia que desejamos para o nosso país.

Esta nova obra, que aborda as questões da segurança pública a partir de uma perspectiva ampla – desde a estrutura policial, passando pela juventude, até a política de drogas –, é mais uma contribuição fundamental para pensarmos o Brasil.

Marcelo Freixo

Introdução

"Desigualdade" e "racismo estrutural" são expressões-chave para entender e mudar o Brasil. Designam também pontos decisivos para compreender e superar a violência brutal no país, seja aquela praticada pelo próprio Estado, seja a que atravessa a sociedade. Entretanto, não é preciso nem razoável esperar mudanças profundas para, então, tratar da insegurança pública, que, nesse caso, transformado o Brasil, teria sido reduzida. Tampouco deve-se supor que, resolvidos ou encaminhados os problemas de fundo, a violência desapareceria como se fosse apenas um efeito secundário das imensas iniquidades e da opressão de classe. Violência não é *apenas* sintoma, reflexo ou consequência. Tem sua própria realidade, ou melhor, cria suas próprias e complexas dinâmicas, quaisquer que sejam suas origens. Além disso, produz desdobramentos que acentuam estigmas e aprofundam desigualdades. Em síntese: não é necessário nem possível cruzar os braços à espera de que o Brasil se torne menos injusto para, então, cuidar da brutalidade letal, esse dilúvio inominável de tragédias evitáveis. Até porque, se enfrentarmos com um mínimo de sucesso o desafio representado sobretudo pelos crimes contra a pessoa, a luta contra a opressão de classe, o racismo e as injustiças terá mais chances de prosperar, pois a população mais vulnerável se sentirá mais livre, confiante e estimulada a se organizar e participar.

Hoje, no Brasil, é tão difícil saber o que fazer para responder à insegurança quanto explicar a incapacidade nacional de agir numa direção minimamente racional. Digo isso sem hesitar, porque não me parece racional fazer mais do mesmo esperando alcançar resultados diferentes. Um bom exemplo de irracionalidade é a intervenção federal no Rio de Janeiro, que os militares não desejavam, porque tinham consciência de que as Forças Armadas não são preparadas para atuar na segurança pública e compreendiam, conhecendo a história recente do México, os riscos envolvidos. Elas foram instrumentalizadas por interesses políticos do ilegítimo governo Temer[1].

Depois de tantos anos dedicado a essas questões – na academia, na gestão pública e na militância por direitos humanos –, convenci-me de que o país não reage por seis razões principais:

1) A direita quer mais do mesmo, isto é, quer – e faz – uma guerra aos "inimigos da ordem", os "criminosos", os "traficantes". Defende a aniquilação do mal, o Outro, que, no caso, tem classe, cor e endereço. Trata-se de armar, aparelhar e fortalecer as polícias, lançá-las na infindável guerra "às drogas" e autorizá-las a matar. Não sendo de todo viável a execução extrajudicial consentida, conviria endurecer a legislação penal. Essa postura é por definição incompatível com o Estado democrático de direito. Talvez por isso dê passagem facilmente aos avatares da ditadura.

2) Não há liberais no Brasil, salvo exceções. Refiro-me a liberais no sentido tradicional do termo, da linhagem de John Stuart Mill, aqueles que vão além do

---

[1] A intervenção tem sido um fracasso e estava fadada a sê-lo, porque não foi uma iniciativa voltada para a resolução dos problemas de insegurança do Rio de Janeiro, com base em um diagnóstico completo e sistemático, nem utilizou os meios adequados para promover os resultados almejados. Qual deveria ser a prioridade? A vida e a garantia de direitos; ou seja, a redução de homicídios – inclusive de policiais – e da brutalidade policial letal. Que políticas adotar para atingir essa meta? Seriam inteiramente diferentes das adotadas. A intervenção foi uma manobra político-eleitoral do ilegítimo governo Temer, que estava acuado pelos sucessivos fracassos econômicos e pela impopularidade da pauta neoliberal extremada que adotou. Por isso, buscou protagonismo com apoio midiático, instrumentalizando os militares, em boa parte conscientes do que ocorria e avessos ao processo, no qual assumiram papel que não lhes competia e para o qual não estavam preparados. O que se viu? Mais do mesmo: a multiplicação de incursões militares para prisões e apreensões. Mais violência policial, mais chacinas, mais crimes contra a vida, mais mortes de policiais. Os temas-chave da verdadeira agenda para mudar a situação do Rio (e do Brasil) foram, mais uma vez, deslocados e negligenciados: a) a política de drogas – prosseguiu a danosa "guerra às drogas", que alimenta o ciclo da violência, encarcera varejistas e fortalece as facções criminosas no sistema penitenciário; b) a reforma do modelo policial e a refundação das polícias, com a mudança do artigo 144 da Constituição; c) a valorização profissional dos policiais, cuja maioria hoje trabalha em condições indignas; d) a repactuação entre o Estado e as comunidades que vivem em territórios vulneráveis, em especial a juventude, de modo que as instituições policiais deixem de ser parte do problema e se transformem em parte da solução. Hoje, as execuções extrajudiciais são frequentes, o que leva analistas a declarar que essas áreas estão sob a regência de um Estado de exceção. Infelizmente, isso ocorre com a anuência, por cumplicidade ou omissão, do Ministério Público e as bênçãos do Poder Judiciário; e) o investimento em infraestrutura, educação e cultura e a abertura de novas oportunidades para a juventude mais vulnerável, respeitando-se as camadas populares e, assim, bloqueando o aprofundamento do racismo estrutural.

livre mercado, propõem a legalização das drogas, do aborto, o respeito radical à diversidade, o combate ao racismo inclusive por ações afirmativas, a subordinação dos aparelhos de segurança a controles externos rigorosos e que tomam para si a bandeira dos direitos humanos, ao menos no plano das garantias individuais. Por isso, o centro político é cooptado pela direita (ou seja, o liberalismo tupiniquim acaba representado por falcões conservadores que apoiam o Estado mínimo), e a bandeira desfraldada na revolução burguesa de 1789 é deslocada, discretamente, para o gueto político. Bem ou mal, é a esquerda, em sua pluralidade e com todas as suas limitações, que a tem erguido. Como, nesse quadro, esperar que essa bandeira civilizatória seja hegemônica[2]?

3) A esquerda cumpre bem seu papel na denúncia, sempre imprescindível, dos abusos perpetrados pelo Estado, mas ainda não se convenceu – há exceções, certamente – de que tem de assumir a responsabilidade de propor e construir alternativas institucionais e práticas. Afinal, por mais atraente que seja o ideal de uma sociedade sem classes e sem Estado – portanto, sem polícia –, sua efetivação não está posta no horizonte histórico. Há Estado, haverá Estado por muito tempo e, enquanto esse for o caso, será preciso apresentar opções e preparar-se para governar sem repetir os erros denunciados. Isso é tão mais verdadeiro quanto mais as fontes históricas revelam os horrores perpetrados pelos aparelhos repressivos, no chamado "socialismo real". Há também um misto de ingenuidade intelectual e tibieza política: crê-se, com frequência, que tudo se resume à luta de classes, às mudanças da ordem econômica, e que seria perda de tempo, além de ilusório,

---

[2] Nesse ponto, vale a pena recordar que os direitos humanos constituem uma agenda que se ampliou, no clima da guerra fria, ao longo do século XX, passando a incorporar toda a pletora dos mais sensíveis temas sociais, das desigualdades ao meio ambiente, além de questões atinentes às liberdades individuais e aos direitos civis. Enquanto os estadunidenses utilizavam sua retórica para acuar os inimigos do capitalismo, os países socialistas cobravam, dos Estados Unidos e de seus aliados, igualdade e acesso aos direitos sociais – também reportando-se aos direitos humanos, mas os recortando e destacando, com ênfases distintas. Essa disputa levou a interpretações a meu juízo absurdas, regressivas e obscurantistas, segundo as quais os direitos humanos não passariam de instrumentos na disputa entre impérios e, hoje, as organizações militantes que resistem aos autoritarismos mais diversos seriam nada mais, nada menos que veículos de intervenções clandestinas que visam a desestabilizar governos de Estado soberanos, em favor do domínio imperial estadunidense. Evidentemente, não sou ingênuo e reconheço que manipulações e intervenções existem e estão mais ativas do que nunca, mas isso não nos autoriza a desqualificar a importância e a legitimidade das lutas por direitos humanos no mundo. A postura reducionista, hoje mais frequente à esquerda do espectro político, parece um espelho do que fazia a direita, no Brasil do século XX, quando denunciava os movimentos sociais como braços do bloco soviético, a serviço de seus interesses – embora seja óbvio que, respeitadas as mediações, as forças políticas não esgotem sua energia nem seus efeitos nas fronteiras nacionais e que a luta envolva apropriações e reinterpretações que cada ator, interno e externo, consiga realizar.

ocupar-se das polícias, da Justiça Criminal, das penitenciárias, da política criminal, da arquitetura institucional da segurança pública. Outros acreditam que o Estado burguês consiste numa ditadura de classe, mesmo que a forma seja democrática, não restando espaço para resistência, reformas, processos contraditórios de mudança. Ou seja: revolução ou barbárie. E a tibieza política talvez derive do temor de que o mero ato de falar em segurança pública e em sua dimensão policial (essa é somente uma das dimensões, mas existe e é relevante) contagie o locutor com a mácula de conservador, burguês, direitista. Como se o tema fosse necessariamente patrimônio da direita. Não se percebe que, ao agir assim, entrega-se às forças conservadoras o domínio dessa área central para o cotidiano da vida popular. No vácuo de concepções e proposições democráticas, objetivas e inteligentes, avançam a demagogia e sua cópia mais perversa, o fascismo.

4) A maior parte dos profissionais que atuam na área da segurança, os policiais militares[3], está excluída do debate público, porque lhe são vedadas a organização e a participação, ainda que restrita à opinião. Quem fala em nome da categoria são os comandantes, os quais, todavia, representam os governos que os nomeiam, não seus subordinados.

5) O debate público soa como Babel: não há acordo sequer sobre os pontos de divergência, anulando as chances de que se negocie um consenso mínimo em torno de uma pauta reformista. Os temas provocam emoções muito fortes, as questões exigem conhecimento técnico e, ao mesmo tempo, envolvem, inexoravelmente, valores e princípios. Novelo complicado.

6) Finalmente, mas não menos importante, somos uma sociedade ainda marcada pela herança da escravidão, arrastada à modernidade híbrida pela via autoritária do desenvolvimento do capitalismo, em cujo âmbito as vidas não têm o mesmo valor.

A quem acredita na "guerra contra o crime", dirijo a seguinte ponderação. Meu intuito é oferecer argumentos persuasivos mesmo àqueles que não se importam com valores e apenas cobram resultados. Pretendo demonstrar que, mesmo do

---

[3] O universo policial é majoritariamente masculino, o que diz muito sobre as instituições, constitui um problema e mereceria, por si só, reflexão crítica e políticas públicas transformadoras. Para não onerar o texto com referências duplas ao gênero, optei por adotar apenas o masculino. Advirto, entretanto: mulheres na polícia fazem a diferença, como demonstra o livro de Barbara Musumeci Mourão e Leonarda Musumeci, *Mulheres policiais* (Rio de Janeiro, Civilização Brasileira, 2005).

ponto de vista exclusivamente pragmático, o descumprimento dos direitos humanos por parte das polícias leva a sua degradação e seu consequente enfraquecimento e conduz ao fortalecimento do crime. Em bom português: prezada leitora, prezado leitor, aceitar e estimular a violência policial é um tiro no pé. Se você deseja a segurança de sua família e não se importa se o preço a pagar for o assassinato de jovens nas favelas, atenção, pense bem. Não vai dar certo. Quer uma prova irrefutável? Já não deu. E é o que tem sido feito há tempos. Olhe ao redor. O que está à volta é resultado de décadas dessa política. E cuidado: lideranças fascistas avançam, alimentando (e se nutrindo de) seu medo, seu ódio e seu desejo de vingança. Sem querer, sem saber, pode ser que você esteja gestando um monstro.

Explico.

"Não me custa nada te matar, aqui mesmo, agora. Basta apertar o gatilho. Quanto é que você me dá por sua vida?" Quem pode matar sem custo pode não matar com lucro, certo? Se a pessoa sob a mira da arma escolher viver, aceitando pagar o preço, uma relação de troca se estabelece, na qual a moeda é a própria vida. Então, levanto uma pergunta: quanto vale sua vida? Quanto você concordaria em pagar por ela? Acho que sei a resposta, porque seria a mesma que eu ou qualquer pessoa daríamos: aposto que ninguém hesitaria em entregar todos os bens materiais para sobreviver. Não é óbvio? Sendo assim, podemos concluir, juntos, que transacionar com a vida é um bom negócio, desde que se esteja do lado certo do balcão. Essa é uma moeda que não cessa de se inflacionar, tornando-se crescentemente atraente. Quanto menos custo for imposto ao ato de matar, mais recorrente será a transação e mais caro será o preço cobrado para deixar alguém viver, em vez de apertar o gatilho.

A transação que descrevi cria uma dinâmica de acordos cujo efeito será a parceria entre quem pode matar e quem não quer morrer. No médio prazo, esses segmentos policiais e criminosos serão sócios. Essa é a triste história da insegurança pública no Rio de Janeiro, interrompida por intervenções políticas saneadoras, embora temporárias.

É hora de dar nomes aos personagens: de um lado está o policial, autorizado a matar segundo o próprio arbítrio; de outro lado, o suspeito – suspeito, por exemplo, de ser "traficante". Para que se garanta a ausência de custos embutidos no ato de matar, são necessárias cinco condições: 1) que haja a anuência explícita dos superiores hierárquicos, a qual se manifestará por palavras (ou silêncio), gestos (ou omissão) e obras (justificativas oficiais após cada ato); 2) que as instituições responsáveis pelo controle externo da atividade policial (o

Ministério Público [MP]) e pela persecução criminal (Polícia Civil, MP e Justiça) não atrapalhem; 3) que a vítima seja pobre e, preferencialmente, negra (porque a sociedade autoriza a brutalidade que confirma o racismo estrutural e as desigualdades); 4) que o território em que se realize o ato seja socialmente vulnerável – uma favela, por exemplo (espaço estigmatizado); 5) que o potencial "matador" não tenha escrúpulo moral, vestígio de compromisso ético nem superego – ou os tenha em modo perverso.

Não há mistério. O raciocínio me parece lógico e límpido. Entretanto, continua difícil convencer a "opinião pública" de que – ainda que suspendamos, para efeito de raciocínio, as considerações éticas e morais – não é benéfico para a segurança pública liberar o policial na ponta para matar, sem que isso lhe custe nada em sua carreira ou em sua vida e sem que custe algo a seus superiores, inclusive governantes.

Pelo contrário, é um processo profundamente danoso para a segurança pública, porque a sequência previsível dessa transação em torno da vida é a pactuação entre o universo dos suspeitos e o dos segmentos policiais dispostos a entrar nesse jogo. E, todos sabemos, quando polícia e crime são indistinguíveis, reina a insegurança.

Portanto, quem deseja segurança deve defender o respeito rigoroso aos direitos humanos e à legalidade constitucional por parte dos policiais, mesmo que não concorde com os valores expressos nos documentos internacionais de que o Brasil é signatário e mesmo que deseje ver a Constituição alterada.

Ao longo de nossa história, mesmo se nos restringirmos ao período posterior à promulgação da Constituição de 1988, a liberação da brutalidade letal perpetrada por policiais[4], isto é, das execuções extrajudiciais, foi mais comum, pelo menos no estado do Rio de Janeiro, do que o veto a essa prática. Houve alguns anos, no governo Marcello Alencar, do PSDB, entre 1995 e 1998, quando o secretário de Segurança era o general Cerqueira, em que a "bravura" – correspondente, na maioria dos casos, a execuções – era premiada com ganhos que não apenas suplementavam os salários dos policiais, mas eram a eles incorporados. Essa foi uma circunstância extrema: não se tratava de não impor custos à execução, mas de exaltá-la, estimulá--la, premiá-la. A medida recebeu o apelido de "gratificação faroeste".

---

[4] Chamo a atenção para a denominação do fenômeno: é comum na mídia e entre colegas pesquisadores o uso da expressão "letalidade policial" para designar a violência letal cometida por policiais. Não concordo, porque gera ambiguidade semântica. A rigor, "letalidade policial" pode também significar morte de policiais.

A economia da corrupção segue suas leis, obedece à própria racionalidade. Foi o que ocorreu: primeiro, a vida era barganhada no varejo, nos encontros fortuitos entre policiais corruptos e suspeitos. Então o processo organizou esse mercado da morte em busca de crescente rentabilidade. Esses segmentos policiais passaram a sequestrar os suspeitos e conduzi-los a casas alugadas com essa finalidade, onde se davam as negociações, envolvendo comparsas e familiares das vítimas. O varejo não era tão mais fragmentário e imprevisível. Entretanto, havia muitos custos: sequestrar não é tarefa isenta de riscos; manter a casa clandestina tampouco. A racionalidade inscrita na economia da corrupção provocou outro salto de qualidade: os grupos envolvidos nessas práticas deram-se conta de que a melhor solução era o contrato, o acordo, o "arrego". Na vigência do pacto entre policiais e suspeitos, reduzem-se os custos e ampliam-se os ganhos: os riscos são terceirizados (quem se envolve em roubos ou tráfico etc. são os criminosos), e parcelas dos resultados obtidos pelas operações ilegais (os lucros das gangues) são privatizadas, são apropriadas pelos policiais.

Nesse terceiro estágio, predominam a previsibilidade – equivalente criminal da estabilidade jurídica –, ou, pelo menos, a diminuição da incerteza; e a substituição dos negócios no varejo pela transação no atacado, tendencialmente duradoura; além disso, não há mais a necessidade do conflito, sempre perigoso, porque as partes, em parceria, se entendem. Em outras palavras, os segmentos policiais corruptos passaram a ficar com uma parcela dos ganhos dos criminosos ou com um montante fixo, e o pagamento passou a ser efetivado em bases semanais, quinzenais, mensais ou mesmo diárias, de acordo com as características de cada caso.

É importante considerar que uma qualidade fundamental, em qualquer economia, é a previsibilidade – e nada é mais eficiente para reduzir a incerteza do que a organização, outro nome para a pactuação interna (ao mundo do crime), tão relevante e funcional quanto a pactuação externa (com a polícia). O objetivo máximo, nesse sentido, é o monopólio (quando apenas uma organização domina todo o mercado). Ao contrário do que acontece no mercado legal, a competição, aqui, é danosa (implica mais violência e acesso mais barato a produtos cobiçados, como armas e drogas). O Primeiro Comando da Capital (PCC) é monopolista em São Paulo. Como os homicídios constantes afastam consumidores, desagregam grupos e atraem as polícias, a facção criminosa criou regras e mecanismos internos, dificultando sua prática. Outro motivo de confrontos são as disputas territoriais por fatias de mercado, inclusive para a prática do roubo, por exemplo.

A sociedade, não só o PCC, foi beneficiada com a redução dos homicídios[5]. O problema do monopólio é simples: gera um poder e uma dinâmica de poder que só existem e persistem se visam à própria expansão.

Observe-se que mais organização e unificação no plano interno ao mundo do crime gera melhor articulação do pacto com segmentos policiais. Nesse estágio, é inevitável a politização, quer dizer, o envolvimento de criminosos, dentro e fora da polícia, com atores políticos permeáveis a composições ilegais. Uma alternativa é o ingresso direto na política, sem intermediários. A etapa subsequente ao fortalecimento de uma facção monopolista é a abertura de novas frentes de conflito, o que implica a escalada da violência, em intensidade e alcance.

No Rio de Janeiro, o processo sofreu uma bifurcação: além dos acordos entre segmentos policiais corruptos e criminosos não policiais, formaram-se milícias, das quais participavam e participam policiais e ex-policiais. Os dois caminhos, por vezes, convivem sem grandes contradições. Pelo contrário, complementam-se. Contudo, como o controle territorial e o despotismo exercido sobre comunidades, por parte de milicianos, são, em geral, mais lucrativos do que a mera sociedade com o tráfico, a tendência tem sido a substituição de um "modelo de negócios" por outro. Em síntese, a história das milícias mostrou que, com frequência, foi mais atraente expulsar ou eliminar o tráfico e instaurar a tirania miliciana, que extrai recursos de todas as atividades econômicas locais, até mesmo do uso da terra. Uma vez constituído o novo poder, antigos traficantes podem ser contratados como prestadores de serviços ou negociantes da droga, agora em benefício da milícia.

Desse quadro, deduz-se que a terapia democrática não poderá se resumir à prisão de corruptos e milicianos. Exigirá, segundo meu juízo, a refundação das instituições policiais, a legalização das drogas e uma verdadeira revolução nas relações entre o poder estatal armado (ainda que não só) e as camadas sociais mais vulneráveis. Uma virada assim radical, democratizante, contribuiria sensivelmente para o combate ao racismo estrutural brasileiro. Enquanto parte significativa da sociedade continuar a autorizar execuções extrajudiciais dos "Outros", isto é, de jovens pobres e negros, promovendo um verdadeiro genocídio nas periferias, e continuar

---

[5] Para entender o PCC, em sua complexa fluidez e paradoxal organicidade, é imprescindível a leitura de dois livros de Karina Biondi: *Junto e misturado: uma etnografia do PCC* (São Paulo, Terceiro Nome, 2018); e *Proibido roubar na quebrada: território, hierarquia e lei no PCC* (São Paulo, Terceiro Nome, 2018).

a rechaçar os direitos humanos em nome da luta contra o crime, colheremos mais crime, menos eficiência policial, mais violência, menos legitimidade das instituições, menos confiança na Justiça e na Política (com "P" maiúsculo mesmo).

Portanto, os catorze capítulos que seguem – dos quais cinco são inéditos e nove tiveram circulação restrita[6] (um deles escrito com Miriam Krenzinger Guindani) –, debruçando-se sobre insegurança, violência, polícia, desigualdades, invisibilidade social dos jovens, racismo, Justiça Criminal, drogas e direitos humanos, compõem um livro cujo objeto, no fundo, é a democracia brasileira e seus limites, é a transição incompleta para o Estado democrático de direito, que continua a ser um projeto inconcluso, e são os valores sem os quais não haverá país que mereça esse nome.

Agradecimentos

Sou afortunado porque, ao longo da travessia de mais de quatro décadas, pude contar com um número enorme de pessoas a meu lado, me ensinando, aprendendo comigo, refletindo, questionando e divergindo, me estimulando a repensar e me encorajando a enfrentar desafios. Essas pessoas são estudantes e colegas da academia, da gestão pública municipal, estadual e federal, ativistas de movimentos sociais e militantes da política, profissionais da Defensoria Pública, do Ministério Público e da Justiça, do jornalismo, da dramaturgia e da literatura. Em vez de correr o risco de omitir alguém, prefiro, sem nomear, registrar minha comovida gratidão. Como toda regra admite exceções, tenho certeza de que me perdoarão se eu citar aqui minha esposa, companheira de todas as horas, coautora de um dos capítulos e interlocutora permanente, Miriam Krenzinger, minha mãe, Marilina Soares, e Isabella Marcatti, editora a quem este livro deve muito mais do que eu poderia dizer.

---

[6] Um dos artigos já publicados, "Polícia Militar e Justiça Criminal como promotoras de desigualdades", primeiro capítulo deste livro, foi reescrito com dados atualizados. Além disso, foi feito um grande esforço, quando escolhi e revi cada texto, frase a frase, para evitar redundâncias, tanto quanto possível. Ainda assim, alguns argumentos reaparecerão em distintos contextos, porque vários temas se superpõem, embora parcialmente, exigindo referência a fundamentos comuns para as análises apresentadas.

I. Polícia

Polícia Militar e Justiça Criminal como promotoras de desigualdades[1]

A sociedade brasileira logrou reduzir a pobreza ao longo dos governos do Partido dos Trabalhadores (PT) e aprofundar a experiência cidadã da participação democrática, a despeito de inúmeras contradições e da crise profunda que afetou a representatividade política, evidenciada em 2013, ano de grandes mobilizações populares. Desde 2015, iniciou-se um processo ruinoso de crise, recessão e contrarreforma de inspiração neoliberal, que fez o desemprego explodir e corroeu as conquistas. As desigualdades, que persistiram ao longo dos anos "dourados", embora amenizadas, voltaram a se aprofundar – e em escala dramática. Além disso, havia e há desigualdades no interior das desigualdades. Marcelo Neri afirmou que

> a probabilidade de uma pessoa que se diz branca ser pobre é 49% menor que a de um negro e 56% menor que a de um pardo. [...] Mesmo quando comparamos pessoas com os mesmos atributos, exceto raça, digamos, analfabeta de meia-idade, que mora

---

[1] *Paper* apresentado no Seminário Internacional Emancipação, Inclusão e Exclusão. Desafios do Passado e do Presente, realizado de 28 a 30 de outubro de 2013, na Universidade de São Paulo, sob a coordenação das professoras Lilia Schwarcz e Maria Helena P. T. Machado, no âmbito do programa Conferência USP Humanidades 2013. O *paper*, naquela primeira versão, foi publicado no livro *Emancipação, inclusão e exclusão: desafios do passado e do presente* (São Paulo, Edusp, 2018), organizado pelas promotoras do evento citado. Versões modificadas e reduzidas, tematizando prioritariamente a Proposta de Emenda Constitucional para a reforma da arquitetura institucional da segurança pública (PEC-51), apresentada pelo senador Lindbergh Farias, foram publicadas no *Boletim IBCCrim*, n. 252, nov. 2013, e em *Le Monde Diplomatique*, mesmos mês e ano. Como disse na última nota da Introdução a este volume, a versão que aqui se apresenta foi reescrita com dados atualizados.

numa favela de Salvador, a probabilidade de uma branca ser pobre é 29,4% menor do que a de uma não branca.[2]

Antes de Neri, o Censo de 2010 deixara evidente a cor da desigualdade econômica, indicando que 70% dos brasileiros extremamente pobres são negros[3].

Uma das esferas menos pesquisadas é exatamente aquela em que não tem havido avanços: a segurança pública, as ações policiais, as políticas criminais e o funcionamento das instituições inscritas no espaço da Justiça Criminal, que se estende até o sistema penitenciário. Os dados são precários, mas suficientes para fundamentar essa conclusão. Em 2016, houve 62.517 homicídios dolosos no país; ou seja, 30,3 vítimas a cada 100 mil habitantes. A taxa de jovens mortos atingiu 65,5 a cada 100 mil jovens. Foram assassinados 33.590 (7,4% mais do que em 2015), sendo 94,6% do sexo masculino. Considerando apenas a faixa entre 15 e 29 anos, a taxa foi de 280,6 vítimas a cada 100 mil pessoas da mesma idade. O racismo estrutural se evidencia na crueza dos dados: a taxa de homicídios de negros (40,2 a cada 100 mil) equivale a 2,5 vezes à de não negros (16 a cada 100 mil). E a curva da violência marcada pela cor se elevou: de 2006 a 2016, a taxa de vitimização letal de negros aumentou 23,1%, enquanto a de não negros decresceu 6,8%. O mesmo se verifica se focalizarmos apenas o universo feminino: em 2016, foram assassinadas no país 4.645 mulheres – isso corresponde a um crescimento de 6,4%, em dez anos. A taxa de homicídios dolosos vitimando mulheres foi de 4,5 a cada 100 mil, mas de 5,3 quando as vítimas eram mulheres negras e de 3,1 quando eram brancas. A diferença é de 71%. Em dez anos, até 2016, a vitimização letal de negras cresceu 15,4%, enquanto a de não negras decresceu 8%. Observando o conjunto das informações, constata-se que, no Brasil, em 2016, confirmando o padrão anteriormente detectado, 71,5% das vítimas de homicídios dolosos eram negras (pretas ou pardas, segundo as categorias do IBGE), o que provavelmente ajuda a explicar a negligência com que se vem tratando a questão da insegurança pública. Fosse branca de classe média ou de elite a maioria das vítimas, governos teriam caído, instituições teriam sido transformadas, e essa realidade brutal já teria mudado[4].

---

[2] Marcelo Neri, *A nova classe média* (São Paulo, Saraiva, 2011), p. 227.

[3] Dados completos sobre a situação da população negra no Brasil, assim como uma análise sensível e profunda sobre os preconceitos à brasileira e a persistência das desigualdades, encontram-se em Lilia Moritz Schwarcz, *Nem preto nem branco, muito pelo contrário* (São Paulo, Claro Enigma, 2012).

[4] Daniel Cerqueira et al., *Atlas da Violência 2018* (Fórum Brasileiro de Segurança Pública/Ipea, 2018).

Os dados trazidos pelo *Atlas da Violência 2018* vêm complementar e atualizar o cenário de desigualdade racial em termos de violência letal no Brasil já descrito por outras publicações. É o caso do Índice de Vulnerabilidade Juvenil à Violência, ano base 2015, que demonstrou que o risco de um jovem negro ser vítima de homicídio no Brasil é 2,7 vezes maior que o de um jovem branco. Já o *Anuário Brasileiro de Segurança Pública* analisou 5.896 boletins de ocorrência de mortes decorrentes de intervenções policiais entre 2015 e 2016, o que representa 78% do universo das mortes no período, e, ao descontar as vítimas cuja informação de raça/cor não estava disponível, identificou que 76,2% das vítimas de atuação da polícia são negras.[5]

Essa realidade não é nova: o *Mapa da Violência* publicado em 2011[6] revela que, de 2002 a 2008, o número de negros assassinados elevou-se em 20,2%, enquanto o número de brancos vítimas do mesmo tipo de crime diminuiu em 22,3%.

Já entre 2002 e 2010, segundo o *Mapa da Violência* publicado em 2012[7], o número de vítimas brancas caiu 27,5%, enquanto a quantidade de negros vítimas de homicídio cresceu 23,4%.

Não há dúvida de que negros e pobres são as principais vítimas do crime mais grave, o homicídio doloso, além de serem as principais vítimas da brutalidade policial letal e das abordagens ilegais[8]. São os alvos prioritários das prisões em flagrante e estão super-representados nas penitenciárias.

A arquitetura institucional da segurança pública, que a sociedade brasileira herdou da ditadura e permaneceu intocada nesses trinta anos de vigência da Constituição Cidadã, impediu a democratização da área e sua modernização. Esse imobilismo contrasta com o dinamismo acelerado que vem caracterizando o país no último quarto de século. Em outras palavras, a transição democrática não se estendeu ao campo da segurança pública, até hoje confinado em estruturas organizacionais ingovernáveis, incompatíveis com as exigências de uma sociedade complexa e com os imperativos do Estado democrático de direito.

Numa democracia, a meta da instituição policial, independentemente de suas atribuições específicas, deveria ser garantir direitos dos cidadãos. Para esse fim,

---

[5] Idem.
[6] Julio Jacobo Waiselfisz, *Mapa da Violência* (Brasília, Ministério da Justiça, 2011).
[7] Idem, *Mapa da Violência* (Brasília, Ministério da Justiça, 2012).
[8] Leonarda Musumeci e Silvia Ramos, *Elemento suspeito: abordagem policial e discriminação na cidade* (Rio de Janeiro, Civilização Brasileira, 2005).

disporia de mandato para recorrer ao uso comedido e proporcional da força – se, quando e na medida do estritamente indispensável – e para proceder a investigações, conforme as determinações estabelecidas nos marcos legais vigentes.

No Brasil, os objetivos do aparato de segurança, na prática, têm sido, preponderantemente, sustentar a segurança do Estado, encarcerar jovens negros e pobres para atender ao clamor por produtividade policial, "fazer a guerra" contra os suspeitos de envolvimento com crimes – por meio, inclusive, de execuções extrajudiciais – e criminalizar movimentos sociais, reprimindo-os de forma arbitrária. Na medida em que a realização desse objetivo inconstitucional envolve a aplicação seletiva (portanto, iníqua) das leis – as quais são refratadas por filtros de cor, classe e território, entre outros –, esse processo reproduz, aprofunda e promove desigualdades sociais.

A hipótese interpretativa que pretendo sustentar é a seguinte: o crescimento vertiginoso da população penitenciária no Brasil, a partir de 2002 e 2003, seu perfil social e de cor tão marcado, assim como a perversa seleção dos crimes privilegiados pelo foco repressivo, devem-se, prioritariamente, à arquitetura institucional da segurança pública, em especial à forma de organização das polícias, que dividem entre si o ciclo de trabalho, e ao caráter militar da polícia ostensiva[9]. Devem-se também às políticas de segurança adotadas e que não seriam possíveis, no modo em que transcorrem, se não houvesse a lei de drogas. Evidentemente, o fator mais relevante, que condiciona os demais em última instância, são as desigualdades e o racismo estrutural, mas o foco são os determinantes imediatos. Observe-se que a arquitetura institucional inscreve-se no campo mais abrangente da Justiça Criminal, o que, por sua vez, significa que o funcionamento das polícias, estruturadas nos termos ditados pelo modelo constitucionalmente estipulado, produz resultados na dupla interação: com as políticas criminais e com a linha de montagem que conecta Polícia Civil, Ministério Público (MP), Justiça e sistema penitenciário. Pretendo indicar que a falência do sistema investigativo e a inépcia preventiva – em cujos efeitos incluem-se a explosão de encarceramentos e seu viés racista e classista – são também os principais responsáveis pela insegurança, em suas duas manifestações mais dramáticas: a explosão de homicídios dolosos e a brutalidade policial letal.

---

[9] Pode parecer injusto destacar a Polícia Militar no título do *paper*, uma vez que sabemos que a Polícia Civil é parte da mesma engrenagem. Entretanto, a ênfase justifica-se por motivos que serão apresentados ao longo da exposição.

Há pressupostos e implicações teóricas na hipótese que devem ser explicitados, assim como uma interlocução subjacente com a tese popularizada por Loïc Wacquant em sua influente obra *As prisões da miséria*[10]. O autor sugere conexões funcionais entre a adoção do receituário neoliberal nos Estados Unidos e o aumento dramático das taxas de encarceramento, sobretudo de pobres e negros. O neoliberalismo, ao promover o crescimento do desemprego, o esvaziamento de políticas sociais e a desmontagem de garantias individuais, exigiria a criminalização da pobreza para aplacar as demandas populares e evitar a eventual tradução política da exclusão em protagonismo crítico ou insurgente. Se o exército de reserva da força de trabalho não é mais necessário, dadas as peculiaridades do sistema econômico globalizado que transfere a exploração do trabalho para países dependentes, ou apresenta riscos de converter-se em fonte de instabilidade política, torna-se mais conveniente canalizar contingentes numerosos dos descartáveis para o sistema penitenciário. Não por acaso, os Estados Unidos viriam a produzir a maior população penitenciária do mundo. Certo ou errado, o diagnóstico não pode ser generalizado e não se aplica ao Brasil.

Entre nós, a epidemia do encarceramento coincide com os governos do PT, que poderiam merecer todo tipo de crítica, mas jamais seriam passíveis de classificação como neoliberais, promotores de desemprego e do desmonte de políticas e garantias sociais. Pelo contrário, não resta dúvida quanto às virtudes sociais dos mandatos do presidente Lula, durante os quais houve redução da pobreza e ampliação do emprego e da renda. Contudo, nunca antes na história deste país prendeu-se tanto. Atribuo a expansão do encarceramento à combinação entre as estruturas organizacionais das polícias, a adoção de políticas de segurança estaduais seletivas e a vigência, seguida da potencialização discricionária, da lei de drogas. Para demonstrar isso, impõe-se um percurso argumentativo.

Voracidade encarceradora enviesada e circuitos da violência letal: a perversa combinação entre modelo policial, política de segurança seletiva e política criminal fundada no proibicionismo

Em primeiro lugar, reconheçamos a gravidade do quadro nacional e a incapacidade do sistema de segurança pública para revertê-lo – esse reconhecimento, contudo, não significa que lhe devamos atribuir todas as responsabilidades pelo

---

[10] Rio de Janeiro, Jorge Zahar, 2001.

avanço da criminalidade violenta. A sociedade e o Estado tampouco têm sido capazes de prevenir essa tragédia. Nem mesmo a Polícia Civil tem sido competente para investigar os crimes mais graves: apenas cerca de 8% dos homicídios dolosos, em média, têm sido esclarecidos, no país, segundo declaração do professor Julio Jacobo Waiselfisz, comentando, no site Consultor Jurídico, seu *Mapa da Violência* relativo a 2011[11].

No entanto, não nos precipitemos a daí deduzir que o Brasil seja o país da impunidade, como o populismo penal conservador e a esquerda punitiva costumam alardear. Pelo contrário, temos uma das maiores populações prisionais do mundo, além da taxa de crescimento mais veloz. Em 1990, havia 90 mil presos; em junho de 2016, o dado mais recente, 726.712 pessoas (mais de 90%, homens) estavam presas, produzindo um déficit de vagas da ordem de 358.663. O crescimento entre 1990 e 2016 foi de 707%. As prisões de nosso país têm cor: enquanto os negros são 53% da população brasileira, representam 64% da população penitenciária. A maioria dos presos é jovem, pobre, do sexo masculino e de baixa escolaridade.

Entre os presos, apenas 13,6% cumprem pena por crimes contra a pessoa. E 40% são provisórios, isto é, estão presos sem condenação. Apenas 5,1% estão lá por transgressões ao Estatuto do Desarmamento. E 28,47% foram presos sob acusação de tráfico de drogas: entre os homens, 26%; entre as mulheres – atenção para este dado –, 62%. Considerando o conjunto da população penitenciária, 44,9% foram acusados ou são suspeitos de crimes contra o patrimônio. Fica patente que os crimes contra a vida, assim como as armas, não constituem prioridade. Os focos são outros: patrimônio e drogas. O subgrupo composto pelos que cumprem pena por "tráfico" (adiante explico as aspas) é aquele que cresce mais velozmente, em um universo que aumenta depressa, como vimos.

Ou seja, além de não evitar as mortes violentas intencionais e de não as investigar, o Estado brasileiro prende muito e mal. As prioridades estão trocadas. A vida não é valorizada, e há um abuso do encarceramento. A privação de liberdade, esse atestado de falência civilizatória, tem constituído a orientação dominante do sistema de segurança e Justiça Criminal. Vamos aos números.

---

[11] Ver:<www.conjur.com.br/2011-mai-09/somente-homicidios-sao-resolvidos-50-mil-cometidos-pais>; acesso em: mar. 2019.

	População carcerária	Taxa de encarceramento[12]
2000	232.755	137,1
2001	233.859	135,7
2002	239.345	137,1
2003	308.304	174,3
2004	336.358	185,2
2005	361.402	196,2
2006	401.236	214,8
2007	422.590	229,6
2008	451.429	238,1
2009	473.626	247,3
2010	496.251	260,2
2011	514.582	267,5
2012	549.800	283,5
2013	581.500	289,3
2014	622.200	306,2
2015	698.600	341,7
2016	726.700	352,6 (até junho)[13]

No Brasil, o traficante deve cumprir sentença de pelo menos cinco anos, o que praticamente elimina a possibilidade de que se lhe conceda o benefício de pena alternativa. Mesmo que não esteja envolvido com organizações criminosas nem tenha agido com violência, será privado da liberdade. Custará 1.500 reais por mês ao erário, recurso que poderia transformar sua vida e promover sua integração à sociedade, caso fosse aplicado em complementação educacional, inserção no mercado de trabalho ou no apoio efetivo para sua família, garantindo-lhe – e, nesse sentido, também à sociedade – horizontes promissores. Nos termos em vigor, segundo a Lei n. 11.343/2006, o usuário de drogas ilícitas não pode ser preso, mas deve ser conduzido à delegacia, depois a um Juizado Especial Criminal, onde poderá receber advertência verbal, pena de prestação de serviço à comunidade, medida de comparecimento obrigatório a programa educativo ou multa. O consumo ainda é considerado crime.

---

[12] A taxa toma como base de cálculo a população brasileira e se refere ao número de pessoas privadas de liberdade a cada 100 mil habitantes.

[13] Os dados foram tirados do *Levantamento nacional de informações penitenciárias* (Infopen), publicado em 2017, e são relativos a dezembro de cada ano, com duas exceções: 2002 (referem-se ao primeiro semestre) e 2016 (cobrem apenas o período de janeiro a junho).

No Rio de Janeiro, segundo pesquisa para o Pnud[14], 80% dos presos por tráfico são jovens entre 16 e 28 anos, primários. A grande maioria foi capturada em flagrante, não portava arma, não agia com violência e não tinha qualquer vínculo com organizações criminosas.

A Lei brasileira não define a partir de que quantidade o porte de droga ilícita passa a ser tipificado como tráfico, o que amplia a liberdade interpretativa da autoridade judicial – e também da autoridade policial. Dispondo de larga margem para exercer discricionariedade, a maioria dos magistrados reproduz as desigualdades sociais. Suas avaliações subjetivas, cujos efeitos práticos são bastante objetivos, reiteram as discriminações enraizadas na cultura em que foram socializados, as quais dão o tom às iniquidades sociais brasileiras. Para a perplexidade de alguns interlocutores, os efeitos desse coquetel têm sido mais graves do que a ingestão de qualquer droga.

O resultado é o seguinte: se o suspeito for um jovem branco de classe média morador de bairro afluente, defende-se com a conversa esperta: "Sou viciado, excelência, confesso que sou escravo do vício. Mas detesto ter de falar com traficante, lidar com essa gente. Quero distância do crime. Por isso, compro a maior quantidade possível para diminuir a necessidade desses encontros". O juiz costuma abençoar o pobre moço, apiedar-se dele e indicar o suposto tratamento necessário e merecido. Para a Justiça, não há dúvida: eis um usuário. Se o suspeito tem a mesma idade do outro, mas é negro, pobre e reside numa favela, nem lhe passa pela cabeça enunciar justificativa tão engenhosa. Correria o risco de ser condenado ainda com mais severidade por desacato à autoridade. Sua explicação provavelmente seria tomada como escárnio. Para a Justiça, o jovem é traficante. O garotão branco de classe média é um viciado tratado com indulgência paternal; o rapaz negro e pobre ficará trancado cinco anos, pelo menos, treinando para a volta. Se não foi violento nem estava armado, se agia sozinho para levantar uma grana, aprenderá a organizar-se, armar-se e agir com violência, visando a alvos mais ambiciosos. A iniquidade fere a alma, humilha, deprime, degrada a autoestima. As perspectivas para o egresso nunca são positivas. A profecia pessimista quanto ao futuro do jovem delinquente tende a cumprir-se, confirmando o estigma. Não porque estivesse correta, mas porque a mediação das políticas criminais converteu o vaticínio em destino.

---

[14] Luciana Boiteux, Ela Wiecko, Vanessa Oliveira Batista e G. M. Prado, "Tráfico e Constituição: um estudo sobre a atuação da justiça criminal do Rio de Janeiro e de Brasília no crime de tráfico de drogas", *Revista Jurídica*, Brasília, v. 11, 2009, p. 1-29.

O que são e como funcionam as polícias militares?[15]

Segundo a Constituição, as polícias militares (PMs) são forças auxiliares e reserva do Exército (artigo 144, parágrafo 6º), e sua identidade tem expressão institucional por intermédio do Decreto n. 88.777, de 30 de setembro de 1983, do Decreto-lei n. 667, de 2 de julho de 1969, modificado pelo Decreto-lei n. 1.406, de 24 de junho de 1975, e do Decreto-lei n. 2.010, de 12 de janeiro de 1983. Isso significa que o Exército é responsável pelo "controle e pela coordenação" das polícias militares, enquanto as secretarias de Segurança dos estados têm autoridade sobre sua "orientação e seu planejamento". Em outras palavras, os comandantes gerais das PMs devem reportar-se a dois senhores. Indicá-los é prerrogativa do Exército (artigo 1º do Decreto-lei n. 2.010, de 12 de janeiro de 1983, que modifica o artigo 6º do Decreto-lei n. 667/69)[16], ao qual se subordinam, pela mediação da Inspetoria Geral das Polícias Militares (que passou a integrar o estado-maior do Exército em 1969)[17], as segundas seções (as PM2), dedicadas ao serviço de inteligência, assim como as decisões sobre estruturas organizacionais, efetivos, ensino e instrução, entre outras. As PMs obrigam-se a obedecer regulamentos disciplinares inspirados no regimento vigente no Exército (artigo 18 do Decreto-lei n. 667/69)[18] e a seguir o regulamento de administração do Exército (artigo 47 do Decreto n. 88.777/83)[19], desde que este não colida com normas estaduais.

Há, portanto, duas cadeias de comando, duas estruturas organizacionais, convivendo no interior de cada Polícia Militar (PM), em cada estado da federação. Uma delas vertebra a hierarquia ligando as praças aos oficiais, ao comandante geral da

---

[15] Uma primeira versão desta seção foi publicada em meu livro *Legalidade libertária* (Rio de Janeiro, Lumen Juris, 2006). Contei com a colaboração de Paulo Oliveira, que, por ter elaborado a arqueologia da trama legal, tornou-se coautor do trecho que segue. Nem por isso, entretanto, deve-se responsabilizá-lo pela interpretação, cuja responsabilidade assumo. Agradeço-lhe a generosidade e a competência.

[16] "§ 1º) O provimento do cargo de Comandante será feito por ato dos Governadores de Estado e de Territórios e do Distrito Federal, *após ser o nome indicado aprovado pelo Ministro de Estado do Exército*, observada a formação profissional do oficial para o exercício de Comando."

[17] Art. 2º do DL n. 667/69: "A Inspetoria Geral das Polícias Militares, que passa a integrar, organicamente, o Estado-Maior do Exército, incumbe-se dos estudos, da coleta e do registro de dados, bem como do assessoramento referente a controle e coordenação, no nível federal, dos dispositivos do presente Decreto-lei".

[18] "Art. 18) As Polícias Militares serão regidas por Regulamento Disciplinar redigido à semelhança do regulamento disciplinar do Exército e adaptado às condições especiais de cada Corporação."

[19] "Art. 47) Sempre que não colidir com as normas em vigor nas unidades da Federação, *é aplicável às Polícias Militares o estatuído pelo regulamento de administração do Exército*, bem como toda a sistemática de controle de material adotada pelo Exército."

PM, ao secretário de Segurança e ao governador; a outra vincula o comandante geral da PM ao comandante do Exército, ao ministro da Defesa e ao presidente da República. Apesar da autoridade estadual sobre "orientação e planejamento", a principal cadeia de comando é a que subordina as PMs ao Exército. Não é difícil compreender o primeiro efeito da duplicidade assimétrica: as PMs estaduais constituem, potencialmente, poderes paralelos que subvertem o princípio federativo.

Nada disso foi percebido, porque o Exército tem sido parcimonioso no emprego de suas prerrogativas. Quando deixar de sê-lo e, por exemplo, vetar a nomeação de algum comandante geral, as consequências serão sérias. Não obstante as cautelas do Exército, os efeitos da subordinação estrutural a ele têm sido sentidos no cotidiano das metrópoles. Na medida em que as PMs não estão organizadas como polícias, mas como pequenos exércitos desviados de função, os resultados são, salvo honrosas exceções, os desastres que conhecemos: ineficiência no combate ao crime, incapacidade de exercer controle interno (o que implica envolvimentos criminosos em larga escala) e insensibilidade no relacionamento com os cidadãos[20].

Polícias nada têm a ver com exércitos: como foi dito anteriormente, são instituições destinadas a garantir direitos e liberdades dos cidadãos, que estejam sendo violados ou na iminência de sê-lo, por meios pacíficos ou por uso comedido de força, associado à mediação de conflitos, nos marcos da legalidade e em estrita observância dos direitos humanos. Por isso, qualquer projeto consequente de reforma das polícias militares para transformar métodos de gestão e racionalizar o sistema operacional, tornando-o menos reativo e mais preventivo (fazendo-o apoiar-se no tripé diagnóstico-planejamento-avaliação), precisa começar advogando o rompimento do cordão umbilical com o Exército e a desmilitarização.

---

[20] Observe-se, ainda, o seguinte (cito, com sua anuência, comentários de Paulo Oliveira, em comunicado pessoal):

a. quanto aos corpos de bombeiros militares, é bom lembrar que se aplica *a eles os dispositivos do Decreto-lei n. 667/1969*, que reorganiza as polícias militares e os corpos de bombeiros militares dos estados, dos territórios e do Distrito Federal ("Artigo 26, § único. Aos Corpos de Bombeiros Militares aplicar-se-ão as disposições contidas neste Decreto-lei");

b. as polícias militares integram o Sistema de Informações do Exército de acordo com as determinações dos Comandantes do Exército ou comandos militares de área, nas respectivas áreas de jurisdição (artigo 41 do Decreto n. 88.777/83);

c. "a *Inspetoria Geral das Polícias Militares tem competência para se dirigir diretamente às polícias militares*, bem como aos órgãos responsáveis pela segurança pública e demais congêneres, quando se tratar de assunto técnico-profissional pertinente às polícias militares ou relacionado com a execução da legislação federal específica àquelas corporações" (artigo 42 do Decreto n. 88.777/83).

Uma barafunda institucional como essa, gerando ambiguidades, inviabilizando mudanças estruturais urgentes e alimentando confusões, tinha de dar no que deu tantas vezes: greves selvagens, nas quais todos saem perdendo – a população, os governos e os próprios policiais, mesmo quando ganham certas vantagens residuais. A barafunda tinha de produzir esse resultado catastrófico, sobretudo quando turbinada por salários insuficientes, condições de trabalho desumanas, ausência de qualificação, falta de apoio psicológico permanente e códigos disciplinares medievais, cuja própria constitucionalidade deveria ser questionada, uma vez que afrontam direitos elementares.

Esses códigos são tão absurdos que penalizam o cabelo comprido, o coturno sujo e o atraso com a prisão do soldado, mas acabam sendo transigentes com a extorsão, a tortura, o sequestro e o assassinato. A falta disciplinar, cometida dentro do quartel, é alvo de punição draconiana. O crime perpetrado contra civis é empurrado para as gavetas kafkianas da corregedoria, de onde frequentemente é regurgitado para o labirinto burocrático, em cuja penumbra repousa, até que o esquecimento e o jeitinho corporativista o sepultem nos arquivos. Os policiais do Brasil, de norte a sul, estão aprendendo a usar o discurso dos direitos humanos a seu favor: cobram salários dignos, condições razoáveis de trabalho e um código disciplinar que os respeite, como profissionais, cidadãos e seres humanos. A imensa maioria deseja a desmilitarização e a carreira única.

Em síntese: as PMs são definidas como força reserva do Exército e submetidas a um modelo organizacional concebido a sua imagem e semelhança. Por isso, têm até treze níveis hierárquicos e uma estrutura fortemente verticalizada e rígida. A boa forma de uma organização é aquela que melhor serve ao cumprimento de suas funções. As características organizacionais do Exército atendem a sua missão constitucional, porque tornam possível o "pronto emprego", essencial às ações bélicas destinadas à defesa nacional. Nesse contexto, entende-se o veto à sindicalização.

A missão das polícias no Estado democrático de direito, como mencionado nos primeiros parágrafos, é inteiramente diferente daquela que cabe ao Exército. O dever das polícias, não é demais reiterar, é prover segurança aos cidadãos, garantindo o cumprimento da Lei, ou seja, protegendo seus direitos e suas liberdades contra eventuais transgressões que os violem. No repertório cotidiano das atividades das PMs, confrontos armados que exigem pronto emprego representam pequena parcela. Não faz sentido estruturar toda uma organização para atender a uma pequena parte de suas ações. O funcionamento usual das instituições policiais com presença uniformizada e ostensiva nas ruas, cujos propósitos são, sobretudo, preventivos, requer, dada a variedade, a complexidade e o dinamismo dos problemas a superar, os seguintes atributos: descentralização; valorização do trabalho na ponta; flexibilidade no processo decisório nos limites da legalidade, do respeito aos direitos humanos e dos princípios internacionalmente concertados que regem o uso comedido da força; plasticidade adaptativa às especificidades locais; capacidade de interlocução, liderança, mediação e diagnóstico; liberdade para adoção de iniciativas que mobilizem outros segmentos da corporação e intervenções governamentais intersetoriais. Idealmente, o(a) policial na esquina é um(a) gestor(a) da segurança em escala territorial limitada com amplo acesso à comunicação intra e extrainstitucional, de corte horizontal e transversal[21].

Engana-se quem acredita que mais rigor hierárquico, mais centralização, menos autonomia na ponta e regimentos mais duros garantem mais controle interno, menos corrupção, desmandos e brutalidade. Se fosse assim, nossas polícias militares seriam campeãs de virtude. No entanto, sacrificamos a eficiência no altar da disciplina para colher tempestades e saldos negativos em todos os *fronts*.

Não há nenhuma razão para que as PMs copiem o modelo organizacional do Exército. Em um novo contexto desmilitarizado, a sindicalização se tornaria legal e legítima. Quem teme sindicatos e supõe possível manter a ordem reprimindo demandas dos trabalhadores, proibindo sua organização, não compreende a história social e as lições que as lutas trabalhistas nos ensinaram. Não entende que o veto à organização provoca efeitos perversos para todos e planta uma bomba de efeito retardado sob os pés da sociedade.

Demonstrando a hipótese: estruturas organizacionais e práticas seletivas

Em primeiro lugar, é preciso deixar claro que as polícias militares são proibidas de investigar, de acordo com o artigo 144 da Constituição. Sendo as polícias mais numerosas e as que se encontram nas ruas 24 horas, em todo o país, caem sobre seus ombros imensas responsabilidades; com isso, elas são por todos – mídia, opinião pública, políticos, autoridades – cobradas, pressionadas a produzir. Com frequência, entendem por produzir prender. Não podendo investigar, só lhes cabe prender em flagrante. Eis aí a razão do fenômeno: a imensa maioria da população

---

[21] Este parágrafo foi escrito em parceria com Ricardo Balestreri para artigo que publicamos juntos: "A raiz de nossos problemas de segurança", *Folha de S.Paulo*, 18 maio 2012.

carcerária brasileira foi presa em flagrante delito. Esse é o retrato da aplicação de um crivo seletivo tão grave quanto evidente, além da conhecida e estudada seletividade de classe, cor e territorialidade. As prioridades estão invertidas, radicalmente, e isso independe da política de segurança adotada e, até certo ponto, da vontade dos atores envolvidos e dos gestores. Eis mais um motivo pelo qual o gradualismo incremental como perspectiva de mudança é tão limitado, na área da segurança pública, entre nós[22]. Ou seja: eis por que é indispensável a reforma estrutural das instituições, que exige alteração do artigo 144 da Constituição, no qual se estabelece o desenho da arquitetura institucional da segurança pública, que inclui o modelo policial e a distribuição de atribuições e responsabilidades entre a União, os estados e os municípios.

As estruturas organizacionais das polícias trazem consigo conteúdos políticos, metas naturalmente derivadas das formas de funcionamento, rotinas inerciais que emanam das estruturas como se lhes fossem inerentes, pela mediação de valores e tradições corporativas. É o que me cumpre demonstrar.

A PM é um corpo de servidores públicos pressionado pelo governo, pela mídia e pela sociedade a trabalhar e produzir resultados, os quais deveriam ser entendidos como a provisão da garantia de direitos e a redução da criminalidade, sobretudo violenta, estabilizando e universalizando expectativas positivas em relação à cooperação – não é outra coisa a chamada segurança pública, cuja natureza é imaginária e prospectiva e, portanto, corresponde à idealização compartilhada de que existe uma ordem. Este ente volátil e intersubjetivo, a "ordem", apenas se materializa sob a forma de profecias que se autocumprem. Entretanto, resultados não são compreendidos nesses termos, seja porque interpõe-se a opacidade dos valores da guerra contra o inimigo interno, seja porque a máquina policial apenas avança para onde aponta seu nariz, por assim dizer. Em outras palavras, a máquina, para produzir, respondendo à pressão externa, precisa mover-se, isto é, funcionar – e só o faz segundo as possibilidades oferecidas por seus mecanismos, os quais operam em sintonia com o repertório proporcionado pela tradição corporativa, repassado nas interações cotidianas, nos comandos e no processo de socialização, que incorpora e transcende a formação técnica.

A máquina funciona determinando às equipes de subalternos nas ruas, pelos canais hierárquicos do comando, ao longo dos turnos de trabalho, trajetos de

---

[22] Cf. Robson Sávio Reis Souza, *Quem comanda a segurança pública no Brasil? Atores, crenças e coalizões que dominam a política nacional de segurança pública* (Belo Horizonte, Letramento, 2015).

patrulhamento em cujo âmbito realiza-se a vigilância. A operacionalização depende da subserviência do funcionário que atua na ponta, de quem se exige renúncia à dimensão profissional de seu ofício, à liberdade de pensar, diagnosticar, avaliar, interagir para conhecer, planejar, decidir e mobilizar recursos multissetoriais, antecipando-se aos problemas identificados como prioritários. A inexorável discricionariedade da função policial[23] será exercida nos limites impostos pela abdicação do pensamento e do protagonismo profissional. Será reduzida ao arbítrio, porque descarnada do conteúdo finalista superior, que daria sentido à sua ação e à participação de sua instituição: a busca da realização das metas superiores, indicadas à exaustão neste texto. O que restará ao policial militar na ponta, na rua? O que caberá ao soldado? Varrer a rua com os olhos e a audição, classificando personagens e biótipos, gestos e linguagens corporais, figurinos e vocabulários, intuindo dramaturgias, orientando-se pelo imperativo de funcionar e produzir, o que significa, para a PM, prender (quando não fazer a guerra).

Ad hoc, no varejo do cotidiano, só resta ao soldado procurar o flagrante, flagrar a ocorrência, capturar o suspeito. Os grupos sociais mais vulneráveis serão também, no quadro maior das desigualdades brasileiras e do racismo estrutural, os mais vulneráveis à escolha dos policiais, porque estes projetarão preconceitos no exercício de sua vigilância. O elenco escolhido pela vigilância tenderá a ser parecido com os estereótipos destacados no cardápio da cultura corporativa. Nos territórios vulneráveis, a tendência será atuar como tropa de ocupação e enfrentar inimigos. Assim se explicam as milhares de execuções extrajudiciais sob o título cínico de "autos de resistência", abençoados pelo MP sem investigação e arquivados com o aval cúmplice da Justiça e a omissão da mídia e de parte da sociedade.

Por fim, o flagrante exige um tipo penal: na ausência da antiga vadiagem, está à mão a lei de drogas (e não só). Ou seja, pressionar a PM a funcionar equivale a lhe cobrar resultados, os quais serão interpretados não como redução da violência nem resolução de problemas, mas como efetividade de sua prática, isto é, como produtividade confundida com prisões, contabilizada em prisões, as mais prováveis pelo método disponível, o flagrante. O personagem, o biótipo, o rótulo, o figurino, o território, a fala, a vigilância no varejo das ruas, a ação randômica em busca do flagra: não são necessárias grandes articulações funcionais entre macroeconomia

---

[23] Para a discussão do conceito de discricionariedade, vale a pena consultar Orlando Moreira Nunes, *Discricionariedade policial e política criminal* (dissertação de mestrado em sociologia e direito, Niterói, UFF, 2013).

e políticas sociais, a proporcionar sobrevida ao capitalismo. Basta a manchete do jornal, o telefonema do governador ao secretário de Segurança, a chamada deste ao comandante geral da PM, a ordem deste ao chefe do estado-maior, daí ao comandante da unidade e o grito deste aos subordinados para que produzam, aumentem a produtividade. Basta a máquina funcionar. Esta não investiga, porque a fratura do ciclo, prevista no modelo, não permite. Ela está condenada a enxergar o que se vê na deambulação vigilante, em busca de personagens previsíveis, que confirmem o estereótipo e estejam nas ruas, mostrem-se acessíveis. Ela vai à caça do personagem socialmente vulnerável, que comete determinados tipos de delito, próprios a esse tipo de personagem e ao âmbito de observação do policial ostensivo. Portanto, socialmente vulnerável torna-se sinônimo de vulnerável à abordagem policial, ao flagrante e à correspondente tipificação criminal. Assim como se diz que, na investigação, deve-se seguir o dinheiro ("*follow the money*"), na análise da criminalização da pobreza, no Brasil, convém seguir as etapas do funcionamento ostensivo da máquina policial militar à cata do flagrante.

Como vimos, a política criminal, aqui analisada por meio da lei de drogas, é decisiva. A política de segurança, com suas escolhas de fundo, é fundamental. No entanto, é indiscutível que cumprem papel determinante a militarização e a ruptura do ciclo do trabalho policial. A divisão do ciclo, no contexto da cultura corporativa belicista – herdada da ditadura e do autoritarismo onipresente na história brasileira –, cria uma polícia exclusivamente ostensiva, cuja natureza militar – fortemente centralizada e hierarquizada – inibe o pensamento na ponta, obsta a valorização do policial e de sua autonomia profissional e mutila a responsabilidade do agente, degradando a discricionariedade hermenêutica em arbitrariedade subjetiva. Contando com o contexto social marcado por iniquidades, apoiada pela autorização tácita de considerável parcela da sociedade, estimulada pela omissão cúmplice ou pela condução explícita de autoridades políticas, a dinâmica acionada pelo desempenho policial reproduz, aprofunda e amplia desigualdades sociais. A máquina policial militar ávida por flagrantes funciona na inércia, repetindo sua sina discriminatória no piloto automático, ou impelida, em espasmos reativos e voluntaristas, à produtividade: palavra-senha decodificada como demanda por encarceramento. O mecanismo perverso atua por pequenos gestos, abordagens cotidianas, aplicação seletiva das leis, pela via da fatídica lei de drogas – cuja função é estratégica e decisiva – ou por ações espetaculares e *performances* midiáticas. Manifesta-se também no silêncio passivo e omisso ante o dever constitucional de garantir o direito de todos, o que inclui, e com destaque, os grupos mais vulneráveis.

Por que tem sido tão difícil mudar as polícias?[1]

A morte de um jovem negro e pobre numa periferia brasileira: mais um traço no catálogo da violência policial. Outra vida sepultada sob as patas do Estado. Já não importam palavras nem números, curvas nem tabelas. Os dados quantificam a tragédia e a diluem. Neutralizam a brutalidade dos processos reais. Convertem a experiência radicalmente singular em mais um caso particular pelo qual o universal se manifesta, encapsulado no conceito. Os conceitos servem ao esclarecimento por meio de categorias equivalentes a outras, permutáveis, moedas de troca cognitivas. O conhecimento é indispensável, mas não abole a dor nem conjura os mistérios da alma humana. A morte de uma pessoa, como sua vida, não é permutável por outra, e nisso reside sua dignidade, fonte dos direitos humanos. O sofrimento é desvão inexpugnável, abismo da linguagem que devora a comunicabilidade. Treva sem fundo, tensionamento refratário à redenção dialética, solidão irremediável. Sobretudo ante situações-limite, "lutar com palavras é a luta mais vã. Entanto lutamos mal rompe a manhã"[2]. Por isso este capítulo, este grito, de novo, este mantra desidratado.

Sem consolo, as famílias fazem o luto ou desabam na melancolia. O real indizível, contudo, não cede, insiste, perturba, subverte, atua: inscreve o mal-estar na

---

[1] Este ensaio foi publicado em versão reduzida no livro *Bala perdida: a violência policial no Brasil e os desafios para sua superação* (São Paulo, Boitempo, 2015) e na íntegra na versão virtual do mesmo livro, assim como na *Revista Praia Vermelha*, v. 25, n. 2, jul.-dez. 2015. Agradeço a Miriam Krenzinger a leitura crítica e as sugestões, aqui incorporadas.

[2] Carlos Drummond de Andrade, *Poesia e prosa* (8. ed., Rio de Janeiro, Nova Aguilar, 1992), p. 84.

superfície dos dias das classes populares, sob a forma noturna do trauma. O medo, a indignação, a impotência, combinados, assombram a legião dos atingidos pela perda de filhos, pais, irmãos, netos e companheiros. A alquimia anímica transforma esse coquetel venenoso de emoções e percepções em ressentimento, o qual, projetado sobre o mundo público, arruína qualquer expectativa de legitimidade política. O resultado que se colhe é a difusão surda de um ceticismo corrosivo, generalizado e paralisante. A expressão que resta tende a restringir-se à reatividade, uma espécie de desejo disperso de vingança desprovida de alvo e cálculo. A revolta fecha-se sobre si, abotoada pela impotência numa camisa de força, degradando-se em depressão autodestrutiva ou investindo sua reserva de energia em flechas inócuas do ódio despolitizado. Esse estado d'alma prepara a vítima para a coreografia da negação, para a dramaturgia repetitiva do apedrejamento de ônibus e vitrines, espelhando a violência policial repudiada. Não a prepara para o investimento em mudanças reais, via tessitura de laços de solidariedade e celebração de compromisso social politicamente orientado. Como extrair do sofrimento extremo, que despotencializa e desnorteia, propostas objetivas de transformação do modelo policial? Impossível e, para quem chora perdas irreparáveis, até aviltante. Todavia, nada impede que propostas viáveis e negociadas entre movimentos populares venham a sensibilizar as comunidades que compartilham a dor e a conquistar a adesão dos que, no cotidiano, testemunham a barbárie promovida pelo braço armado do Estado. Converter a perda em ação comum repara o trauma e restaura a potência, dissolvendo o ressentimento em desejo de vida e vontade de mudança. A solução para o trauma não é a vingança nem o mimetismo do violador, mas o restabelecimento da confiança no laço social, o engajamento nas coisas da cidade, a corresponsabilização pela esfera pública. Em outras palavras, a Política com "P" maiúsculo. E disso constitui exemplo importante o movimento, em São Paulo – e também no Rio de Janeiro –, das mães cujos filhos foram assassinados pela polícia, assim como a formação de Comissão da Verdade para identificar os crimes perpetrados pelo Estado depois do fim da ditadura de 1964. É de lamentar que seja ainda episódico o envolvimento da maior parte dos movimentos e das entidades politizadas com a pauta do sofrimento causado pela insegurança pública – não só por ações policiais, mas também por dinâmicas criminais específicas – e que seja tão tímido e rarefeito o interesse pela questão policial. Esse tópico será retomado em detalhes. Antes, impõe-se percorrer algumas etapas. Entre a dor e o silêncio, estende-se a história de um debate.

Nesse quadro sombrio, marcham nossas polícias militares, e também as civis, reproduzindo inercialmente suas velhas práticas, em geral ineficientes (já passa de 62.500 o número de homicídios dolosos por ano, no país, dos quais apenas 8% são investigados), além de muitas vezes brutais, sem darem sinais de crise terminal. Pelo menos, sinais ostensivos e públicos, porque os internos se acumulam e agravam. As maiorias, compostas de praças e não delegados, nas polícias militares e civis, respectivamente, têm sofrido todo tipo de violação a seus direitos, como trabalhadores e cidadãos, e cada vez mais intensamente demonstram insatisfação. O Ministério Público do estado do Rio de Janeiro, no fim de 2014, denunciou a situação em que trabalhavam os policiais das Unidades de Polícia Pacificadora (UPPs) como análoga à escravidão. Um coronel da Polícia Militar (PM) me confidenciou, como se eu não soubesse: "Não fôssemos militares, quem se submeteria a esse ultraje, a esse nível de exploração? Se as praças se organizassem em sindicato, o governo não ousaria esticar tanto a corda". Como esperar desses trabalhadores respeito aos marcos constitucionais e aos direitos humanos? Aproveitando a ausência de propostas de mudança no sentido democrático capazes de articular alianças amplas na sociedade, as lideranças dos estratos superiores das instituições esforçam-se por impor a disciplina, em especial a disciplina política, traduzindo a revolta de seus comandados em linguagem exclusivamente corporativa, subtraindo da indignação o ingrediente mais impactante, potencialmente: sua repulsa ao próprio modelo policial (mais de 70% dos policiais e dos demais profissionais de segurança pública, em todo o país, consideram falido o atual modelo).

Se a sociedade, em seus mais diversos segmentos, está descontente, pelas mais variadas razões, por vezes contraditórias, e se não há sustentação majoritária nas próprias instituições policiais, por que o país permanece convivendo com a arquitetura institucional arcaica, legada pela ditadura? Afinal, a dimensão organizacional é chave para mudanças de comportamento, como pretendo demonstrar adiante. Observe-se aqui um ponto relevante: a ditadura não inventou a tortura e as execuções extrajudiciais nem a ideia de que vivemos uma guerra contra inimigos internos. Tais práticas perversas e as correspondentes concepções, racistas e autoritárias, têm a idade das instituições policiais no Brasil e, antes de sua criação, já tinham curso – nunca faltaram capatazes nem capitães do mato para caçar, supliciar e matar escravos fugitivos ou rebelados. A ditadura militar e civil de 1964 simplesmente reorganizou os aparatos policiais, intensificou sua tradicional violência, autorizando-a e adestrando-a, e expandiu o espectro de sua abrangência, que passou a incluir militantes de classe média. Ainda assim, foi o regime que instituiu o modelo atualmente em vigência.

Considerados esses aspectos de nossa história no campo da segurança pública, proponho a reflexão sobre quatro interrogações estratégicas: 1) Qual é a importância das estruturas organizacionais das polícias para a definição dos padrões de comportamento de seus agentes? 2) Qual é a relevância da questão policial para a democracia no Brasil, quando se a compreende como processo potencialmente progressivo de inclusão popular participativa? 3) Qual é a responsabilidade dos atores sociais mais comprometidos com a defesa dos direitos humanos e dos interesses das classes subalternas na conservação da arquitetura das instituições da segurança pública, no Brasil, em que se inscreve o modelo policial? 4) Mudanças restritas às polícias poderiam fazer diferença?

1) O formato de uma organização é sempre fator significativo na instauração de padrões comportamentais de seus membros, em maior ou menor grau, conforme o caso, ainda mais quando se trata de instituições em que discricionariedade e arbítrio distinguem-se por critérios complexos e dinâmicos e limites instáveis. No Brasil, a correlação se dá em grau elevado. Para explicar, tomo o exemplo das PMs, certamente o mais dramático, em razão da natureza de suas funções. Segundo o artigo 144 da Constituição, cabe-lhes o policiamento ostensivo, uniformizado, também chamado preventivo. Dada a divisão do trabalho ditada pelo mesmo artigo, que atribui a investigação com exclusividade às polícias civis, resta aos policiais militares, quando se lhes cobra produtividade, fazer o quê? Prender e apreender drogas e armas. Prender que tipo de transgressor? Atuar contra quais delitos? Se o dever é produzir, se produzir é sinônimo de prender e se não é permitido investigar, o que sobra? Prender em flagrante. Quais são os crimes passíveis dessa modalidade de prisão? Aqueles que podem ser identificados, empiricamente, pelos sentidos, a visão e a audição, e que ocorrem em espaços públicos. Não é o caso de lavagem de dinheiro nem da maior parte das transgressões perpetradas por criminosos de colarinho branco. O varejo que supre a cota de prisões da PM é composto de personagens que agem na rua, cuja prática também segue a lógica do varejo: batedores de carteira, pequenos vendedores de drogas ilícitas, assaltantes de pontos de comércio, ladrões de automóveis etc. Quais são, em geral, os atores sociais que cometem esses delitos? Com frequência, jovens de baixa escolaridade, pobres, moradores de periferias e favelas, cujas dificuldades cotidianas estimulam a procura de alternativas de sobrevivência econômica. O pulo do gato, que torna tão efetiva a ação policial militar – quando avaliada não pelo resultado que deveria importar (a redução da violência), mas por índices de encarceramento –, se dá quando o imperativo de prender apenas em flagrante encontra um instrumento

legal para fazê-lo com celeridade e em grande escala: a política criminal relativa a drogas e a legislação proibicionista dela derivada. Forma-se o mecanismo cujo funcionamento ágil tem superlotado as penitenciárias de jovens que não portavam armas, não eram membros de organizações criminosas, não agiam com violência. O nome desse processo é criminalização da pobreza, verdadeira consagração do racismo institucionalizado. Se o flagrante como expediente exclusivo de ação policial no campo da persecução criminal submete a aplicação da lei a um crivo seletivo muito peculiar, o recurso à lei de drogas submete o princípio constitucional elementar, a equidade, a refrações de classe e cor. E assim o acesso à Justiça revela-se uma das mais impiedosas e dilacerantes desigualdades da sociedade brasileira. Registre-se que o Estado não cumpre a Lei de Execuções Penais, o que implica a imposição criminosa de um excedente de pena a cada sentença aplicada.

Podem-se formular belas teorias sobre o modo de produção capitalista e o cárcere, a modernidade e o panóptico, o neoliberalismo e as políticas criminais. Tendo a ser cético quanto a conexões macroestruturais de tipo funcional para pensar a sociedade, mas não há aqui espaço para enfrentar o debate. De meu ponto de vista, bastam poucos fatores para compreender por que temos a quarta população prisional do mundo, aquela que mais cresce e cuja composição demográfica não deixa margem a dúvidas quanto a seu caráter de classe e cor – registre-se que apenas 13% dos cerca dos mais de 700 mil presos cumprem pena por homicídio, 40% estão em prisão provisória, sendo a maioria negra. Entre esses fatores, destaco: o racismo da sociedade brasileira (que serve de molde para o conjunto das desigualdades sociais – e aqui inverto a leitura tradicional, em cujos termos a desigualdade de classe é que moldaria o racismo), a lei de drogas, o modelo policial e a cultura da vingança e da guerra, que atravessa distintas classes e se enraíza nas corporações policiais, não só militares. Essa cultura autoriza a violência policial e não é exclusividade das elites nem mesmo das camadas médias.

Há outros elementos relativos ao formato organizacional, no caso da Polícia Militar, cujas implicações também são perversas. Vamos por partes, examinando o ponto de partida.

Em nosso regime legal, ditado pelo artigo 144 da Constituição Federal, definir a polícia como instituição militar significa obrigá-la a organizar-se à semelhança do Exército, do qual ela é considerada força reserva. Sabe-se que o melhor formato organizacional é aquele que melhor serve às finalidades da instituição. Não há formato ideal em abstrato. Portanto, só seria racional reproduzir na polícia o formato do Exército se as finalidades de ambas as instituições fossem as mesmas. Não é o caso. O Exército destina-se a defender o território e a soberania nacionais. A fim de cumprir esse papel, precisa organizar-se para executar o "pronto emprego", isto é, mobilizar grandes contingentes humanos com rapidez e precisão, o que requer centralização decisória, hierarquia rígida e estrutura fortemente verticalizada. A função da PM é garantir os direitos dos cidadãos, prevenindo e reprimindo violações, recorrendo ao uso comedido e proporcional da força quando indispensável. Segurança é um bem público que deve ser oferecido universalmente e com equidade. Os confrontos armados são as únicas situações em que haveria alguma semelhança com o Exército, ainda que mesmo aí as diferenças sejam significativas. De todo modo, equivalem a uma pequena parte das atividades que envolvem as PMs. Não faria sentido impor a toda a instituição um modelo organizacional adequado a atender diminuta parcela de suas atribuições. A imensa maioria dos desafios enfrentados pela polícia ostensiva exige estratégias inviáveis na estrutura militar. Elas são descritas pelo seguinte modelo: o policial na rua não se limita a cumprir ordens, fazendo ronda de vigilância ou patrulhamento determinado pelo estado-maior da corporação, em busca de prisões em flagrante. Ele atua como gestor local da segurança pública, o que significa, graças a uma educação interdisciplinar e qualificada: a) pensar, analisar, dialogar e decidir – não apenas cumprir ordens. Diagnosticar os problemas e identificar as prioridades, ouvindo a comunidade, mas sem reproduzir seus preconceitos; b) planejar ações, mobilizando iniciativas multissetoriais do poder público, na perspectiva de prevenir e contando com a participação social. Para que o policial na ponta atue como gestor, ele tem de ser valorizado, dotado de meios para convocar apoio e de autoridade para tomar decisões estratégicas. Supervisão e interconexão são imprescindíveis, mas a autonomia é necessária para que a atuação seja criativa e adaptada a circunstâncias sempre específicas e variáveis. O policial dialoga, evita a judicialização precipitada, intermedeia conflitos, orienta-se pela prevenção e busca, acima de tudo, garantir direitos dos cidadãos. Tudo isso só é viável em uma organização horizontal, descentralizada e flexível, o inverso da estrutura militar. E o controle interno? Engana-se quem defende hierarquia rígida e regimentos disciplinares draconianos. Se funcionassem, não haveria tanta corrupção nem tanta brutalidade nas PMs. Eficazes são o sentido de responsabilidade, a qualidade da formação e o orgulho de sentir-se valorizado pela comunidade com a qual interage. Além de tudo, corporações militares tendem a ensejar culturas afetas à violência, cujo eixo é a ideia de que segurança implica guerra contra "o inimigo". Não raro essa figura é projetada sobre o jovem pobre e negro. Uma polícia ostensiva preventiva para uma democracia que mereça esse nome tem de cultuar a ideia de serviço público com vocação igualitária, radicalmente avesso ao racismo e à criminalização da pobreza.

2) Não é preciso ir muito além para explicar por que, a meu ver, o modo como são tratadas a questão policial, a Justiça Criminal e a política de drogas é decisivo para a democracia. Hoje, não há equidade, a Constituição não é respeitada, filtros seletivos reproduzem desigualdades na operacionalização das atividades policiais e da Justiça Criminal. As execuções extrajudiciais, por um lado, e o inferno penitenciário, por outro, são polos de um *continuum* refratário aos direitos humanos e aos princípios constitucionais fundamentais. O que costumo denominar genocídio de jovens negros em favelas e periferias, conduzido pelas forças policiais, não só militares, é a face mais tangível de um processo perverso que se estende até o sistema penitenciário, onde a destruição de seres humanos tem ensejado as mais violentas reações, alimentando o ciclo vicioso conhecido e a temida espiral de dor e medo. Os agentes do Estado que cometem crimes são também vítimas, dentro e fora das instituições. Personagens desse mesmo drama macabro.

3) Apesar de muitas mudanças extremamente importantes terem ocorrido no Brasil desde a promulgação da mais democrática Constituição de nossa história, em 1988, a arquitetura das instituições da segurança pública, na qual se inscreve o modelo policial, não foi alcançada e transformada pelo processo de transição, ainda que suas práticas tenham sofrido inflexões, adaptando-se superficial e insuficientemente às alterações legais. Além da preservação do formato organizacional oriundo da ditadura, que herdamos recheado com a cultura da guerra ao inimigo interno, a própria natureza da transição brasileira contribuiu para bloquear mudanças. Não houve o momento de verdade, que deveria preceder qualquer reconciliação – pensemos nos termos correspondentes ao modelo aplicado por Nelson Mandela, na África do Sul. A sociedade não olhou o horror nos olhos, não chamou os crimes da ditadura pelo nome, acomodou-se na pusilanimidade dos eufemismos. O impacto negativo sobre as corporações policiais, sobretudo militares, é inegável. Os novos marcos constitucionais foram e são interpretados, nas polícias (militares e civis), pelo viés da tradição autoritária, gerando, na melhor das hipóteses, um híbrido psicocultural que faz com que muitos profissionais tendam a oscilar entre dois eixos gravitacionais, do ponto de vista axiológico: de um lado, o repertório bélico que valoriza o heroísmo, a lealdade, a coragem física, o confronto; de outro, o código do serviço público que valoriza os direitos e o

respeito à cidadania, assim como a fidelidade à Constituição e a competência na promoção de resultados compatíveis com a democracia.

Em poucas palavras, o relativo imobilismo de toda a área contrasta com o dinamismo da sociedade brasileira. Destaca-se, portanto, como problema intelectual e desafio prático. Há muitas razões para a estagnação conservadora, entre elas os modos pelos quais os atores sociais mais comprometidos com a defesa dos direitos humanos e dos interesses das classes subalternas têm agido ou se omitido. Com o risco de homogeneizar a multiplicidade de perspectivas compreendida por minha delimitação, ousaria afirmar que esses atores, supostamente os mais interessados nas mudanças, têm, com honrosas exceções, ignorado a centralidade da questão para as classes populares e minimizado o investimento de energia política nessa problemática. Por isso, o mais frequente, diante da violência policial, é que a comunidade atingida manifeste sua revolta sob a forma das explosões a que me referi na abertura destas reflexões, sem contar com a participação ativa de setores politicamente organizados. Esses agentes políticos coletivos poderiam ajudar a canalizar a indignação para objetivos realistas que conduzissem, especificamente, à transformação estrutural da segurança pública.

Entre os motivos desta indisposição para assumir uma agenda de mudanças para a segurança – que começou a ser revista nas jornadas de junho de 2013 –, incluo algumas concepções teóricas e ideológicas:

a) É preciso uma agenda de transformações das estruturas sociais, não da segurança pública, uma vez que esta última seria apenas consequência, reflexo ou "epifenômeno" das relações sociais de dominação de classe. Inspirando-se na obra de Lênin, *O Estado e a revolução**, quem pensa nesses termos acredita que o Estado funciona como engrenagem uniforme a serviço da opressão capitalista. Por isso, não haveria nada a fazer enquanto a revolução não substituísse o capitalismo por uma ditadura de classe alternativa. Qualquer esforço no sentido de promover reformas estaria fadado ao fracasso ou, pior, apenas difundiria ilusões, retardando a tomada de consciência quanto à inexorabilidade da revolução. E ainda por cima talvez acabasse cúmplice da dominação social, aperfeiçoando seus instrumentos repressivos e ampliando a faixa de sua aceitabilidade. Portanto, diante de cada crise da segurança que afete os mais pobres, a postura de seus pretensos porta-vozes revolucionários tende a ser: o que está em curso não é mau policiamento, mas bom policiamento para o sistema, porque tudo o que acontece, inclusive

---

* Trad. Edições Avante! e Paula Vaz de Almeida, São Paulo, Boitempo, 2017. (N. E.)

no campo da segurança, se dá como realização de interesses e vontades políticas de classe ou em seu benefício. O Estado não é espaço de contradições e disputas, tampouco existem efeitos perversos ou efeitos de agregação das ações sociais, assim como as linhas de ação dos setores dominantes nunca erram quanto a seus próprios interesses, e as iniciativas cuja fonte seja o Estado funcionam, isto é, encaixam-se nesse organismo funcional do poder, nessa mônada opaca e impermeável.

b) Ainda que a sociedade e o Estado sejam porosos, sujeitos das e às contradições mais diversas, atravessados por mediações complexas, e ainda que os atores nunca sejam oniscientes e que o emaranhado das ações esteja longe de espelhar desejos e planos, interesses e projetos, econômicos e políticos, ainda assim nada do que ocorre na esfera da segurança pública é indiferente à autorização da sociedade. Por conseguinte, antes de qualquer providência reformista voltada especificamente a organizações e comportamentos dos agentes da segurança e da Justiça Criminal, seria necessário mudar as visões hegemônicas sobre guerra, inimigos internos e a descartabilidade dos vulneráveis. Se as polícias agem de modo francamente racista e adotam nítido viés de classe, se territórios são estigmatizados, os problemas não estão nessas instituições nem em seus profissionais, mas na sociedade, em sua história. Sem que a cultura antidemocrática se transforme, seria equivocado e fantasioso tentar mudar as corporações policiais, suas táticas, seus métodos, suas abordagens e seus comportamentos.

c) Independentemente das convicções sobre economia, política e sociedade, o que importa é denunciar os abusos policiais, não oferecer alternativas. Todo poder deve ser confrontado, e nada mais representativo do caráter odioso desse poder panóptico estatal do que a polícia, quaisquer que sejam suas formas e seus comportamentos. Nem "democracia burguesa" nem "ditadura do proletariado": regimes políticos e modos de produção são indiferentes. Reduzem-se a variações em torno dos mesmos mote e destino: o poder e a disciplina, dos saberes aos corpos. Assim como democracias não se distinguem de ditaduras, polícia é sempre polícia: um mal a exorcizar.

d) Vale a pena lutar por transformações tópicas na esfera da segurança pública e de suas instituições, porque as ações destas últimas afetam os grupos sociais mais pobres e estigmatizados, incidem sobre as condições de vida nos territórios mais vulneráveis e influenciam a participação cidadã, obstruindo-a ou facilitando-a. Entretanto, a segurança não deve ser tomada como bem universal, porque forças progressistas não deveriam envolver-se na proteção da propriedade numa sociedade tão desigual quanto a nossa nem deveriam tomar como problema o crime perpetrado por atores sociais vítimas da sociedade de classes. Enfim, controlar a violência policial constitui um objetivo importante e alcançável, porque formatos variados e culturas corporativas diferentes produzem, sim, efeitos distintos e até opostos. Todavia, propor políticas de segurança para reduzir os mais diversos tipos de crime não seria tarefa de um ativista de esquerda. Por isso, corrupção seria um tema perigoso, suscitando tantas ambiguidades: bom para acusar adversários políticos quando se está na oposição; ruim para engendrar um discurso republicano de natureza universalista, uma vez que, segundo este quarto ponto de vista (e, provavelmente, também segundo os anteriores), a corrupção seria traço intrínseco ao sistema.

Claro que os quatro pontos de vista referidos são mais elaborados do que sugere este resumo didático. E é evidente que podem ser deixados em segundo plano, quando, por razões táticas ou por senso de oportunidade, for conveniente juntar-se a segmentos sociais vitimizados pela violência policial e entoar palavras de ordem específicas, inclusive aquelas que eventualmente demandem mudanças na esfera policial, articuladas a perspectivas universalistas. Abraçar por motivos exclusivamente circunstanciais uma pauta reformista e tópica não garante ao movimento pela mudança constância e persistência nem escolhas consequentes. Se a conjuntura variar, ele pode ser abandonado no momento seguinte.

Eis o paradoxo: seria importante a participação de grupos políticos e movimentos sociais, entidades e associações comprometidos com os interesses dos grupos mais vulneráveis e engajados na defesa de seus direitos, tão desrespeitados, inclusive pelas polícias. Mais ainda: seria decisivo se, em sua pluralidade, lograssem negociar um consenso mínimo em torno de uma agenda de mudanças no modelo policial e na arquitetura institucional da segurança pública. O salto de qualidade, entretanto, exigiria que se fosse além, que se assumisse uma perspectiva universalista e que se buscasse construir um consenso mínimo com todos os setores sociais sensíveis aos princípios constitucionais mais elementares, os quais são coerentes com os direitos humanos. Assim, seria necessário adotar uma postura efetivamente tolerante e dialógica, aberta, ativamente, à construção de uma coalizão reformista ampla, reconhecendo que ou haverá segurança para todos, ou ninguém estará seguro, e que segurança deveria ser entendida como garantia de direitos. Sabemos quais são as garantias mais expostas à predação de todo tipo: aquelas dos grupos sociais mais pobres e estigmatizados.

É evidente que garantias constitucionais remetem aos direitos fundamentais: à educação, à saúde, à habitação etc., em igualdade de condições para todas as crianças. Por isso, aplicar a Constituição implicaria uma transformação extraordinariamente profunda. Ocorre que é preciso estar vivo para lutar por equidade na garantia desses direitos. E é preciso poder andar tranquilamente na favela em que se nasceu: para organizar-se, promover movimentos, avançar. E para evitar que as lutas comunitárias se restrinjam às expressões reativas de dor e indignação.

4) Mudanças restritas às polícias poderiam fazer diferença? A resposta é afirmativa. Espero ter demonstrado que formatos institucionais apresentam afinidades eletivas com padrões de comportamento. Se logrei fazê-lo, deduz-se agora que a mudança de formatos pode impactar as ações. Essa conclusão vale mesmo se reconhecermos que a autorização da sociedade para a brutalidade policial representa uma variável importante e que revogá-la deve ser meta permanente dos esforços verdadeiramente democráticos.

A conclusão também vale para quem acredita que a violência estatal corresponde a interesses econômicos e políticos poderosos. Afinal, se for assim, reduzi-la equivaleria a aplacar a voracidade desses atores e impor-lhes uma derrota, mesmo que parcial e localizada. Quanto aos que não percebem a gravidade do sofrimento popular de que se está tratando ou supõem que mais ódio contra o Estado resulte em mais vigor no combate político, sugiro retorno aos parágrafos de abertura deste capítulo. A dor é terrível, e sobre ela, diretamente, não se constrói.

Em poucas palavras, sustento que o país, mesmo tragicamente desigual como é, poderia matar menos jovens pobres e negros. Afirmo que é possível sustar o genocídio enquanto envidamos esforços para alterar o quadro socioeconômico, o qual, evidentemente, deve ser mudado. Não é preciso, nem moralmente aceitável, esperar por transformações nas estruturas sociais para então enfrentar o genocídio. Não se trata de lutas mutuamente excludentes. Devem ser concomitantes, pois uma fortalece a outra – o que nem sempre é o caso, quando estão em jogo outras metas. Nem toda luta política tem, necessariamente, de transcorrer ao mesmo tempo e no mesmo impulso. Pelo contrário, são raras as circunstâncias em que uma conjunção desse tipo é viável, eficaz e, portanto, conveniente. Um exemplo é a legalização das drogas, bandeira ainda bastante impopular. Não faria sentido travar numa só batalha política a luta pela mudança das estruturas da segurança e pela revogação do proibicionismo. Condenar-se-ia a primeira a submeter-se à correlação de forças, muito mais negativa, em que se trava a segunda. Conquistas em uma esfera empoderam atores, ajudam a expandir experiências positivas derivadas dos avanços tópicos, provocam alterações em valores e crenças e atuam, favoravelmente, sobre arenas em que se disputam outras propostas. No entanto, insisto, nem sempre movimentos justos, embora indispensáveis, podem se sobrepor sem graves prejuízos.

O problema, considerando os quatro pontos de vista assinalados, está em admitir que violência policial não é o único desafio a enfrentar, ainda que seja o maior. E que, tanto por motivos políticos quanto por razões substantivas, não se terá sucesso na promoção das mudanças necessárias para extingui-la se o tema da universalidade da segurança pública não for assimilado pelos que se empenham nas reformas.

Por motivos políticos, porque nenhuma alteração constitucional – indispensável para uma reforma na arquitetura institucional e no modelo de polícia – será aprovada sem que as bandeiras em pauta saiam do gueto em que nos encontramos, dos militantes dos direitos humanos e seus aliados, e atraiam amplos setores da sociedade, cuja maioria, inclusive entre os mais vulneráveis, preocupa-se fortemente com a violência perpetrada por atores sociais, não somente, nem principalmente, com aquela cometida por policiais.

Por motivos substantivos, porque reformas nas instituições e nas culturas corporativas teriam de se construir, tecnicamente, e se justificar com base na admissão da necessidade de que se criem condições para que se respeite, na prática, o princípio da equidade, viabilizando tratamento igualitário na prestação de serviço à cidadania, proporcionando respeito a todos e aos direitos consagrados na Constituição. Respeito às comunidades e efetividade no cumprimento da missão constitucional: eis-nos diante de bandeira universalista.

Admitindo, portanto, que mudanças específicas na área da segurança podem fazer a diferença, ainda que devam caminhar junto com várias outras mudanças, a começar pela legalização das drogas (cujo tempo político seguirá condições próprias), quais delas seriam viáveis (passíveis de conquistar amplo apoio social), além de necessárias? Em primeiro lugar, desmilitarizar as PMs. Várias vezes ao longo do texto citei a violência policial, incluindo a Polícia Civil no alvo da crítica, além do apoio cúmplice de boa parte da sociedade. Isso significa que o problema da segurança não se limita às polícias, tampouco às PMs, o que não quer dizer – espero que já esteja claro, mas vale reiterar – que transformações tópicas sejam dispensáveis. Entre elas, a desmilitarização – os argumentos a seu favor já foram expostos. Desmilitarizar implica cortar o vínculo das polícias militares com o Exército, livrá-las de regimentos disciplinares inconstitucionais e autorizar seus membros a organizar sindicatos, os quais se submeteriam a regras específicas, como é o caso no campo da saúde e da Polícia Civil, por exemplo. O processo de mudança encetado pela desmilitarização ofereceria a oportunidade para a reforma completa do modelo policial, que se daria em torno de dois eixos, ambos apoiados pela maioria dos próprios policiais, civis e militares, ainda que haja fortes resistências nos estratos superiores das corporações, entre oficiais e delegados.

O primeiro eixo seria a revogação da atual divisão do trabalho entre as instituições: uma investiga, a outra age ostensivamente sem investigar. Ambas, então civis, passariam a cumprir o ciclo completo da atividade policial: investigação e prevenção ostensiva. Isso não implica, necessariamente, unificação. Em estados como São Paulo, onde a PM tem mais de 100 mil policiais e a Polícia Civil, mais de 30 mil, a unificação seria impraticável e bem perigosa em termos políticos. Em estados pequenos, a solução poderia fazer sentido. Admitir uma variedade de modelos, sempre civis, exigiria a flexibilização normativa e a descentralização decisória. As populações dos estados poderiam decidir entre alternativas, desde que respeitados os novos mandamentos que resultariam da alteração do artigo 144 da Constituição Federal. Entre estes, constariam a explicitação do papel das polícias – prover a garantia de direitos com equidade – e a desmilitarização, assim como o fim do dualismo: investigação, ostensividade.

O segundo eixo seria a instauração da carreira única no interior de cada instituição, antigo pleito da massa policial. Hoje, há duas polícias em cada uma: oficiais e praças, delegados e agentes (detetives, inspetores etc. – o caso dos peritos é de grande importância, mas requereria mais espaço para ser apresentado). São dois mundos distintos, competindo entre si e, cada vez mais, mutuamente hostis. Diferentes nos salários, no prestígio, nas chances de ascensão, no acesso ao poder, no horizonte de ambições. As regras para ingresso no estrato superior atualmente dificultam ao extremo a ascensão. Por que não oferecer a possibilidade de que a evolução na carreira se realize via concursos internos e avaliação do desempenho ao longo do tempo? Carreira única não significa desprezo do mérito, pelo contrário. Significa que a todos os que ingressarem na instituição serão dadas oportunidades iguais, de partida, para a construção das respectivas trajetórias profissionais.

A natureza do trabalho policial o situa com frequência sobre o fio da navalha. Para poucas outras funções é tão decisivo o controle externo independente de uma ouvidoria dotada de recursos e autoridade, cuja legitimidade seja extraída de e traduzida em mandatos, exercidos com transparência.

Apresentada pelo senador Lindbergh Farias em 2013, a Proposta de Emenda Constitucional n. 51 (PEC-51), para cuja formulação contribuí, postula esse conjunto de mudanças. Certamente, reformas profundas nas organizações e induções valorativas relevantes demandariam tempo para transição e teriam de contar com ampla participação dos profissionais e acompanhamento por parte da sociedade. Nada disso se dá em um estalar de dedos do Congresso Nacional, mudando o artigo 144 da Constituição, tampouco o atual Parlamento dá sinais de sensibilizar-se com pautas democráticas e populares. Somente uma ampla mobilização da sociedade seria capaz de pressionar os políticos, em Brasília, e conduzi-los em direção democrática. Estamos distantes dessa hipotética realidade. Contudo, a crescente disposição participativa dos policiais e a evolução de seu debate político, que já superou a agenda exclusivamente corporativista, mantêm viva a esperança.

Desde o processo constituinte – há quase trinta anos, portanto –, venho propondo debates sobre segurança pública, polícias e Justiça Criminal nas assembleias de que participo. Os companheiros e as companheiras me escutam com respeito e me pedem que aguarde, porque as prioridades são outras: educação, saúde, emprego etc. Afinal, há questões mais importantes. Quando o teto da reunião se aproxima, insisto, mas o tema é postergado para a assembleia seguinte, na qual o roteiro se reproduz. Décadas depois, continuo convencido de que os outros temas são mais importantes, mas ainda acho que polícia é questão de vida ou morte para muitos, além de ser decisiva para a democratização efetiva da sociedade brasileira. Continuo convencido de que o tema não pode permanecer no limbo político, sempre adiado, nunca levado a sério, alvo de acusações, vazio de propostas, enquanto assistimos passivamente às reivindicações por penas mais duras adubarem o populismo punitivo. Vamos, enfim, falar sobre isso?

Debate sobre uma proposta de mudança[1]

O Brasil vive, atualmente, uma crise que, desde a instauração do Estado democrático de direito – em 1988, com a promulgação da Constituição –, não se tinha visto. O aspecto mais saliente da conjuntura é o contágio recíproco entre as distintas dimensões degradadas: a economia, a política, a cultura e a sociedade. O ponto nevrálgico que obstrui soluções é o colapso da representação, a corrosão da legitimidade política. Se as dificuldades se resumissem à formação de antagonismos intensos e polarizações sectárias, haveria como vencê-las. Bastaria que alguns atores partidários mobilizassem seu capital de credibilidade, investindo na desobstrução dos canais de comunicação para viabilizar, em nome da cidadania, uma concertação democrática. Entretanto, considerando o abismo entre representantes e representados e a exaustão da confiança popular, pactos reduzem-se a acordos de conveniência sob suspeição. A política perde, assim, seus principais instrumentos: o diálogo, a negociação, o compromisso, a identificação de consensos possíveis e objetivos comuns, ainda que parciais e transitórios, a invenção de saídas virtuosas e efetivas, mesmo em ambientes hostis, incertos e fechados, graças à força da imaginação instituinte, que requer criatividade, engenho e arte.

O quadro nacional, que encontra paralelo nas crises de credibilidade da política em democracias mais consolidadas, aponta seja para a urgência de uma reforma política profunda, em cujo centro se inscreva um novo equacionamento da relação entre Estado e sociedade, seja para a criação e a disseminação de novos meios –

---

[1] O texto da Proposta de Emenda Constitucional n. 51 (PEC-51), de 2013, cujas propostas são apresentadas e discutidas ao longo deste capítulo, encontra-se no Apêndice deste volume, p. 285-9.

linguagens, disposições, interesses, sensibilidades, estéticas e tecnologias – de participação legiferante, consultiva e deliberativa. Os dois horizontes prospectivos, desejáveis e necessários, não se opõem nem são independentes. Pelo contrário, são complementares e, mais que isso, interdependentes[2].

O Instituto Tecnologia e Sociedade (ITS) detectou a relevância estratégica desse duplo processo de transformação e situou-se no exato ponto para o qual ambos confluem ou a partir do qual se desdobram. Em outras palavras, o ITS tem se dedicado a praticar consultas populares e debates públicos enquanto apoia o desenvolvimento de metodologias e soluções tecnológicas capazes de fazê-los prosperar. A finalidade dos debates e das consultas é auxiliar a tomada de decisões significativas no espaço público, estimulando e valorizando o pleno exercício da cidadania, em sentido republicano, isto é, para além da mera afirmação de interesses parciais, individuais, corporativos e privados.

Os três temas até aqui escolhidos pelo instituto e por seus parceiros foram o Marco Civil da Internet, a reforma política e a reforma da segurança pública. Os dois primeiros referem-se, por um lado, às condições indispensáveis à restauração da credibilidade da política – e, portanto, de sua legitimidade – e, por outro, à incorporação da sociedade no processo decisório, direta ou indiretamente. O terceiro tema focaliza a versão mais aguda, sensível e dramática da desconfiança não apenas nas instituições, mas extensiva ao conjunto da sociedade, isto é, ao Outro. A desconfiança radicalizada inviabiliza a própria vida social; sua manifestação extrema é a violência, a insegurança pública. Nesse sentido, a sequência temática adotada pelo ITS é coerente.

Ao longo de cinco meses, entre 16 de outubro de 2015 e 31 de março de 2016, o ITS disponibilizou uma plataforma, cujo título era Mudamos, e organizou um sistema participativo para promover o debate virtual sobre a reforma estrutural da segurança pública no Brasil, focalizando a Proposta de Emenda Constitucional n. 51 (PEC-51), de 2013, apresentada ao Senado federal pelo senador Lindbergh Farias. Associaram-se à plataforma, que congregou cerca de seiscentas pessoas, outras ferramentas, como uma página do Facebook, que reuniu aproximadamente

---

[2] A primeira versão do presente capítulo foi escrita em 2016, e me pareceu importante manter a breve referência àquela conjuntura para que se compreenda o sentido do projeto descrito a seguir. Depois das eleições de 2018 e da ascensão da ultradireita ao poder, as condições para a construção de um consenso mínimo desapareceram. Entretanto, é razoável crer que elas retornem, no futuro, quando a retomada da democracia voltará a tornar atual a proposição que fazia sentido em 2016, realizadas as adaptações pertinentes.

12 mil seguidores ativos. Quando propus o projeto ao ITS, em fins de 2014, usei uma justificativa para sua importância que continua pertinente e que aqui reitero: o país precisa de um esforço titânico para que se produza, nas questões atinentes à segurança pública, um consenso mínimo, em torno, pelo menos, dos pontos de dissenso. Esse passo é decisivo para que haja mútuo entendimento e negociações[3]. A situação que inviabiliza avanços é aquela que denomino babélica e que ainda predomina entre nós. Caracteriza-se pela ausência de consenso sobre quais seriam as divergências. Como discutir desse modo?

Para começar a tratar da temática, vale aprofundar a compreensão do significado da segurança pública, sobre a qual muito se fala e pouco se reflete.

O primeiro impulso de quem se dedica a pensar sobre o tema é conceber segurança como ausência de crimes ou violência. Mesmo sendo uma realidade utópica, valeria como referência, modelo ou ideal. No entanto, há duas questões a enfrentar: 1) o crime não existe antes que uma lei assim o defina. O fato, por exemplo, de que ingerir álcool seja declarado crime não faz com que a abstinência represente segurança nem para quem gosta da bebida proibida nem para os demais, uma vez que a proibição pode significar perseguição, medo e a criação do tráfico de bebidas, como ocorreu na Lei Seca dos Estados Unidos (1920-1933). Por outro lado, violência é uma categoria muito variável, relacionada à cultura e ao momento histórico. Além disso, há a violência positiva e a negativa, de acordo com critérios em disputa. Tome-se como exemplo o caso das lutas esportivas ou a circunstância em que um ato violento impede a violência arbitrária cometida contra inocentes; 2) e se a ausência de crimes retratar a paz dos cemitérios, isto é, resultar da repressão brutal por parte de um Estado totalitário? Alguém se sente seguro sob um regime ditatorial? A resposta é "não". Ou seja, o terror do Estado provê a ordem oriunda do medo, a previsibilidade derivada da mais radical insegurança, não a ordem que deriva da confiança, abrindo espaço para o exercício da liberdade e da criatividade. Portanto, é preciso incluir uma mediação entre ordem e segurança públicas: o Estado democrático de direito. É apenas em seu âmbito que ordem e segurança se afinam. Ao levar o tipo de Estado para o centro das reflexões, afastamos a

---

[3] Agradeço ao ITS, a começar por seus dirigentes, tão competentes quanto generosos: Ronaldo Lemos, Sérgio Branco, Celina Bottino, Carlos Affonso Souza e Fabro Steibel. Sou grato a meus colegas pesquisadores: Hildebrando Saraiva, Ernesto Salles, Fernanda Novaes Cruz e, muito especialmente, Silvia Ramos, que atuou como *ombudsperson* do projeto. E, ainda, à equipe do ITS: Juliana Nolasco, Kalinka Copello, Marco Konopacki, Carol Monteiro, Cássio Bastos, Juliana Lugão, Luiza Toschi, Natasha Felizi, Victor Vicente, Marlena Szczepanik e Thiago Dias.

aplicabilidade do conceito segurança pública às sociedades sem Estado, para as quais não fazem sentido as ideias de lei, polícia e Justiça Criminal.

Quando indagamos se alguém se sente seguro numa ditadura, introduzimos uma noção fundamental: a sensação (de medo ou tranquilidade, instabilidade ou confiança, insegurança ou segurança) que deriva da percepção que temos de nossas interações, do contexto em que nos situamos e das circunstâncias ao redor de nós mesmos e das pessoas significativas para nós. No fundo, tudo se resume à confiança que julgamos poder depositar nos outros, especialmente nos desconhecidos. Confiar ou desconfiar, esse é o segredo. É disso que depende o convívio que denominamos "vida social". O Estado existe para reduzir a desconfiança, e as instituições estatais que respondem por ordem pública e segurança não constituem, em boa medida, operadores dos sentimentos, pois funcionam como redutores da desconfiança e do medo. Elas são, no modelo ideal, personificações da autoridade, mecanismo que converte medo em confiança. Por que estamos tratando de sentimentos, e não da substância da segurança (segundo a visão usual: os crimes e seu controle)? Claro que reduzir crimes importa; no entanto, não basta. Longe disso. Senão vejamos: alguém seria capaz de indicar um determinado número de assassinatos como o limite que separa a sociedade segura de outra insegura? A segurança pode ser definida quantitativamente? A resposta seria "sim" apenas quando o número fosse zero. Desse modo, contudo, limitamos o conceito de segurança pública ao modelo ideal, praticamente irrealizável, salvo excepcionalmente. Claro que quanto mais próximo o número fosse de zero, mais segura a sociedade, desde que – vale insistir – o contexto fosse o Estado democrático de direito, não o totalitarismo arbitrário. No entanto, como lidar com fenômenos tão comuns e que têm a ver com os limites da comparação? Seja a comparação entre os crimes e como cada modalidade de prática criminosa afeta as percepções (as quais dependem dos vínculos de cada indivíduo com os territórios mais vulneráveis e também da natureza das narrativas midiáticas que divulgam os crimes); seja a comparação entre o presente e o passado (ou a memória seletiva) de cada sociedade; seja a comparação entre diferentes sociedades. Por exemplo: em uma pequena cidade em que nada grave acontece, um homicídio pode disseminar o medo e desencadear comportamentos agressivos que, em nome da autodefesa, precipitem o efeito que se deseja evitar. Um número considerado assustador em uma cidade pode ser percebido como tranquilizador em outra, indicando declínio da insegurança. O crescimento de assaltos pode suscitar uma onda de medo e insegurança mesmo que os crimes contra a vida, mais graves, estejam em declínio.

O que uns percebem outros ignoram, uma vez que a mídia não trata com equidade todos os casos e considerando que os espaços urbanos são muito desiguais, em todos os sentidos, inclusive quanto à vulnerabilidade à prática de crimes, em especial os mais violentos. Além disso, a experiência da insegurança pode crescer, contrariando os dados, porque mais gente, a cada ano, ingressa no universo das vítimas de um ou outro tipo de crime. Quem já foi vítima não esquece o que sofreu; a pessoa não deixa de participar do universo das vítimas no ano seguinte pelo fato de não ter passado por outro episódio.

De que adianta informar aos cidadãos que se reduziu a probabilidade de que ele ou ela, ou seus filhos, vizinhos, parentes e amigos, sejam vítimas de crime, se permanece negativa a percepção compartilhada, ainda que desigualmente distribuída entre classes sociais, grupos etários e habitantes de áreas diferentes? A confiança não se restabelece apenas pela divulgação de números mais favoráveis, até porque probabilidades valem para a coletividade, não para indivíduos. Isso mostra que, ainda que analiticamente seja necessário divulgar os números, no fluxo da vida real, a sensação, fruto da percepção, e os eventos criminais – ou aqueles assim interpretados – são duas faces da mesma moeda, são dimensões inseparáveis, que têm de ser levadas em consideração tanto na conceitualização da segurança quanto na elaboração de diagnósticos e de planos de ação institucionais e governamentais. Observe-se que as percepções, ainda que não se fundamentem exclusivamente na identificação de eventos criminais, reconhecem sua existência e lhes atribuem valor segundo escalas próprias e variadas.

A conclusão conduz a uma definição que sintetiza o conjunto das reflexões apresentadas: segurança pública é a estabilização e a universalização de expectativas favoráveis em relação às interações sociais. Em outras palavras, segurança é a generalização da confiança na ordem pública, a qual corresponde à profecia que se cumpre e à capacidade do poder público de prevenir intervenções que obstruam esse processo de conversão de expectativas positivas em confirmações reiteradas. Compreende-se, neste contexto, por que a postura dos policiais é tão decisiva: seu foco não são apenas os crimes, sua prevenção ou a persecução criminal, mas também o estabelecimento de laços de respeito e confiança com a sociedade, sem os quais a própria confiança nas relações sociais dificilmente se consolida. Ordem tem menos a ver com força ou repressão do que com vínculos de respeito e confiança.

Retornamos, assim, à questão da confiança e da desconfiança – esta, como vimos, também corrói a credibilidade e põe em risco a própria legitimidade das instituições políticas, em particular do instituto da representação; isso levou o ITS a pôr em circulação o debate virtual sobre a reforma política. Confiança que estimula a participação e que se degrada quando falta participação. Numa sociedade de massa, participar requer o apoio da tecnologia da comunicação e o acesso irrestrito à informação, isto é, requer acesso universal à internet livre e sustentável. Voltamos, então, ao primeiro tema a que o ITS se dedicou. O circuito completa-se, portanto.

Examinando o conjunto das participações nos debates virtuais sobre segurança pública em torno da PEC-51 promovidos no âmbito da plataforma Mudamos, estendida ao Facebook, interessam-nos sobretudo as críticas, as reações negativas, os questionamentos às seis ideias-força que sintetizam a PEC em causa. Os comentários positivos, que aprovam as soluções ou as reformas encaminhadas pela PEC, são extremamente significativos e enriquecedores. Sua importância não deve ser subestimada. Entretanto, eles basicamente reiteram, desdobram, enfatizam ou justificam as proposições enunciadas. Nesse universo discursivo, há acordo seja com as linhas gerais, seja com os pressupostos, e concordância com as especificações que constam na PEC. Por isso, convém atentar para o outro lado do debate, as críticas, seus pressupostos e as concepções subjacentes. Desse conjunto fazem parte contribuições que soam consistentes e merecem destaque, além de outras mais superficiais, algumas inclusive refletindo certa incompreensão das propostas em foco.

Fixemo-nos, então, nas colaborações críticas, exploremos suas características e, por fim, analisemos as relações entre opiniões emitidas (não apenas críticas) e inserções profissionais ou localizações na estrutura social. Os enunciados expostos a seguir são sínteses dos argumentos críticos apresentados na Mudamos e no Facebook, não correspondem às palavras originais nem foram expressos necessariamente em intervenções distintas. O repertório pretende ser exaustivo, mas dificilmente realizará sua intenção de forma plena, porque foi impossível ler e registrar todas as participações via Facebook, ainda que, no ambiente da plataforma, salvo engano, o rastreamento tenha sido completo. Por vezes, a mesma participação formula argumentos sobre diferentes temas. Aqui, eles foram separados para facilitar a classificação e a organização analítica das proposições. Não nos importa a quantidade de proponentes, porque não haveria base amostral para tornar os números significativos em termos estatísticos.

I. Desmilitarização

Apresentação sumária

A PEC-51 propõe que todas as polícias no Brasil sejam civis, o que significa que a Polícia Militar tornar-se-ia civil e não seria mais força reserva do Exército, ao qual deixaria de estar institucionalmente ligada. Os termos empregados pela PEC são os seguintes:

> A fim de prover segurança pública, o Estado deverá organizar polícias, órgãos de natureza civil, cuja função é garantir os direitos dos cidadãos, e que poderão recorrer ao uso comedido da força, segundo a proporcionalidade e a razoabilidade, devendo atuar ostensiva e preventivamente, investigando e realizando a persecução criminal.

Adiante, a despeito da alteração, estipula a garantia de direitos dos policiais:

> Artigo 5º. Ficam preservados todos os direitos, inclusive aqueles de caráter remuneratório e previdenciário, dos profissionais de segurança pública, civis ou militares, integrantes dos órgãos de segurança pública objeto da presente Emenda à Constituição à época de sua promulgação.

Principais questionamentos

1) De que se trata, efetivamente? A proposta implica a extinção das polícias militares? O que significa "desmilitarização" ou "extinção do caráter militar das polícias ostensivas preventivas e uniformizadas", para empregar os termos usados no artigo 144 da Constituição? Elas deixariam de ser "força reserva" do Exército, passíveis de convocação em caso de necessidade extrema?

2) Como ficariam os direitos previdenciários dos policiais militares? Ainda que a PEC afirme seu compromisso com o respeito aos direitos adquiridos, há aqueles que não se configuram exatamente como direitos, mas "expectativa de direito", pois antes da transferência do policial para a reserva seu direito expresso na legislação poderia sofrer alguma mudança sem que isso implicasse, constitucionalmente, transgressão às garantias estabelecidas pelos marcos legais vigentes. Haveria, portanto, o risco de que a interpretação da PEC, uma vez aprovada, fosse, na prática, contrária ao que expressamente enuncia.

3) Qualquer que seja o entendimento da proposta de desmilitarização, a modificação enfraqueceria a polícia ostensiva e, como consequência, fragilizaria a segurança pública, já tão vulnerável. Desse ponto de vista crítico, o treinamento e a

organização militares têm importância-chave, assim como os princípios de hierarquia e disciplina. Os críticos referem-se sobretudo aos confrontos com criminosos fortemente armados, que consideram os desafios mais graves à segurança pública.

4) De que adiantaria desmilitarizar as polícias militares, se as polícias civis também agem com violência desproporcional contra populações pobres das periferias urbanas? Afinal, concluem esses críticos, também as polícias civis orientam-se por concepções bélicas de sua função, como se lhes coubesse fazer a guerra contra inimigos, em vez de prestar determinado serviço à cidadania, garantindo direitos, impedindo – ou, idealmente, prevenindo – violações. Além disso, mesmo se a desmilitarização dos valores e dos comportamentos de todas as instituições policiais fosse alcançada, de algum modo esse resultado tampouco bastaria caso poderosos segmentos da sociedade permanecessem autorizando, quando não demandando, a brutalidade policial contra negros e pobres.

5) Desmilitarizar implicaria afrouxar ou debilitar as relações entre o comando e os subordinados; flexibilizar o regimento disciplinar; suprimir os mecanismos internos de vigilância e punição. Tudo isso combinado levaria à perda do controle interno. A consequência seria o aumento da corrupção e a proliferação de outras práticas ilegais. Por outro lado, desprovida de ordem interna rigorosa, a polícia ostensiva perderia efetividade no cumprimento de seu dever.

6) Desmilitarizar importaria na extinção da identidade histórica das PMs, abalando as bases de sua autoimagem profissional e de seu sentido de missão permanente – missão superior a circunstâncias conjunturais, ligada à própria ideia de nação ou pátria. Os efeitos afetariam a coesão interna e a motivação e romperiam o principal elo com o passado, que hoje funciona como esteio dos valores que sustentam e animam a cultura corporativa, provendo disposição para a ação destemida e arrojo no cumprimento do dever.

7) Como se daria, na prática, a desmilitarização? Os policiais militares deixariam de sê-lo a partir de determinada data? As patentes seriam substituídas por qual tipo de ordenamento interno? Os salários seriam modificados? Os policiais poderiam se sindicalizar? A formação profissional voltada para uma instituição civil antecederia a mudança de *status* dos profissionais? E os policiais militares formados como tais, como seriam adaptados ao novo contexto técnico, intelectual e valorativo? A Justiça Militar, deixando de servir de referência aos policiais, seria imediatamente substituída pela Justiça Civil, sem transição, sem alterações nos dispositivos normativos?

Resposta

Desmilitarizar não é um conceito cujo significado seja consensual. Há quem defina a palavra atribuindo-lhe sentido político e cultural, visando a estimular mudanças no comportamento dos policiais. Quem entenda que, sendo militares, os profissionais tenderiam naturalmente a conceber seu ofício não como prestação de serviço público destinado à cidadania, mas como combate ao inimigo interno, o que elevaria a violência a graus inaceitáveis e conflitantes com a natureza de instituições policiais submetidas ao Estado democrático de direito. Há os que pensam desmilitarização na chave dos direitos dos policiais enquanto cidadãos trabalhadores: o caráter militar das instituições se refletiria em regimentos disciplinares draconianos e inconstitucionais, que violariam os direitos dos profissionais. Nesse contexto, haveria superexploração da força de trabalho policial, calada e domesticada pelo arbítrio punitivo dos superiores sobre os subalternos, em benefício de governos estaduais insensíveis à dignidade do trabalho e aos direitos humanos dos operadores da segurança pública menos graduados. Impedidos de se organizar, criticar, propor mudanças e formular demandas, os policiais seriam as primeiras e principais vítimas de um ordenamento discricionário e autoritário. Há ainda os que evocam a desmilitarização e a defendem, sustentando que as características militares da instituição só teriam como função proporcionar condições para o exercício eficiente do controle interno, viabilizando uma governança competente e eficiente. Constatando que as PMs têm demonstrado inúmeros e frequentes exemplos de que não há controle interno eficiente, tantos são os casos de corrupção e brutalidade ilegal, deduzem que desmoronou a última razão que justificaria a manutenção da forma militar de organização das polícias ostensivas estaduais brasileiras.

Mesmo concordando com as abordagens referidas, a perspectiva que inspirou a PEC-51 enfatiza outro aspecto ao propor a desmilitarização, até porque entende a natureza militar da polícia de um modo bastante específico. Em nosso regime legal, ditado pelo artigo 144 da Constituição Federal, conferir à polícia ostensiva o atributo militar significa obrigá-la a organizar-se à semelhança do Exército, do qual ela é considerada força reserva. Sabe-se que o melhor formato organizacional é aquele que melhor serve às finalidades da instituição. Não há um formato ideal em abstrato. A forma mais adequada de organização de uma universidade é diferente daquela que melhor atende às necessidades de um supermercado, um partido político ou uma empresa de comunicação. Finalidades distintas exigem estruturas organizacionais diferentes. Portanto, só seria racional reproduzir na polícia o formato do Exército se as finalidades de ambas as instituições fossem as mesmas. Não é o que diz a Constituição nem o que manda o bom senso. O Exército destina-se a defender o território e a soberania nacionais. Para cumprir essa função, precisa se organizar a fim de executar o "pronto emprego", isto é, mobilizar grandes contingentes humanos e equipamentos com máxima presteza e estrita observância das ordens emanadas do comando. Necessita manter-se alerta para ações de defesa e, no limite, fazer a guerra. O "pronto emprego" requer centralização decisória, hierarquia rígida e estrutura fortemente verticalizada. Portanto, a forma da organização atende às exigências impostas pelo cumprimento do papel constitucional que cabe à instituição. Nada disso se verifica na Polícia Militar. Sua função é garantir os direitos dos cidadãos, prevenindo e reprimindo violações, recorrendo ao uso comedido e proporcional da força. Segurança é um bem público a ser oferecido universalmente e com equidade pelos profissionais encarregados de prestar esse serviço à cidadania. Os confrontos de tipo quase bélico correspondem às únicas situações em que alguma semelhança poderia ser identificada com o Exército, ainda que mesmo aí haja diferenças significativas. De todo modo, os confrontos equivalem a uma quantidade proporcionalmente diminuta das atividades que envolvem as PMs. Não faria sentido impor a toda a instituição um modelo organizacional adequado a atender um número relativamente pequeno de suas atribuições. A imensa maioria dos desafios enfrentados pela polícia ostensiva é mais bem resolvida com a aplicação de estratégias que são praticamente inviáveis na estrutura militar. A referência aqui é o policiamento comunitário (os nomes variam conforme o país). Essa metodologia nada tem a ver com o "pronto emprego" e implica o seguinte: o policial na rua não se restringe a cumprir ordens, fazendo ronda de vigilância ou patrulhamento determinado pelo estado-maior da corporação, em busca de prisões em flagrante. Ele é o profissional responsável por agir como gestor local da segurança pública, o que significa, graças a uma educação interdisciplinar e altamente qualificada: (A) diagnosticar os problemas e identificar as prioridades, em diálogo com a comunidade, mas sem reproduzir seus preconceitos; (B) planejar ações, mobilizando iniciativas multissetoriais do poder público, na perspectiva de prevenir e contando com o auxílio da comunidade, o que se obtém ao respeitá-la. Para que atue como gestor, é indispensável valorizar o profissional que atua na ponta, dotando-o de meios de comunicação para convocar apoio e de autoridade para decidir. Há sempre supervisão e interconexão, mas, sobretudo, autonomia, para atuação criativa e adaptação plástica a circunstâncias específicas a cada local e momento. O profissional dialoga, evita a judicialização, medeia conflitos, orienta-se pela prevenção e busca, acima de tudo, garantir os direitos dos cidadãos. Dependendo do tipo de problema, mais importante do que uma prisão e uma abordagem depois que o mal já foi feito, pode ser iluminar e limpar uma praça, estimular sua ocupação pela comunidade e pelo poder público, via Secretaria de Cultura e Esportes, por exemplo. Esse é o espírito do trabalho preventivo a serviço dos cidadãos, garantindo direitos. Esse é o método que já se provou superior. Tudo isso, no entanto, requer uma organização horizontal, descentralizada e flexível – justamente o oposto da estrutura militar.

Nesse sentido, desmilitarizar significa libertar a polícia da obrigação de imitar a centralização organizacional do Exército, assumindo a especificidade de sua função: promover com equidade e na medida de suas possibilidades e limitações a garantia dos direitos dos cidadãos e das cidadãs. As implicações dessa mudança alcançam diversas dimensões, como aquelas indicadas pelos que postulam a desmilitarização a partir de considerações não organizacionais.

Quanto ao processo de transição à plena aplicação da proposta de desmilitarização, diz a PEC que será longo e participativo, cabendo aos estados a promoção do debate público sobre o modelo de polícia a adotar, assim como sobre a implantação da carreira única e da desmilitarização. Não foi nem poderia ter sido decidido no âmbito da PEC um processo de tamanha complexidade, que exige prudência, paciência, maturidade e participação, variando, portanto, de caso a caso, estado a estado.

Sobre a ideia de que não faz sentido desmilitarizar a PM caso a Polícia Civil não passe por processo análogo, e se não for transformada a mentalidade da sociedade, que autoriza a brutalidade policial contra pobres e negros, a reflexão é demasiado longa. Para abreviá-la, bastaria dizer: a reforma das estruturas organizacionais ajuda a tornar as instituições mais eficientes e suscetíveis a respeitar seus profissionais e os cidadãos, mas não garante que comportamentos e valores mudem. Muito menos tem como impactar o racismo estrutural brasileiro ou reduzir as abissais desigualdades sociais. Esperar de reformas institucionais o que elas não podem proporcionar significa condená-las ao fracasso e desestimular sua realização. Por outro lado, esperar que primeiro a sociedade mude para depois promover as reformas implicaria adiá-las *sine die*, o que, por sua vez, representaria, tacitamente, o apoio à manutenção do *status quo* na área da segurança e tantas funestas consequências. Enquanto persistirem práticas policiais que violam os direitos humanos, atingindo sobretudo os mais vulneráveis, haverá menos chances de que os jovens se organizem, se mobilizem e se expressem coletiva e democraticamente. Nas periferias e nas favelas, tanto o tráfico quanto o policiamento violento constituem obstáculos à participação e à fruição plena das liberdades.

Todos os sete questionamentos foram abordados, com uma única exceção: a previdência. A PEC afirma que os direitos adquiridos serão respeitados na íntegra, mas talvez essa declaração não seja suficiente, dada a diferença entre direitos adquiridos e expectativa de direitos. Esse ponto exige uma reelaboração, a qual poderia ser resolvida ao estipular-se que todos os policiais militares formados conservarão seu *status*. Modificações se aplicariam apenas aos que fossem recrutados após a eventual aprovação da PEC.

II. Ciclo completo

Apresentação sumária

Ciclo completo refere-se às tarefas constitucionalmente atribuídas às instituições policiais, por exemplo a investigação criminal e o trabalho ostensivo, uniformizado, preventivo. No caso brasileiro, o modelo policial previsto pela Constituição no artigo 144 veda que à mesma instituição policial, com exceção da Polícia Federal, seja conferida a responsabilidade de cumprir o ciclo completo. A PEC propõe que toda instituição policial cumpra o ciclo completo.

Principais questionamentos

1) Os policiais militares não estariam preparados para assumir as responsabilidades da investigação, que exigem formação técnica especializada.

2) As polícias civis não contam com contingente suficiente para acrescentar a seu repertório de atribuições, típicas de polícia judiciária, tarefas próprias à polícia ostensiva.

3) Os policiais civis não estão preparados para assumir as responsabilidades do policiamento ostensivo, que também requer formação técnica especializada.

4) Se as duas polícias estaduais passarem a cumprir o ciclo completo do trabalho policial (preventivo-ostensivo uniformizado e investigativo), elas se tornarão instituições ainda mais competitivas entre si, disputando o domínio sobre o território. Haveria sobreposição de atuações e responsabilidades.

5) Os policiais civis – para alguns, apenas os delegados; para outros, todos os profissionais da Polícia Civil, inclusive os agentes – são os guardiões das garantias individuais, dos direitos constitucionalmente previstos. Vinculam-se à Justiça enquanto polícia judiciária, inscrevem-se no espaço da Justiça Criminal, relacionando-se diretamente com o Ministério Público e preparando o terreno para a prestação da denúncia e o desdobramento do processo. Em certa medida, o indiciamento, que compete aos delegados, é um análogo da denúncia, antecedendo-a e recomendando-a, assim como representa um primeiro ensaio da sentença judicial. Esse conjunto de funções depende de conhecimento do direito, quando não da formação acadêmica na área, como se exige dos delegados. Os policiais militares não estariam preparados para fazer o que fazem os policiais civis, particularmente o que fazem os delegados. Além disso, dada a experiência histórica até hoje replicada, a Polícia Militar orienta a formação de seus quadros para a repressão e o combate – versão reduzida da guerra – e treina seus profissionais para ver em cada suspeito um inimigo. Não estaria, assim, em condições de apresentar-se como garantidora de direitos dos cidadãos. Em suma, no quartel, mesmo para registrar uma queixa, o cidadão e, sobretudo, a cidadã dificilmente se sentiriam confortáveis e seguros.

6) Como poderiam policiais militares investigar civis, naturalmente submetidos à Justiça Civil, se são regidos pela Justiça Militar em diversas situações?

7) O regime interno próprio a instituições militares inibe a independência individual que deve orientar o trabalho dos investigadores. Na Polícia Civil, é praxe dialogar com colegas e com delegados, questionar entendimentos dos casos e explorar caminhos alternativos de investigação, suscitados pela interlocução crítica, coletivamente reflexiva. Na Polícia Militar, os princípios rígidos de hierarquia e disciplina bloqueariam essa prática aberta, arejada, eventualmente contraditória. Os subalternos não poderiam senão cumprir ordens; caso contrário, se arriscariam a sofrer penalidades.

Resposta

As três primeiras críticas só seriam sustentáveis se a PEC propusesse mudanças imediatas. Com certeza, seriam inviáveis, tanto pelas razões aludidas nos questionamentos quanto por outras. Não é o caso. Segundo a PEC, as mudanças aconteceriam ao longo do tempo necessário para que a transição não desorganizasse as instituições e para que estas se preparassem para assumir as novas responsabilidades.

A quarta crítica colide com a experiência internacional em países democráticos onde vige o ciclo completo sem que a competição se sobreponha aos ganhos derivados desse arranjo mais racional e funcional. O caso brasileiro, caracterizado pela divisão do ciclo, é excepcional e não tem produzido resultados virtuosos. Na prática, não há complementaridade nem cooperação entre as instituições.

O quinto questionamento ignora o fato de que todos os membros de todas as polícias, assim como as instituições em conjunto, têm de ser guardiões dos direitos, a começar pelo policial uniformizado na esquina, que estabelece relações diretas e cotidianas com a população. Quanto aos demais pontos mencionados na crítica, basta remeter o leitor às considerações sobre os três primeiros questionamentos.

Os dois últimos estão corretos e coincidem com a análise que fundamenta a PEC: o ciclo completo é necessário, mas só deveria ser aplicado se houvesse a desmilitarização. Por isso, a PEC se apresenta como portadora de visão sistêmica e encaminha proposições articuladas entre si.

III. Carreira única

Apresentação sumária

A expressão "carreira única" descreve um certo tipo de trajetória profissional prescrita por cada instituição (no caso, policial) cuja característica distintiva é o ingresso único e, portanto, comum, sem prejuízo das especialidades e das ramificações de funções, assim como das hierarquizações internas, as quais dependerão, ao longo do exercício profissional, da avaliação de méritos individuais, de exames sobre a competência e de avaliações de desempenho. Nas polícias federal, civis e militares, atualmente, há duas portas de entrada: uma para o cargo de delegado, outra para os demais cargos; uma para a posição de oficial, outra para praças. A maioria dos policiais se mostra insatisfeita com as estruturas organizacionais da instituição, que, por não se ordenar em carreira única, acaba sempre gerando duas vertentes: a PM das praças e a PM dos oficiais; a Polícia Civil dos agentes (investigadores, detetives, escrivães, inspetores, peritos) e a Polícia Civil dos delegados. A existência de duplicidade de carreira nas diversas instituições policiais, com *status* distinto, é reconhecidamente causadora de graves conflitos internos e ineficiências. A PEC avança ao propor a carreira única por instituição policial. É preciso registrar que essa medida não é incompatível com o princípio hierárquico nem com o estabelecimento de gradação interna à carreira, que permite a ascensão do profissional, mediante adequada capacitação e formação e a partir de instrumentos meritocráticos.

Principais questionamentos

1) Organizar a Polícia Civil em torno da carreira única significa abrir as portas para o "trem da alegria", isto é, disseminar a prática do clientelismo, dos acordos entre grupos e indivíduos interessados em apressar promoções, em detrimento da valorização do mérito, expresso em particular no papel central atualmente conferido ao concurso público para delegado.

2) Ninguém está impedido de, uma vez apto, prestar concurso para a carreira de oficial da Polícia Militar, mesmo se já estiver na PM como praça. Se a entrada fosse uma só, se a carreira fosse apenas uma, unindo praças e oficiais, muitos sem vocação, sem aptidão para comandar e assumir tarefas especializadas na gestão, no planejamento, na definição de táticas e estratégias operacionais se tornariam oficiais. A existência de duas carreiras diminui os riscos de frustração e de implementação de uma política de pessoal equivocada, disfuncional.

3) A tese da carreira única visa, de fato, ainda que não o explicite como deveria, a eliminar o cargo, a função, a posição, a figura do delegado de polícia. A instituição passaria a ser liderada, em cada delegacia e em seu conjunto, por profissionais não testados em concurso público academicamente qualificado. O que está em jogo é sério: a garantia de direitos em ambiente marcado pelo exercício do poder de investigação do Estado, com suas prerrogativas perigosas, que facilmente ameaçam a presunção de inocência e os direitos individuais.

4) Para os críticos da carreira única que avaliam a proposta a partir de sua experiência como policiais militares, a oposição não é inflexível, não é radical. Entretanto, eles compartilham o temor de que, implantada a carreira única e, portanto, reduzido o ingresso na instituição a apenas uma porta, o convívio universal entre todos, isto é, entre os que virão a ser oficiais e os que não ascenderão – e essa distinção se daria por distintos motivos que guardariam relação com os mecanismos internos que viessem a ser instaurados –, diluiria o sentido de liderança, responsabilidade e autoestima necessário aos oficiais para que cumpram adequadamente seu papel no interior da instituição e junto à sociedade. O convívio nos primeiros anos poderia induzir, no futuro, quando os estratos ou as patentes diferenciarem os profissionais, a certa dose de promiscuidade entre superiores e subalternos, dissolvendo o rigor dos princípios que devem reger a ordem interna: hierarquia e disciplina.

5) A carreira única e a subsequente extinção da figura do delegado de polícia – supondo que a adoção de carreira única necessariamente determine o fim do delegado –, expressão e fonte, hoje, do ponto de vista jurídico, da autoridade policial, colocará em risco o equilíbrio das relações com as demais instituições inseridas no campo da Justiça Criminal, o Ministério Público, a Defensoria, o Tribunal de Justiça e o sistema penitenciário. Isso por força do desprestígio decorrente de suposta desqualificação no plano da *expertise* em direito. A autoridade intelectual, ausente ou esvaziada, degradaria a função institucional de quem ocupasse o lugar que hoje é cativo do delegado. Cabe-lhe representar a Polícia Civil nas relações com as demais instituições. A suspeição sobre a competência acadêmica e a independência, as quais apenas o concurso público universal atesta, afetaria o prestígio da Polícia Civil diante da sociedade e, portanto, a confiança popular na instituição.

6) A carreira única na Polícia Civil torna a instituição vulnerável a indicações políticas e, consequentemente, a influências políticas – em sentido lato e estrito. Quem deseja uma polícia judiciária forte, autônoma e competente deve preferir o sistema de carreira atual, mais refratário a arranjos subalternos e à intervenção de interesses contrários ao interesse maior da instituição.

7) Na Polícia Civil, o ingresso de novos delegados por concurso público é garantia de renovação. Sem dúvida outra fonte de renovação é o ingresso de novos agentes policiais civis, também por concurso. Entretanto, eles e elas ocupam posições na base da pirâmide, tendo por isso menos capacidade de influenciar o conjunto dos profissionais e o funcionamento da instituição como um todo. Por outro lado, na medida em que progridem na carreira, ampliando seu poder de influir e adicionar marca pessoal, passam a carregar consigo hábitos e valores que encontraram na polícia, já consolidados, os quais, aos poucos, tendem a moldar os mais jovens e menos experientes. Assim, quando amadurecem e se habilitam a influir e contribuir para mudar, já não desejam fazê-lo nem sequer se colocam essa hipótese, convertidos que estão à velha ordem que introjetaram, à qual se acomodaram. Os jovens delegados, ao contrário, chegam à instituição já em condições de influir, em razão do posto superior que ocupam, antes mesmo de a cultura corporativa tradicional ter tempo para moldar-lhes e domesticar-lhes o espírito. Estão em condições de aportar ares de renovação, arejando a atmosfera corporativa. Os delegados beneficiam-se da dupla entrada ou da carreira dupla, mas representam a principal fonte de resistência a visões e atitudes contrárias à era dos direitos, inaugurada pela Constituição de 1988. Sua independência e a posição estratégica em que se encontram fazem deles fonte

de mudança, ligação com a cultura acadêmica contemporânea e com agentes de desenvolvimento institucional.

Resposta

Os dois primeiros questionamentos encontram resposta na apresentação da PEC a respeito da carreira única, cuja implementação não implicaria, para a ascensão funcional, o fim de exigências relativas a mérito, qualificação intelectual, experiência profissional etc. Isso também se aplica à problemática das vocações: a diferenciação interna pode se realizar de forma adequada sem que seja necessária a dupla entrada e a divisão radical entre profissionais – delegados e não delegados, oficiais e praças. A última sentença responde à terceira questão. Quanto às críticas apoiadas na suposição de que carreira única significa, necessariamente, a extinção da figura do delegado, a resposta é simples: a suposição é falsa. O fato de se suprimir a duplicidade do ingresso de modo algum implica o fim do posto de delegado, uma vez que processos seletivos internos não são incompatíveis com a carreira única.

IV. Descentralização federativa das decisões sobre modelo policial

Apresentação sumária

Os estados podem ser unitários ou federados. Segundo o artigo 18 da Constituição, "a organização político-administrativa da República Federativa do Brasil compreende a União, os Estados, o Distrito Federal e os Municípios, todos autônomos, nos termos desta Constituição". Os entes federados estão indissoluvelmente ligados entre si e submetidos aos ditames constitucionais, em cujos termos se estabelece o Estado democrático de direito. Portanto, a autonomia referida é relativa, havendo espaço para sua ampliação ou sua redução, conforme a matéria e a capacidade política de negociação envolvida nos movimentos de cada ator, respeitadas as limitações permanentes que representam cláusulas pétreas.

Desse modo, são legítimas as propostas de emenda constitucional que envolvam a transferência aos estados da autoridade para definir de acordo com sua realidade, e a vontade da sociedade local, o modelo de polícia mais adequado, fixando-o na Constituição estadual, desde que sejam cumpridas as determinações expressas na Constituição Federal, as quais afirmam o que são polícias, quais são suas condições de funcionamento e quais opções poderiam estar sujeitas a decisões estaduais. Dessa forma, seria possível instaurar, na segurança pública, um regime de descentralização com integração sistêmica e unidade axiológica.

Resta saber por que a descentralização seria desejável. Eis os motivos: os estados brasileiros e o Distrito Federal são tão diferentes entre si que dificilmente seriam bem atendidos pelo mesmo modelo policial. Amazonas e São Paulo são mundos distintos. A solução federativa, transferindo a cada estado e ao DF o poder de escolher o modelo mais adequado à própria realidade, respeitando os parâmetros nacionais, estabelecidos na Constituição Federal, teria o mérito de adaptar o modelo policial às realidades regionais e locais. No caso da PEC-51, esses parâmetros seriam, em resumo, os seguintes: nenhuma polícia seria militar, todas teriam carreira única e ciclo completo e se organizariam para garantir a segurança em determinado território (no conjunto do estado ou em determinadas áreas, como regiões metropolitanas, no caso de municípios maiores, por exemplo) ou para prevenir e investigar tipos criminais específicos.

Principais questionamentos

1) A proposta de descentralização federativa vai desorganizar e fragmentar o sistema de segurança público brasileiro.

2) Se a PEC-51 for aprovada e a descentralização federativa for implantada, a conexão das polícias com as demais instituições do campo da Justiça Criminal terá de mudar, o que exigirá adaptações destas últimas, as quais dificilmente seriam factíveis. Por exemplo, não havendo Ministério Público em nível municipal, caso sejam criadas polícias municipais em algum estado, como elas se relacionarão com o MP estadual para encaminhar os inquéritos instruídos e receber solicitações de novas diligências? O Ministério Público ficará encarregado do controle externo das atividades policiais municipais, como ocorre no plano estadual?

3) A descentralização federativa do modelo policial inviabilizará qualquer política de segurança de pretensões nacionais, tantas serão as especificidades institucionais e tantas serão as relações entre as novas corporações.

4) A descentralização é irrealista porque a eventual criação de polícias municipais não depende apenas de novas determinações constitucionais, mas também da provisão dos recursos correspondentes aos novos gastos. O estado repassaria esses recursos ou competiria à União dotar os municípios de meios materiais para cumprir a decisão estadual?

5) A descentralização federativa do modelo policial autorizará a criação de diferentes polícias, segundo demarcações territoriais ou tipos criminais. Essa nova realidade promoverá a desordem nas relações entre as instituições policiais municipais e as estaduais, isto é, provocará a desordem nas instituições da ordem e entre elas.

6) Como investir em um padrão nacional de formação no contexto que aponta para a diversificação institucional? A presença de ambas as propostas na mesma PEC demonstra sua inconsistência. Afinal, como formar profissionais com base em um currículo elementar comum se as polícias no país constituírem uma constelação variada, sendo cada instituição definida pelos estados sem levar em consideração os demais estados ou as necessidades comuns nacionais?

7) Caso a PEC seja aprovada e a descentralização federativa seja implementada, como seria possível coordenar o *timing* de todas as mudanças em cada estado para evitar o caos? Como fazer isso sem uma coordenação nacional, sob responsabilidade da União? Contudo, tal coordenação não poderá existir – não só porque não está prevista na PEC, como pelo fato de ser negada por ela, uma vez que o espírito da proposta adota uma perspectiva fortemente descentralizadora e federalista.

Resposta

Os questionamentos convergem para uma crítica central: os riscos de fragmentação, desarticulação e inviabilização de uma política nacional etc. A preocupação procede, mas seria preciso contrastar, na esfera da segurança pública, os perigos com a realidade atual. O que temos hoje não difere daquilo que provoca justificado temor nos críticos. Apesar do modelo único, aplicado a todo o país, há fragmentação, incomunicabilidade e hostilidade mútuas, não cooperação. A rigidez unitária não garante, portanto, unidade de ação, articulação interinstitucional e trabalho integrado. Ao mesmo tempo, os motivos da atual desagregação estão no autoencapsulamento corporativista de cada instituição e no espírito defensivo de quem, impopular, sente-se sob constantes pressão e ameaça devido a suas deficiências e à incompatibilidade de seu formato organizacional com as condições contemporâneas de nossa sociedade dinâmica e complexa, regida – ao menos é esta a expectativa – pelos princípios do Estado democrático de direito. É importante, contudo, salientar que as críticas são relevantes e bem fundamentadas.

Uma observação é especialmente interessante: em contexto de escassez e disputas federativas, a eventual criação de polícias – por exemplo, nos municípios – implicaria novas despesas e provimento adicional de recursos.

V. Padronização da formação policial

Apresentação sumária

Ao contrário do que acontece com outras profissões, como engenharia, medicina e direito, a formação policial varia não só conforme instituições e regiões, mas também de acordo com as conveniências do momento e as políticas adotadas pelos governos. Já houve situações em que a Polícia Civil de determinado estado formou agentes em um mês. Enquanto faculdades de medicina, engenharia e direito de todo o país, mesmo tendo margem de liberdade acadêmica, são obrigadas a respeitar parâmetros nacionais – relativos a tempo de estudo, mínimo de disciplinas exigido, ciclo básico comum, equilíbrio entre especializações e fundamentos, entre teoria e prática, assim como à quantidade e à qualificação dos professores –, as escolas de formação policial não observam parâmetros nacionais, não compartilham ciclo básico comum, não são obrigadas sequer a cumprir um tempo mínimo estipulado para cada tipo de instituição nem para cada função ou especialidade. Por outro lado, todas as escolas, privadas ou públicas, que formam médicos, engenheiros e bacharéis em direito são avaliadas regularmente por conselhos federais de educação – que são estatais, não governamentais ou políticos. Os conselhos gozam de autonomia e confiabilidade acadêmico-profissional e têm autoridade para credenciar e descredenciar faculdades, cobrando respeito aos parâmetros previamente concertados e orientando as instituições para que aperfeiçoem seus processos de formação. Trata-se, como se vê, não de camisa de força autoritária e centralizadora, mas de um controle mínimo de qualidade em benefício dos futuros profissionais e da sociedade. No caso da formação policial, não há parâmetros nacionais; portanto, não pode haver avaliação sistemática – tal consideração não se aplica às polícias federais, porque, sendo únicas, suas normas correspondem a parâmetros nacionais. Com base nessas ponderações, a PEC-51 propõe que, em relação à formação policial, a União assuma responsabilidades análogas às que assume quanto à formação dos demais profissionais cujo papel é decisivo para o conjunto da sociedade.

Principais questionamentos

1) A padronização da formação policial no Brasil criará uma camisa de força, uma centralização autoritária e burocrática, tornando ainda mais problemático o processo educacional nas instituições policiais. A rigidez negligencia as diferenças regionais, subestima as distinções entre os tipos de polícia e desconsidera

o princípio republicano fundamental: a autonomia dos entes federados e das instituições.

2) A padronização do ensino nas academias policiais não passa de artifício para que o governo federal domine, ideologicamente, a educação dos policiais em todo o país. Trata-se de um projeto de subordinação política, ética, moral e ideológica das corporações policiais.

3) A padronização da formação policial só funcionaria se as instituições fossem iguais e se elas compartilhassem propósitos e prioridades quanto à formação. Construir um padrão nacional só é viável, sem intervenção autoritária, sobre a base de um consenso que não há e que seria ainda mais improvável caso a PEC fosse aprovada. A padronização tem de ser resultado natural e orgânico de um processo de geração de consenso entre os atores envolvidos; não pode ser seu pressuposto.

4) A proposta de padronização da formação policial é um equívoco porque, se implementada, bloqueará o mais importante: a mudança do conteúdo que caracteriza, ainda hoje, a educação policial. Comecemos pela indagação do que é mais importante: abandonar o modelo bacharelesco, renovar o currículo, torná-lo mais interdisciplinar ou padronizá-lo? Esses processos dificilmente poderão conviver, pois não haverá apoio suficiente para a alteração de paradigma, rumo à interdisciplinaridade, enquanto experiências locais não demonstrarem virtudes. Por outro lado, experiências locais só são possíveis porque não há um padrão nacional e a variedade impera. A padronização só seria aceita pelas instituições se o paradigma bacharelesco tradicional da formação policial fosse mantido ou, pior, fosse consagrado pelo padrão. São mutuamente excludentes, e a transformação do conteúdo deve ser a prioridade. Por isso, a proposta de padronização deve ser descartada.

5) Para haver um padrão nacional, tem de existir um conselho federal de educação policial que o defina. Ele seria composto de pessoas escolhidas por quem? Vê-se que a padronização é uma proposta irrealista que só se viabilizaria pela força, por intervenção autoritária.

6) Quem comporia o conselho federal, indispensável para o estabelecimento da padronização? Apenas policiais? De quais instituições e quais patentes? O processo de implementação da proposta seria conduzido por uma equipe arbitrariamente selecionada. Aí está o fundamento de sua ilegitimidade democrática.

7) A padronização da formação policial envolveria, como as próprias justificativas da PEC indicam, controle de qualidade, indução de mudanças progressivas para

acompanhar o âmbito internacional em matéria de educação policial, unificação do ciclo básico da formação etc. Isso significa que a disputa em torno da questão da autonomia dos entes federados e da autonomia das próprias instituições hipertrofiaria a taxa de conflito, que hoje já é um grave problema.

Resposta

A maior parte dos questionamentos se detém em riscos e abusos da centralização, sem atentar para o fato de que a proposta refere-se apenas a um ciclo básico comum e a parâmetros gerais, como o tempo mínimo a ser exigido para a formação. A justificativa da PEC insiste na importância de que se respeitem as diversidades regionais e as diferenças institucionais. Para tanto, é decisivo preservar a liberdade e a autonomia das instituições. Além disso, um conselho federal cumpriria papel estratégico não como centro autoritário, regência ideológica ou camisa de força, mas como agência a supervisionar e garantir a observância das obrigações mínimas por parte das instituições policiais.

Há uma crítica especialmente provocadora e interessante que afirma que, se considerarmos mais importante não a padronização da formação, mas o aprimoramento de qualidade – o que requer profunda revisão curricular em direção à interdisciplinaridade –, a padronização seria inconveniente, pois a única chance de convencer a sociedade e as autoridades da virtude dessas mudanças paradigmáticas na educação policial está no eventual sucesso de algum experimento local. Experimentos dependem de liberdade, diversidade, variação, ensaio e erro.

O questionamento é inteligente, mas negligencia o fato de que a padronização de que trata a PEC é limitada e não impede variação e experimentação.

VI. Ouvidorias externas

Apresentação sumária

Diz o texto da PEC:

> O controle externo da atividade policial será exercido, paralelamente ao disposto no art. 129, VII, por meio de Ouvidoria Externa, constituída no âmbito de cada órgão policial previsto nos arts. 144 e 144-A, dotada de autonomia orçamentária e funcional, incumbida do controle da atuação do órgão policial e do cumprimento dos deveres funcionais de seus profissionais e das seguintes atribuições, além daquelas previstas em lei:

I – requisitar esclarecimentos do órgão policial e dos demais órgãos de segurança pública;

II – avaliar a atuação do órgão policial, propondo providências administrativas ou medidas necessárias ao aperfeiçoamento de suas atividades;

III – zelar pela integração e compartilhamento de informações entre os órgãos de segurança pública e pela ênfase no caráter preventivo da atividade policial;

IV – suspender a prática, pelo órgão policial, de procedimentos comprovadamente incompatíveis com uma atuação humanizada e democrática dos órgãos policiais;

V – receber e conhecer as reclamações contra profissionais integrantes do órgão policial, sem prejuízo da competência disciplinar e correcional das instâncias internas, podendo aplicar sanções administrativas, inclusive a remoção, a disponibilidade ou a demissão do cargo, assegurada ampla defesa;

VI – representar ao Ministério Público, no caso de crime contra a administração pública ou de abuso de autoridade; e

VII – elaborar anualmente relatório sobre a situação da segurança pública em sua região, a atuação do órgão policial de sua competência e dos demais órgãos de segurança pública, bem como sobre as atividades que desenvolver, incluindo as denúncias recebidas e as decisões proferidas.

Parágrafo único. A Ouvidoria Externa será dirigida por Ouvidor-Geral, nomeado, entre cidadãos de reputação ilibada e notória atuação na área de segurança pública, não integrante de carreira policial, para mandato de 02 (dois) anos, vedada qualquer recondução, pelo Governador do Estado ou do Distrito Federal, ou pelo Prefeito do município, conforme o caso, a partir de consulta pública, garantida a participação da sociedade civil inclusive na apresentação de candidaturas, nos termos da lei.

Principais questionamentos

1) Uma vez instaladas nos termos propostos, isto é, dotadas de autonomia, recursos e autoridade para obter dados e investigar, as ouvidorias tornar-se-iam terrenos férteis para pavimentar carreiras políticas e instrumentos úteis na promoção de intervenções políticas nas instituições policiais.

2) As ouvidorias correm o risco de submeter-se ao populismo assembleísta, transformando as polícias em órgãos subalternos ao jogo demagógico e às decisões coletivas passionais, quando não ideológicas, tomadas no calor da hora.

3) As ouvidorias como forma de controle externo deformam o sentido de *accountability*, responsabilização e transparência, pois tendem a funcionar de modo tendencioso, observando os fatos com parcialidade ou unilateralmente, o que faz com que os profissionais trabalhem acuados, temerosos, pressionados, sentindo-se injustiçados, humilhados, vigiados, como se fossem potenciais vilões. Como se pesasse sobre eles a presunção de culpa.

4) A quem as ouvidorias denunciam os erros supostamente cometidos? Se os acusadores têm acesso à ouvidoria e podem manipulá-la com propósitos escusos, visando a atingir determinados profissionais ou comandos, que acesso teriam os acusados? Como poderiam defender-se antes do encaminhamento da denúncia? Evidencia-se a ilegitimidade da ouvidoria proposta.

5) A proposta sobre ouvidorias é um equívoco porque esvazia o papel do Ministério Público enquanto responsável pelo controle externo da atividade policial. Há também o risco de a proposta gerar uma sobreposição competitiva e improdutiva com o MP, o que pode conduzir a uma crise institucional.

6) A PEC refere-se à criação de uma ouvidoria por instituição policial. Isso é um erro, porque provocará um conflito com ouvidorias já existentes, as quais não se vinculam a polícias específicas.

7) Como conceder poder judiciário e policial para entrar em delegacias ou quartéis, investigar, exigir apresentação de documentos, dados etc. a uma entidade civil não preparada para isso?

Resposta

É verdade que os riscos de manipulação política e ideológica referidos nas duas primeiras críticas existem. Há sempre o perigo de apropriações oportunistas visando a pavimentar carreiras políticas. Sem dúvida, o populismo, métodos assembleístas e a permeabilidade a reações passionais podem degradar o trabalho de uma ouvidoria. No entanto, praticamente todos os instrumentos de controle social e todos os espaços participativos estão sujeitos a esses riscos. Ao mesmo tempo, podem ser evitados, se houver normas e mecanismos preventivos adequados. Maior do que os riscos apontados é o preço pago pela inexistência de organismo externo de monitoramento das atividades policiais, tão sensíveis e importantes, que lidam com a vida e a morte, que empregam a força e representam a autoridade do Estado.

A terceira crítica focaliza o caráter potencialmente tendencioso da ouvidoria, a possibilidade de que aja com parcialidade, de maneira injusta com os policiais. De fato, não há como negar essa hipótese. Entretanto, ela pode ser compensada com a adoção de critérios rigorosos na definição dos métodos de trabalho. Uma ouvidoria deve atentar não apenas para as violações de direitos perpetrados por policiais, mas também para aquelas cometidas contra eles. Deve observar e destacar, ainda, as boas práticas, a fim de incentivá-las e divulgá-las. Além disso, há que se compreender que a ouvidoria se inscreve em um sistema marcado pelo saudável tensionamento produzido por *checks and balances*, "freios e contrapesos". Sua ausência tem provocado desequilíbrios que ferem a cidadania.

A quarta crítica suscita um questionamento importante: a quem se dirige a ouvidoria? Quem recebe a denúncia por ela formulada? Onde, na cadeia de procedimentos, inscreve-se o exercício do contraditório e do direito de defesa? Há aqui um problema de entendimento da proposta: a PEC não pretende eliminar, nem poderia, as instituições que atuam no campo da Justiça Criminal, como o Ministério Público e o próprio Poder Judiciário. Portanto, a ouvidoria, uma vez criada, teria de articular-se com o sistema em que se insere. Em outras palavras, cabe-lhe, em caso de violações, encaminhar a denúncia ao Ministério Público, que dará sequência aos procedimentos pertinentes, transformando a denúncia em acusação formal e, assim, instalando o devido processo judicial ou, não reconhecendo consistência no caso, arquivando-o. A ouvidoria também poderá, não se tratando de violação criminal, dirigir à própria polícia recomendações para aperfeiçoar práticas, prevenir transgressões ou expandir métodos e ações virtuosos.

A quinta crítica traduz uma preocupação legítima, mas contornável, se considerarmos que os meios e as funções da ouvidoria e do Ministério Público não são os mesmos e que este último tem, reconhecidamente, apresentado sérias dificuldades em cumprir seu papel, dada a escala e a complexidade dos problemas visados, sem apoio de uma entidade complementar. Meios e fins são diversos: a ouvidoria ouve a cidadania e a ela presta contas; o MP acompanha a instrução dos inquéritos na Polícia Civil ou levanta eventuais problemas internos às polícias (tratamento dos profissionais) ou externos (abordagem a cidadãos), sendo, quando necessário, autor da ação penal e proponente de Termos de Ajuste de Conduta (TACs). O MP é autônomo, mas se relaciona de forma direta com a Justiça, ainda que seja um órgão do Executivo – é o governador quem indica o procurador-geral, a partir de lista tríplice.

O mesmo raciocínio se aplica à questão suscitada pela sexta crítica, que tem por objeto a possível sobreposição ou disputa entre a ouvidoria a ser criada pela PEC e outras que porventura já existam – de fato, há, no Brasil, algumas, ainda que não especialmente dedicadas a uma ou outra instituição policial, como seria a ouvidoria cuja fundação derivasse da PEC. São tantas as polícias, tantos os policiais e tão poucas – e precárias – as ouvidorias existentes que não seria difícil estabelecer uma divisão do trabalho produtiva, quando necessário.

O desafio referido pelo sétimo questionamento é real e muito relevante, mas as definições sobre os poderes a ser conferidos à ouvidoria dependerão de regulamentações em legislação infraconstitucional.

• • •

São 42 observações críticas, algumas problemáticas ou mesmo insustentáveis, outras realmente consistentes e difíceis de contestar, sintomáticas de um debate de alto nível reflexivo. Nunca houve antes, salvo engano, oportunidade, espaço, garantias, condições e incentivos para que se alcançasse um resultado comparável em termos de diversidade e qualidade. Sob a poeira de alguma retórica um pouco mais exaltada ou irônica – e até áspera, no âmbito do Facebook –, encontra-se essa riqueza admirável. O debate impulsionado e viabilizado pela plataforma Mudamos, que se derramou para o Facebook, é o primeiro a colocar em questão a arquitetura institucional da segurança pública, em seu conjunto, e o modelo policial, além de temas relativos à formação policial e ao controle social sobre a atividade policial. É óbvio que estiveram em pauta concepções de fundo sobre segurança pública, entre elas – e com destaque – a que a entende como garantia de direitos e prestação de serviço essencialmente republicano à cidadania. O processo foi bem-sucedido porque esteve vinculado à agenda formulada pela PEC-51, a qual tem o mérito de ser a mais ampla e sistemática tramitando no Congresso nacional – concorde-se ou não com ela.

Quanto à base social das opiniões, há que se refletir um pouco. Sabemos que os indivíduos não são escravos da posição que ocupam na estrutura social ou na divisão social do trabalho. Ninguém está condenado a confinar seu olhar, sua percepção, sua sensibilidade, seus valores ou sua visão de mundo aos limites estritos do interesse imediato, corporativista, decorrente de seu lugar profissional ou derivado de sua classe social ou mesmo faixa de renda. No entanto, esses elementos pesam e, não raro, operam como núcleos gravitacionais que atraem ideias e afetos. Outros traços distintivos – como cor, gênero, orientação sexual, idade, inscrição familiar ou adesão religiosa – concorrem para a formação de identidades e para a assimilação de determinado conjunto de ideias, além de contribuírem para o estabelecimento de vínculos comunitários ou interpessoais. Outro fator estratégico para levar os indivíduos a uma ou outra direção é a trajetória: ainda que a posição ocupada no mercado de trabalho seja a mesma, a experiência e o sentido mudam radicalmente quando se está em ascensão ou em declínio ou quando as expectativas sobre o futuro são favoráveis ou desfavoráveis.

Portanto, não é de estranhar que encontremos certa constância sob a aparência aleatória das opiniões. As manifestações colhidas na plataforma Mudamos e no Facebook apresentam certas regularidades, algumas das quais já verificadas em pesquisas realizadas anteriormente com base amostral, isto é, passíveis de tratamento estatístico (o que não acontece na plataforma). Especialmente marcantes são as seguintes: a) os policiais civis não delegados apresentam maior tendência a apoiar a carreira única do que os delegados; divisão análoga – menos passional, entretanto – encontramos na PM, na qual os não oficiais tendem a defender a carreira única, enquanto os oficiais dividem-se a respeito, ainda que aqueles que se opõem não o façam com a intensidade que se verifica entre os delegados; b) os policiais militares são mais propensos a aprovar o ciclo completo do que os policiais civis; c) policiais militares e civis, delegados e oficiais, agentes e praças, todos tendem a avaliar negativamente o controle externo; por sua vez, os cidadãos não policiais veem isso de forma positiva.

As posições coincidem com os interesses corporativos:

a) A carreira única tem sido a grande bandeira dos agentes da Polícia Civil e alcança amplo apoio entre as praças – os não oficiais – da Polícia Militar. Os defensores da proposta compreendem essa ideia como a supressão do obstáculo que hoje os impede de progredir na carreira. Os delegados sentem-se diretamente ameaçados pela proposta, à qual atribuem a intenção de eliminar seu cargo, seu prestígio, sua autoridade superior e sua proximidade da carreira jurídica. Não é o caso da Polícia Militar, em que os oficiais se hierarquizam em diversas patentes, que não seriam abaladas se os sargentos pudessem ascender a tenente, e assim sucessivamente.

b) O ciclo completo é uma aspiração predominante entre os policiais militares, que o veem como movimento de valorização da instituição e ampliação de sua autoridade. Em paralelo, a resistência à eventual implantação do ciclo completo que encontramos entre os profissionais da Polícia Civil expressa rejeição àquilo que consideram um avanço indevido da Polícia Militar sobre o campo de atividades e *expertise* (a investigação) que seriam típicas e deveriam continuar sendo exclusivas dos policiais civis, mesmo porque formariam as bases de sua identidade profissional e institucional. Os policiais civis, sobretudo os delegados, definem-se como detentores da autoridade policial – eles têm buscado, no Congresso Nacional, mudanças no Código de Processo Criminal que lhes confiram essa autoridade com exclusividade. Se a PM expandir sua área de atuação e sua competência para o campo hoje reservado à Polícia Civil, esta perderá a centralidade intelectual e político-institucional que seus membros lhe atribuem ou supõem estabelecida na Constituição.

c) A desconfiança que ouvidorias provocam nos policiais é compreensível e caracteriza uma atitude defensiva natural em praticamente todas as instituições.

Quanto às demais questões, não há restrições enfáticas, representativas de posturas corporativas, de resto perfeitamente legítimas numa democracia. Contudo, vale insistir, mesmo quando há forte tendência de que determinada categoria sustente uma concepção ou uma proposta: existem indivíduos, ou mesmo grupos, que se posicionam de forma diferente. O interesse corporativo e a identidade profissional não garantem consenso nem unidade de ação política. São múltiplas as razões pelas quais se formam as convicções. Além disso, ideias e opiniões mudam, e os próprios interesses podem ser reinterpretados em função de alterações contextuais ou de reavaliações globais. Ideias e opiniões mudaram no processo social da interlocução da plataforma Mudamos. Quem escreve o presente capítulo tampouco é neutro. Nem por isso deixa de ser suscetível à dinâmica das argumentações e das persuasões recíprocas.

As considerações sobre cada questionamento não anulam a relevância e a pertinência de muitas críticas, ainda que procurem demonstrar a inconsistência de algumas. Os questionamentos e as ponderações permitem divisar sobreposições de ideias e valores, cruzamentos pontuais, desdobramentos inesperados e linhas de fuga distintas. A rede dialógica configura uma verdadeira constelação de enunciados, narrativas, argumentos, conceitos, valores e propostas. A sabedoria estará em potencializar a interlocução como virtude metodológica e disposição ética, o que, por sua vez, mais do que o simples estímulo à troca – e à abertura generosa para escutar e pensar criativamente –, requer que se organize o debate e que se abra espaço para a imaginação.

Deduz-se, do exame do debate virtual, a existência de uma tendência à consolidação de um acordo quanto ao diagnóstico, mas ainda se está longe de um consenso mínimo sobre os rumos das mudanças, reconhecidamente necessárias, e os caminhos a seguir. Para avançar, é preciso insistir na organização temática do debate – marca provavelmente mais positiva da plataforma Mudamos –, assim como em sua difusão, estimulando participação mais ampla. Impõe-se também estimular a imaginação, fonte última das instituições, matriz da invenção e da mudança na história.

A conversa prossegue, a negociação de sentidos e avaliações continua, agora talvez com mais chances de gerar acordos e consensos mínimos. Muitas críticas à PEC são densas e, ainda que não sejam capazes, na leitura aqui exposta, de desconstituir a proposta objeto do questionamento, tampouco podem ser desqualificadas. Pelo contrário, exigem e merecem consideração e ajudam a apontar os pontos mais polêmicos. Afirmei no começo deste texto que a segurança pública ainda não é um campo de debate porque não criou as bases para que sejam identificados, consensualmente, os pontos de dissenso. Sem a localização ou a definição desses pontos, como dialogar? Como negociar propostas comuns? Como refletir, e atuar, em perspectiva sistêmica? É razoável afirmar que a Mudamos ajudou a nos aproximarmos da instauração desse campo. E talvez seja legítimo arguir se haveria êxito mais significativo.

Apesar do ordenamento do debate em torno dos eixos temáticos da PEC-51, alguns participantes aproveitaram a oportunidade e opinaram sobre outras questões. Entre muitos comentários e sugestões, alguns são particularmente relevantes e merecem ser citados, uma vez que ajudam a construir uma agenda mais ampla em um futuro debate virtual.

1) A Polícia Militar deve ser reformada mesmo que a proposta de desmilitarização não seja aprovada. A reforma deve incluir a mudança do regimento disciplinar draconiano, em vigor na grande maioria das PMs, que suprime o direito de defesa e autoriza a privação de liberdade por decisão administrativa do superior hierárquico. Em vez do regimento que viola direitos individuais dos policiais, deveria ser elaborado, sob a forma de uma grande concertação, por todos os segmentos da corporação um código de ética (como já ocorre na PM de Minas Gerais, por exemplo, e já ocorreu no Rio Grande do Sul e no Rio de Janeiro). Outro aspecto importante da reforma alternativa àquela mais ambiciosa sugerida pela PEC-51

seria o fim da vinculação com o Exército. Observe-se que tal mudança só seria factível por meio de alteração constitucional. Por fim, sugere-se a modernização de métodos de gestão a fim de racionalizar recursos e aumentar a efetividade. Seria necessário incluir as PMs no universo das instituições que adotam o modelo de gestão voltada para resultados, cujas etapas são as seguintes: diagnóstico, planejamento, implementação, monitoramento e avaliação corretiva. Sem avaliação, torna-se impossível aprender com os erros e evoluir, até porque eles sequer são identificados.

2) A remuneração dos policiais, de modo geral, é insuficiente – quando não indigna – e incompatível com a natureza do trabalho: essencial para a sociedade e arriscada para os profissionais. Seria imprescindível valorizar a profissão policial em todas as instituições, o que exigiria, simultaneamente, o aprimoramento e a intensificação do treinamento, além de um processo de formação continuada. Baixos salários induzem a um segundo emprego, ou bico, com todas as conhecidas e nefastas consequências para os próprios policiais e a sociedade.

3) A atenção à saúde dos policiais, especialmente à prevenção e ao tratamento do sofrimento psíquico, hoje tão negligenciada, é indispensável para o êxito de qualquer reforma institucional.

4) Falta às polícias tecnologia de ponta, necessária para enfrentar a criminalidade que se organiza, se fortalece e se qualifica nesse quesito. Em paralelo, é fundamental organizar as informações criminais e de interesse policial na esfera federal e torná-las acessíveis (salvo as confidenciais) para que tenham utilidade nacional.

5) A perícia deve ser autônoma em relação à Polícia Civil e vinculada diretamente ao secretário de Segurança, e precisa de investimentos que garantam acesso à tecnologia e a condições adequadas de trabalho.

6) É necessário substituir o inquérito policial, que se mostra excessivamente formalista e será em parte repetido na esfera judicial, quando for convertido em processo, caso o Ministério Público aceite a acusação e preste denúncia. A simplificação resultaria em mais agilidade e melhor comunicação entre os agentes e as agências institucionais.

7) O sistema penitenciário, que faz parte do campo da segurança pública e da Justiça Criminal, clama por reforma há décadas. A modernização dessa área tem de incluir as penitenciárias; caso contrário, a Lei de Execuções Penais continuará sendo descumprida e o ciclo da violência seguirá se reproduzindo.

8) Não haverá avanço na segurança pública nem no rendimento das polícias enquanto o Brasil não superar o proibicionismo na política de drogas, que tem provocado a criminalização da pobreza sem reduzir a criminalidade e o consumo de drogas.

9) O controle de armas já se provou a variável decisiva na redução da criminalidade letal intencional. Não adiantará mudar as instituições se esse foco não constituir preocupação obsessiva.

Segurança pública: dimensão essencial do Estado democrático de direito[1]

Eis um daqueles temas sobre os quais todo mundo tem opinião. E, quando todos conhecem o assunto, entramos em área de perigo e o alerta do pesquisador dispara. Por um motivo muito simples: o excesso de notícias, conversas e opiniões transmite a impressão de que falamos da mesma coisa e concordamos quanto ao essencial, o que pode ser – e frequentemente é – falso. O melhor a fazer, então, é esquecer o que sabemos sobre segurança e recuar ao estágio preliminar, respondendo à pergunta básica: o que é segurança pública?

A resposta parece óbvia, mas não é. Testemos uma primeira hipótese: segurança descreve uma situação da vida social em que não ocorrem crimes ou em que eles são raros. Ou, ainda, segurança é o nome que se dá a um estado de coisas que caracteriza a vida social quando ela é pacífica e transcorre sem crimes, afirmando-se, portanto, a plena vigência do respeito às leis. Ou: segurança é a qualidade que distingue sociedades sem crime ou quase desprovidas de crimes. Estas seriam sociedades "seguras", nas quais os indivíduos viveriam "em segurança".

Duas objeções: onde há mais crimes? Nos países regidos por Estados autoritários, como Coreia do Norte, China, Cuba e Irã, ou nos Estados Unidos? Pelo pouco que se sabe, há menos crimes sob o totalitarismo. Contudo, o fato de haver menor número de crimes em sociedades politicamente autoritárias não significa que teocracia, fechamento cultural, perseguições, torturas, censura e execuções gerem

---

[1] Este ensaio foi originalmente publicado, com pequenas diferenças, em André Botelho e Lilia Schwarcz (orgs.), *Agenda brasileira: temas de uma sociedade em mudança* (São Paulo, Companhia das Letras, 2011), v. 1, p. 492-503.

segurança pública. Afinal, a paz dos cemitérios não figura em nosso sonho feliz de cidade. Resumindo: nem sempre ausência de crimes (ou número reduzido de crimes) corresponde a segurança pública. Basta observar o medo. Supostamente, se há segurança, não há medo – pelo menos não há medo constante e difuso de ataques físicos e morais, intervenções arbitrárias e imprevisíveis, abusos, violações, violência. Sendo assim, sob o totalitarismo não há segurança, porque o medo é onipresente e corrói a confiança – inclusive nas instituições do Estado, a começar pela Justiça. Ou seja, o que entendemos por segurança tem menos a ver com crime e mais a ver com confiança e ausência de medo.

Uma explicação para o erro da primeira resposta: crime é o que o Estado define como tal e, por consequência, não pode servir de critério fixo e moralmente digno. Como sabemos, ao longo da história e no mundo contemporâneo os Estados se organizam das mais variadas maneiras e classificam as ações humanas das mais diversas formas, vendo crimes no que outros identificam virtude e legitimando atos que outros abominam como perversão intolerável. Evitemos, pois, falar em crime sem examinar o valor e o conteúdo de cada prática e de cada qualificação.

Outra resposta insuficiente (a segunda) poderia ser assim formulada: segurança pública é a duradoura ausência de violência – qualquer que seja sua forma de manifestação – na vida de uma sociedade. Algumas sociedades tradicionais registram poucas práticas violentas no espaço público, mas inúmeros casos de violência doméstica contra mulheres e crianças, porque a desigualdade entre os gêneros é sancionada pela cultura e a brutalidade perpetrada contra os filhos é definida como recurso educativo. Quem observasse apenas os dados convencionalmente examinados em pesquisas sobre segurança provavelmente não captaria esses processos dramáticos e, em certo sentido, subterrâneos. O álibi evocado para justificar a negligência do estudioso seria o adjetivo "público", como se a experiência dos indivíduos, transposta a porta de casa, deixasse de ser pertinente para a fruição disso que se chama "segurança". Ela é considerada *pública* porque afeta a coletividade, constituindo-se em um bem universal. O adjetivo "público", aqui, não se opõe ao significado de "privado" enquanto sinônimo de "doméstico", mas a "privado" enquanto "exclusivo", isto é, correspondendo à qualidade daquilo *que não se compartilha*.

Apesar das virtudes do aposto – estendendo o campo de observação das práticas qualificáveis como violentas, deslocando o foco para o mundo doméstico e até para a esfera invisível, porém densa, das relações intersubjetivas[2] –, esse movimento de ampliação acarreta alguns problemas. A começar pelo fato de que talvez nem toda forma de violência seja negativa e se oponha à segurança. Consideremos, por exemplo, uma luta de boxe ou um campeonato de artes marciais rigidamente disciplinadas por regras e limites. Segundo a visão de seus mestres, as artes marciais cumpririam papel educativo. No âmbito do esporte, eles fazem questão de enfatizar a diferença entre a violência e a força, usada com técnica e limitada por normas severas.

Trata-se de um tópico interessante. Basta enunciá-lo para mostrar que expandir o campo semântico da violência tem vantagens e desvantagens. Nem sempre seria adequado fazê-lo. Há argumentos críticos que merecem atenção e encontram boas bases na filosofia, na psicanálise e nas ciências sociais. Outro complicador proviria do olhar antropológico sobre a categoria violência. Em diferentes culturas, o que denominamos violência – palavra que, como vimos, é polissêmica em nossa própria cultura – se divide e se ramifica, se refrata em múltiplos sentidos vinculados a cosmologias, crenças e valores os mais diversos. O mesmo vale para as categorias medo, segurança, público, privado, força, autoridade, poder, liberdade, obediência, coerção, direito, dever, individualidade etc.

Uma consequência do reconhecimento da diversidade cultural é a necessidade de restringir essas reflexões às sociedades com Estado. Essa restrição remete a problemática da segurança pública ao Estado, este entendido como aparato institucional que detém o monopólio da violência legítima. Eis aí mais uma acepção positiva da violência – nesse caso, definida como potencial emprego dos meios de coerção (armas, polícias, força organizada) a serviço de objetivos aprovados pela sociedade, porque conformes às determinações legais, sendo a legislação fruto da vontade popular, nos termos instituídos pelo Estado democrático de direito. Em outras palavras, a violência seria legítima quando empregada pelo Estado para proteger direitos e liberdades, evitando, portanto, a violência ilegítima. Também seria legítima aquela adotada por um indivíduo para defender-se da violência ilegítima. Em todos os casos, a ideia de proporcionalidade cumpre um papel central, uma vez que não se justificaria fazer a outrem um mal maior do que aquele que se procura evitar, sendo possível calibrar a reação defensiva.

---

[2] É razoável, ainda que incerto em função da variação de situações entre culturas e no interior da mesma cultura, definir "violência negativa" como a imposição, por ação ou omissão, de sofrimento evitável ao outro, provocando-lhe danos (físicos ou psicológicos) ou ferindo seus direitos (nesse caso, se o contexto social for regido pelo princípio da equidade e pelo Estado democrático de direito).

Mas não percamos o fio da meada. A segunda resposta – se segurança pública é a ausência de violência – também é insuficiente. Por quê? Simples: se a expressão "segurança pública" se restringir a descrever sociedades em que a violência esteja ausente, vai ter pouco uso. Talvez fosse melhor aposentá-la. Há gradações e mediações da maior importância, e essas diferenças graduais não são pouca coisa. A inviabilidade de prevenirmos inteiramente a violência não significa que não haja gradações de imensa relevância para a sociedade.

Se o "tudo ou nada" não se aplica (ausência de violência ou guerra de todos contra todos), pode surgir uma terceira resposta, inspirada pela necessidade de buscar um ponto de equilíbrio, talvez certo padrão ou alguma medida razoável. Alguém talvez levantasse a hipótese de que certa média de atos geradores de insegurança seria aceitável em sociedades de determinado porte, com determinadas características. Partindo da experiência real de sociedades avaliadas pelo senso comum internacional como razoavelmente seguras, quem sabe? Por exemplo, os países nórdicos europeus, de tradição social-democrata, que, considerando os regimes democráticos, apresentam ao mesmo tempo baixas taxas de violência (segundo uma interpretação frouxa da palavra) e os melhores indicadores mundiais relativos a desigualdade, educação, qualidade de vida e acesso a bens e serviços. Não seria despropositado tomar esses países como referência e fixar um patamar para definir com mais firmeza e substância o que seria segurança pública. Na medida em que as taxas se afastassem do índice, negativamente, a sociedade seria considerada mais insegura. Aproximando-se da referência, mais segura.

Nenhum absurdo nessa proposta. Entretanto, sua utilidade seria questionável. Digamos que um país ou uma cidade reduza à metade as práticas classificadas internamente como inaceitavelmente violentas. Digamos também que essa diminuição dos casos intoleráveis de violência seja perceptível e se sustente ao longo de um tempo razoável. É provável que a população beneficiada por esse declínio da violência sinta-se mais segura e avalie positivamente a segurança local. E isso ainda que o patamar, o número de casos, continue elevadíssimo em termos absolutos. A comparação que realmente importa, aquela que vai sensibilizar, é a que se estabelece com sua própria experiência anterior, não com outros países ou cidades ou com taxas, números e cálculos abstratos. O mesmo vale na direção oposta.

Se a população valoriza a comparação endógena (consigo mesma), não o faz por ignorância nem por falta de cultura sociológica, mas porque é o mais relevante para sua vida. Não é à toa que os formuladores de políticas públicas optam por esse mesmo viés. Afinal, se lhes cabe elaborar políticas e orientar ações que reduzam a violência, de que lhes servem dados eslavos ou patamares artificialmente concebidos por estudiosos preocupados com a definição do conceito de segurança pública? Os dados pertinentes são os que descrevem dinâmicas em curso na realidade que lhes compete transformar. Os números importantes referem-se aos anos anteriores e ao presente. São essas as referências que fazem sentido para técnicos, governantes e profissionais que atuam na área. Tanto quanto para a população. Sendo assim, uma boa dose de relatividade passa a perturbar as definições gerais e abstratas.

A quarta resposta é também insuficiente: segurança pública é a própria ordem social, desde que seja conforme às determinações legais – "o império da lei e da ordem". O problema dessa hipótese está na reificação da ordem, ou seja, em tratá-la como se fosse uma coisa, um objeto ou uma substância que existe por si, tem permanência e é independente da vontade de quem a compõe e a observa. Pois não existe tal coisa. O que há, quando se declara que a ordem existe, são constelações de indivíduos interagindo de modo dinâmico e segundo certo padrão; quer dizer, confirmando determinadas expectativas derivadas da observação do passado. A confirmação das expectativas – isto é, a reprodução de certo padrão – não garante a continuidade desse processo de reprodução, ainda que funcione como preditor poderoso. Um padrão de interações dinâmicas é o modelo que se pode descrever com base no exame da experiência pregressa. Um flagrante desse conjunto de interações dinâmicas é apenas um flagrante, não o retrato de uma ordem permanente, cuja durabilidade se assemelhe à ideia que fazemos de um objeto físico. Bastaria que os trabalhadores interrompessem suas atividades para que a ordem entrasse em colapso.

A ordem é, na verdade, expectativa de ordem. É uma prospecção. E funciona como profecia que se autocumpre: na medida em que todos esperam que os demais repitam sua rotina, a tendência é que cada um busque fazê-lo, tornando real a expectativa generalizada, até porque cruzar os braços e ficar em casa, no contexto em que os outros trabalham ou desempenham suas atividades regulares, custaria caro nos mais diferentes sentidos, inclusive em termos econômicos. Se a expectativa é de desordem ou se as expectativas predominantes são instáveis, a ordem já foi rompida e a insegurança reina.

Neste ponto, é preciso cuidado: insegurança pode provir de acidentes naturais, crises econômicas, dramas familiares e epidemias e é uma experiência essencialmente múltipla e polissêmica. Como consequência, segurança pública engloba, potencialmente, essa pluralidade de esferas da vida coletiva. Entretanto, para fins de delimitação analítica e divisão do trabalho entre as instituições do Estado, convém circunscrever nosso objeto, restringindo-o ao plano das experiências relacionadas à paz ou ao uso da força, ao respeito a regras socialmente sancionadas ou à ruptura delas, sobretudo quando estão em risco o corpo, os bens e a identidade moral de indivíduos e a necessidade de intervenção legítima da coerção do Estado, seja preventiva, seja repressiva, seja reparadora – auxiliando a Justiça Criminal.

Retomando alguns pontos vistos até aqui, chegamos às seguintes conclusões sobre a segurança pública: 1) não se reduz à existência nem à inexistência de crimes; 2) não se esgota na presença nem na ausência de fatos visíveis e quantificáveis, embora tenha relação com a experiência emocional, física e/ou simbólica da violência intolerável; 3) incorpora a dimensão subjetiva, como o medo, que é sempre intersubjetivo, porque experimentado em sociedade; 4) é indissociável de algumas dimensões políticas fundamentais, como democracia ou ditadura, e da regência de formas locais (ou capilares e domésticas) de poder, tirânicas ou libertárias; 5) diz respeito a toda a coletividade; 6) seu alcance envolve as esferas pública e privada; 7) não pode ser definida por um critério fixo e permanente nem mensurada de forma abstrata e artificial; 8) depende de contextos específicos e de histórias singulares – nesse sentido, é social, histórica e culturalmente relativa, ainda que essa relatividade seja limitada pelos balizamentos substantivos já referidos (entre outros, a prática de violência inaceitável, o regime político e as formas de poder local ou capilar).

Alcançamos, então, uma definição sintética – isto é, capaz de reunir todos os requisitos listados – e bastante simples: segurança pública é a estabilização universalizada, no âmbito de uma sociedade em que vigora o Estado democrático de direito, de expectativas positivas a respeito das interações sociais, ou da sociabilidade, em todas as esferas da experiência individual. O adjetivo "positivo" sinaliza a inexistência do medo e da violência (em seus significados negativos) e a presença da confiança, em ambiente de liberdade. Corresponde, portanto, à fruição dos direitos constitucionais, particularmente daqueles que se relacionam de forma mais imediata com a incolumidade física e moral, e à expectativa de sua continuidade ou extensão no tempo, reduzindo-se a incerteza e a imprevisibilidade, o medo e a desconfiança. E, assim, concorrendo para que círculos virtuosos substituam círculos viciosos – dinâmicas negativas que se retroalimentam, estimuladas por narrativas dominadas pelo medo e pela demonização do outro. Em vez de atitudes defensivas de quem espera agressões e acaba as precipitando, no ambiente seguro predominam posturas desarmadas e cooperativas, que estimulam a difusão de respostas e expectativas sociáveis e produtivas.

Expectativas envolvem percepções sobre o presente, alimentadas por narrativas sobre o passado, e prefigurações do futuro. Trata-se, portanto, de fenômeno plural, por excelência, frequentemente contraditório, subordinado a distintas mediações. Nesse contexto, a mídia opera como importante elo na cadeia das desiguais produções narrativas, concorrendo para a formação diferenciada de expectativas. Nas sociedades de massa, essa multiplicidade dificilmente é redutível a uma tendência hegemônica, o que torna a segurança pública sujeita a avaliações múltiplas e converte os esforços dirigidos a promovê-la em simples ações orientadas para a redução de danos e para a geração capilar de experiências e narrativas positivas.

A estabilização referida no conceito de segurança pública constitui um processo e, como vimos, nunca indica mais do que uma tendência – que não se realiza como fenômeno objetivo localizado no tempo e no espaço e que é vivenciada diferentemente por diferentes grupos e indivíduos –, para a qual concorrem distintos fatores, entre os quais as instituições do Estado cuja função constitucional é oferecer e garantir a fruição desse bem coletivo.

Por isso, entende-se que o papel das polícias, assim como o de todas as instituições do campo da segurança pública, é atuar, se preciso, com uso comedido e proporcional da força a fim de prevenir desrespeito aos direitos e às liberdades, promovendo a estabilização generalizada de expectativas positivas, inclusive em relação a seu próprio comportamento, que não pode trair sua missão constitucional, eminentemente democrática, protetora da cidadania, da vida e da dignidade humana. O acesso à Justiça é componente fundamental do processo de construção interativa, intersubjetiva e multidimensional – isto é, envolvendo Estado e sociedade – da segurança pública, porque esta apenas subsiste caso faça parte das expectativas de indivíduos e grupos a suposição de que eventuais ataques aos direitos – sobretudo os mais sensíveis e diretamente ligados à vida, à integridade física e moral, à liberdade e à propriedade dos bens mais próximos – serão reparados tempestivamente e com equidade.

Qual é o impacto prático desse conceito de segurança pública? Se o levarmos a sério, as políticas responsáveis por promovê-la teriam de ser multidimensionais ou intersetoriais, isto é, não se restringiriam a ações policiais – e estas, por sua vez, respeitariam a vida, a equidade, os direitos e as liberdades, rejeitando atitudes que ampliassem o medo e a iniquidade no acesso à Justiça.

Políticas de segurança pública[1]

Uma política pública, de meu ponto de vista, é um modelo[2] prescritivo e prospectivo de decisões articuladas, capaz de descrever um conjunto sistemático de ações, simultâneas e sucessivas, a ser empreendido (ou já em curso) por uma agência pública (ou uma rede de agências públicas) e executado em consonância com os marcos legais vigentes, visando à realização de metas definidas em conformidade com mandamentos constitucionais e interpretações legítimas do interesse comum, valendo-se da mobilização de recursos humanos e materiais e de mecanismos institucionais disponíveis em seu âmbito de autoridade e/ou passíveis de acesso por intermédio de parcerias ou acordos cooperativos.

Resta identificar critérios de juízo da legitimidade das interpretações daquilo que corresponderia, em cada contexto, ao interesse comum ou ao bem público, sob o risco de abalarmos toda a construção conceitual (assim como a legitimidade da própria política pública praticada, qualquer que seja ela), infundindo-lhe o veneno do relativismo e da subjetividade, isto é, da intromissão do interesse privado (no conceito e na realidade histórica constituída pela aplicação do conceito). Essa eventual intromissão seria por todos os títulos inadequada, porque subverteria

---

[1] Este ensaio foi originalmente publicado em Geraldo Giovanni e Marco Aurélio Nogueira (orgs.), *Dicionário de políticas públicas* (2. ed., São Paulo, Unesp, 2015).

[2] Modelo, aqui, tem o sentido de protótipo ou identificação dos elementos (atores e ações via meios e conforme modos estipulados) constitutivos de um movimento coordenado orientado para um fim, indicando-se também as combinações entre os elementos, no tempo e no espaço, assim como as dinâmicas que sua sucessão ou sua justaposição autorizam antecipar.

os elementos matriciais que qualificam o público enquanto tal: universalidade dos benefícios gerados, diretamente ou pela mediação de dinâmicas que melhor sirvam a reduzir a distância entre a distribuição efetiva de benefícios e direitos (conferidos e exercidos) e o princípio constitucional regente, a equidade, em uma sociedade específica, em uma realidade historicamente observável.

Ainda que sempre suscetível a questionamentos e argumentações críticas, uma interpretação do interesse comum poderá ser considerada provisoriamente legítima se e enquanto se mostrar apta a refutar todas as alternativas explicitamente propostas no espaço público[3] como opções práticas cujas vantagens comparativas impliquem a negação da superioridade da interpretação original. A referida superioridade supõe comparação e, portanto, remete a dialogia e retórica (no sentido aristotélico, democrático, substantivo e não ornamental da palavra), em ambiente de disputa de opiniões, sempre em movimento, sujeito a recontextualizações e a revisões. Supõe também a possibilidade de medir e escolher caminhos (meios e modos) e finalidades. Sobretudo, pressupõe consenso (também objeto de negociações, conflitos, competições e mudanças) quanto à conveniência de que mais equidade é melhor do que menos (na letra das disposições legais e em seu exercício concreto) e de que mais liberdade é melhor do que menos (ainda que ambos os valores com frequência se contradigam, na teoria e na prática).

Outras duas teses completariam a pressuposição de um consenso mínimo, sem as quais as primeiras teses correriam o risco de se perder na abstração, carecendo de operacionalidade: 1) equidade e liberdade são valores universais[4], ainda que se apliquem a indivíduos; 2) princípios, quando contraditórios ou promotores de contradições, exigem mais do que mera aplicação: requerem avaliações *ad hoc*, sempre circunstanciais, cujo controle de legitimidade remete, necessariamente, a procedimentos[5], uma vez que a substância[6] se revele insuscetível de orientar decisões,

---

[3] Esse ponto é digno de nota porque desnuda o caráter não exclusivamente técnico do debate em pauta. A discussão incorpora dimensões estritamente técnicas, mas não pode se reduzir a um horizonte tecnocrático. Estão sempre em jogo valores, escolha de prioridades e de métodos que podem suscitar dilemas éticos.

[4] No âmbito de aplicabilidade da política cuja finalidade será definida pela interpretação do interesse público que está em causa.

[5] Isto é, para a institucionalização de mecanismos e estratégias que convertam as decisões trágicas em processos em comum aceitáveis pelas partes envolvidas. Trágicas são as decisões sobre questões ou impasses indecidíveis com pleno respeito pelos princípios que devem ser observados, ou seja, decisões que necessariamente transgridem pelo menos um dos princípios que as orientam e que lhes cumpre respeitar.

[6] Quer dizer, o conteúdo do princípio e da norma que o traduz, inscrevendo-o na legislação.

digamos, naturais ou meramente lógico-dedutíveis. A problemática do procedimento, por sua vez, evoca, por um lado, regras que devem ser acatadas por todos; por outro, a ação humana voltada para a persuasão, a negociação, a formação de alianças e consensos: em uma palavra, a política.

Sendo assim, chegamos a uma conclusão importante e talvez surpreendente para alguns leitores: pelo menos tal como a entendo e sugiro que se a compreenda e pratique, não há política pública senão no âmbito do Estado democrático de direito, em que a Justiça toma a equidade como bússola, onde há pluralismo e reina a liberdade, a despeito dos inevitáveis limites e de todas as contradições.

No caso específico da segurança pública, esse entendimento não é dispensável, secundário nem suplementar. Ao contrário, é essencial – exatamente porque é dele que devemos extrair a definição da política de segurança, a qual não passa, como se vê, de um conceito dependente. Seguindo esses passos, atingimos uma constelação de ideias que emergem como se fossem movidas pela força da gravidade. Inferências lógicas são como atrações magnéticas. Senão, vejamos: as metas da segurança pública – criar condições para que se universalize a expectativa de que as leis serão cumpridas e os direitos serão respeitados, sobretudo os fundamentais, como o direito à vida, à incolumidade física e moral, e às liberdades – estão fixadas constitucionalmente e inscritas na razão de ser do Estado, pois não há direito nem legalidade sem garantias de que as normas serão aplicadas (no limite, pelo uso comedido da força, na medida proporcional e necessária, em cada circunstância, para que se atualizem as mencionadas garantias). Tampouco há Estado e direito sem a difusão hegemônica da expectativa de que as leis serão respeitadas, de tal modo que a proscrição de condutas funcione também como orientação prescritiva e, por esse motivo, considerando a efetividade normativa, também exerça o papel de mapa prospectivo, graças ao qual se amplie a previsibilidade do comportamento individual e coletivo (ou, pelo menos, se reduza a incerteza), estabilizando-se expectativas positivas e generalizadas sobre a cooperação e a sociabilidade, em suas múltiplas esferas.

Dado que as decisões individuais e sociais dependem do que se espera dos outros e de suas decisões, o declínio da incerteza implica redução da sensação de insegurança e acaba promovendo a confirmação das expectativas positivas, instaurando, assim, o que os sociólogos denominam "profecias que se autocumprem" – no caso, profecias positivas ou virtuosas. Ou seja, posto que a maioria espera que as coisas ocorram de um modo conhecido, seguindo determinado padrão, obedecendo certa regularidade, cada um tenderá a reger-se por essa expectativa, fazendo sua parte de acordo com as regras do jogo e contribuindo para que a previsão se confirme – e ela se confirma não por estar certa, mas porque a maioria acreditou que ela estivesse certa.

A mera existência de um conjunto de agências públicas (inscritas no campo que chamamos "segurança pública") a que a Constituição Federal atribui autoridade para usar a força – nos limites legais e, vale insistir, apenas em condições específicas, em que os direitos individuais ou coletivos estejam em risco de ser desrespeitados ou que seja lícito supô-lo – representa uma sinalização estruturante de expectativas e, como vimos, de decisões e linhas de ação individuais e sociais. Mais importante para a efetividade das agências coercitivas não é a força, mas a possibilidade de empregá-la legitimamente. Mais uma vez, ingrediente fundamental à virtualidade enquanto regulador de expectativas. Em outras palavras, quanto mais positiva for a imagem das referidas agências estatais em relação a seu histórico de fidelidade às leis e de respeito à cidadania e, portanto, a sua capacidade de cumprir seu dever institucional, menor será a sensação de insegurança e melhores tenderão a ser os resultados de suas ações.

Aplicando à segurança pública a definição do conceito proposto na abertura deste ensaio, teremos a seguinte formulação: política de segurança é um modelo de orientação para decisões articuladas que devem desencadear um conjunto sistemático de ações a ser empreendido pelas polícias e pelas demais agências que funcionam sob a autoridade da Secretaria de Segurança Pública[7], executado em consonância com os marcos legais vigentes, visando à efetivação prática, tão plena quanto possível, da garantia constitucional de acesso universal e equitativo dos cidadãos a seus direitos individuais e coletivos, valendo-se também, para a realização desse objetivo, da mobilização de parcerias ou acordos cooperativos com outros órgãos governamentais e atores da sociedades civil, sem abdicação de suas responsabilidades exclusivas.

Dito assim, soa vago e retórico, e não pareceria difícil obter amplo consenso em torno dessa definição. Quem dera houvesse acordo. O país já teria avançado muito em matéria de segurança. Não é o caso, infelizmente. Essa definição, em linguagem abstrata, mas precisa, indica um compromisso claro e rigoroso com valores avessos aos com frequência postos em prática e uma linha de pensamento e de ação muito diferente daquela que é predominantemente adotada pelos governos, pelas secretarias de Segurança e pelas polícias. O ponto-chave é a identificação

---

[7] Ou entidade governamental análoga à qual cumpra formular e implementar a política em causa.

da finalidade das instituições da segurança pública, sob o Estado democrático de direito, ordenada em conformidade com as declarações internacionais dos direitos humanos, das quais o Brasil é signatário. Da finalidade derivam-se as prioridades a hierarquizar as metas. Não deveria haver, portanto, dúvidas a seu propósito. No entanto, há dúvidas ou omissões e negligência – seja nos atos, seja na teoria (parca e pobre, de modo geral, até porque quase inteiramente restrita à cultura prática das corporações, sob a forma de senso comum profissional entre os policiais). Pois, considerando os motivos originários que tornam legítima a existência de um Estado e seu decalque formal, plasmado em mandamentos constitucionais, a finalidade é inconteste. A finalidade da segurança manifesta-se sem sombras quando se compreende que ela se confunde com o fim precípuo do Estado e quando se depreende que as qualificações que dão conteúdos específicos à finalidade inscrevem-se na matriz da ideia mesma do direito e de seu caráter democrático. A finalidade da política de segurança é fazer com que as instituições do Estado, criadas com esse objetivo, cumpram seu mandato constitucional e tornem efetivos (isto é, realmente praticados) os compromissos fundamentais – ou seja, a afirmação de direitos[8], que apenas se realizam com o complemento de suas garantias. Esses compromissos são aqueles assumidos pela nação no contrato social que a Constituição expressa.

Em outras palavras, cabe às polícias e aos órgãos de segurança pública zelar pelo respeito aos direitos dos cidadãos, sobretudo os fundamentais – entre eles e com destaque: a vida, a liberdade, a incolumidade física e moral, a dignidade humana. Na medida em que a finalidade e suas derivações forem observadas, em escala satisfatória, instala-se o ciclo virtuoso[9] da estabilização generalizada de expectativas positivas – expectativas quanto ao respeito às regras que regem a sociabilidade no cotidiano dos cidadãos.

A política de segurança tem como objetivo viabilizar o cumprimento da finalidade imanente às instituições da segurança pública, no âmbito de um Estado

---

[8] Na perspectiva aqui adotada, não é preciso falar em deveres, porque eles estão embutidos na natureza universal dos direitos sob a forma dos limites que a universalidade impõe ao exercício do direito. Exemplo: cada indivíduo é livre para preferir gostar ou não gostar de cuidar de crianças, mas, se ele ou ela tem um filho, essa liberdade é limitada pelo dever de prover ao filho condições adequadas aos direitos de toda criança.

[9] O processo das profecias que se autocumprem é ao mesmo tempo objetivo e subjetivo – e a tal ponto e de tal modo as duas categorias se sobrepõem que se tornam indistinguíveis e perdem o sentido. Por isso, segurança é tanto um ambiente livre de violência e agressões aos direitos, na vivência cotidiana, quanto um processo em que predominam as prospecções positivas quanto à reprodução das condições que legitimam o Estado e as referências normativas.

democrático de direito comprometido com os direitos humanos. Para isso, deve orientar decisões, em níveis diversos, de forma articulada e tanto quanto possível sistêmica, para que, na prática, as referidas instituições realizem o dever elementar que justifica sua existência. A finalidade, vale reiterar, determina prioridades e aponta as metas e sua hierarquia: proteger a vida, preservar as condições para o exercício dos direitos fundamentais. Traduzindo em metas: deter os homicídios e os demais crimes letais, em particular os intencionais – deter significa, idealmente, reduzir a zero, mas, em cada contexto, pode adquirir apenas o sentido de controlar ou diminuir progressivamente.

Nesses termos, considerando a vida como bem prioritário a ser preservado, eliminam-se de imediato ações, métodos ou táticas policiais que a coloquem em risco em benefício da realização de qualquer outra meta secundária, como prender suspeitos. Ou seja, a vida de um suspeito só poderia ser colocada em risco pela polícia se ele colocasse em risco a vida de um policial ou de um terceiro. Note-se que esse postulado é simultaneamente um objetivo e um preceito normativo elementar, a definir os limites e as condições da própria autoridade policial.

A política de segurança, em suma, é responsável por fazer as peças funcionarem de modo a cumprirem suas finalidades e as metas derivadas. Parece fácil, mas, de novo, não é. As situações em que atuam as polícias e as demais agências variam, assim como serão diversos os caminhos e os meios pelos quais os objetivos serão alcançados. Até o grau em que a finalidade se realizará dependerá das circunstâncias. Por isso, um predicado básico da política de segurança é seu realismo, ou seja, sua competência para diagnosticar os desafios, as virtudes e os defeitos das instituições e de seus servidores, os recursos materiais e humanos, gerenciais, institucionais, cognitivos, tecnológicos e legais disponíveis. A política de segurança digna desse nome deve estipular metas atingíveis e apresentar com transparência para a sociedade as condições que, alteradas, tornariam eventualmente possíveis objetivos mais ambiciosos e, portanto, mais próximos da finalidade. Essa contribuição seria importante tanto para justificar as limitações da política adotada quanto para alertar a sociedade sobre a necessidade de transformações que escapem ao âmbito de responsabilidade de uma política governamental. Por exemplo, transformações subordinadas à autoridade do Poder Legislativo.

Consequentemente, as perguntas (para as quais nem sempre há respostas consistentes, detalhadas e atualizadas) aos formuladores da política de segurança são as seguintes:

1) Com que meios a política contará para ser implementada? Meios, nesse caso, dizem respeito não só ao orçamento disponível para custeio e investimento, ou aos contingentes policiais civis e militares, e seus instrumentos de trabalho – se tomarmos como referência os executivos estaduais, não a União ou as prefeituras. Muito mais que isso, a resposta tem de esclarecer qual a qualidade da formação dos policiais, para que se identifiquem os treinamentos e a educação complementar que terão de ser incluídos na política de segurança formulada. Sobretudo, será preciso conhecer os mecanismos de gestão com os quais operam cada polícia e cada agência governamental pertinente: há tecnologia e pessoal especificamente preparado, com posições institucionais definidas e rotinas fixadas, dedicados a obter, organizar, analisar e transmitir (idealmente em tempo real) às instâncias pertinentes dados criminais e informações relevantes para que os diagnósticos sejam corrigidos continuamente, alimentando e ajustando o planejamento? Se a resposta for negativa, a política a ser construída terá de incluir a criação das condições inexistentes, não na extensão e no formato ideais, mas no espaço de liberdade conferido pelo marco legal em vigor.

O planejamento pode ser realizado com os detalhes adequados, com sensibilidade para as especificidades locais? Há condições para que um planejamento integrado se realize e seja aplicado, coordenadamente, pelas duas polícias estaduais? Há condições institucionais e culturais (considerando as culturas corporativas) para que se combinem, de forma adequada, a indispensável integração sistêmica entre as duas polícias e o respeito à autonomia das diversas unidades no interior de cada uma das polícias, valorizando-se, ao mesmo tempo, a plasticidade das situações locais que exigem descentralização e iniciativas ágeis e autônomas? Estão disponíveis critérios e métodos de avaliação das ações empreendidas para que os erros sejam identificados e sirvam ao monitoramento corretivo de todo o planejamento? Há recursos tecnológicos e humanos, além de funções, rotinas e profissionais treinados, para que a identificação do erro não se esgote em uma constatação burocrática e seja de fato incorporada ao sistema, corrigindo as linhas de ação previamente adotadas? Existem mecanismos eficientes e autônomos de controle externo? As metas estabelecidas para a política estão de acordo com as finalidades e a hierarquia que ela determina? São realistas, isto é, são realizáveis? Há meios de avaliar a própria política de segurança? Há meios e mecanismos institucionais que tornem possível a ampliação do âmbito de abrangência dessa política para que esforços intersetoriais do governo, em colaboração com a sociedade, proporcionem a articulação dos trabalhos policiais com programas de prevenção da violência?

2) No âmbito territorial sob responsabilidade das instituições que agirão de acordo com as orientações que ora se definem, quais são as mais graves e mais frequentes ameaças aos direitos individuais e coletivos? Ou: quais são os crimes mais graves e violentos? Quais são os que têm maior capacidade de gerar efeitos em escala, expandindo os danos causados e os intensificando? Onde (em que territórios, bairros, ruas, comunidades ou espaços edificados ou domésticos) e quando (dias e horas preferenciais) ocorrem? De que forma são cometidos e quem os comete? Com que frequência? Quais são as vítimas usuais e potenciais? Em que dinâmicas de reprodução essas práticas se inserem? Se o diagnóstico não encontra dados suficientemente qualificados, parte das metas da política terá de reverter as razões pelas quais os dados são precários. Entre as metas será incluída a geração de condições para que uma gestão do conhecimento eficiente se viabilize, de forma que sejam possíveis diagnósticos seguidamente atualizados, com elevado nível de precisão e desagregação.

3) Considerando a complexidade dos fenômenos que ameaçam a segurança, os quais envolvem processos individuais e sociais em múltiplas dimensões, o diagnóstico deverá contemplar outras perguntas, distantes do horizonte policial e da Justiça Criminal. Para propor essas indagações e ajudar a encaminhar as respostas, é necessária a presença de profissionais de distintas formações disciplinares. As perguntas dizem respeito a elementos culturais, urbanos, socioeconômicos e intersubjetivos. Por exemplo: a violência contra a mulher encontra estímulo em tradições culturais que associam masculinidade a agressividade e que desqualificam a mulher como sujeito autônomo? Caso a resposta seja positiva, intervenções culturais seriam indispensáveis, combinadas a várias outras ações, para controlar e reduzir a violência doméstica contra a mulher. Algum segmento expressivo dos adolescentes que têm sido recrutados para o tráfico armado de drogas ilícitas viveu traumas domésticos e rejeição escolar, que lhe deprimiram a autoestima? Nesse caso, para interromper a reprodução do processo de recrutamento, não seria preciso mobilizar setores governamentais aptos a agir sobre as famílias e as escolas, como agências de saúde e educação, para que se implementem ações preventivas (quer dizer, capazes de interceptar microdinâmicas de reprodução) apoiadas na valorização das crianças e dos adolescentes?

Bons diagnósticos sobre a configuração da insegurança em cada região e em cada momento e sobre os recursos disponíveis (especialmente sobre as instituições policiais e as agências dirigentes ou integradoras que aplicarão a política, como as secretarias de Segurança) são indispensáveis, mas não garantem a qualidade da política, uma vez que o passo decisivo é outro: é aquele que corresponde à determinação das decisões e das ações por elas encetadas. É mais fácil obter consenso em torno do diagnóstico, porque resulta de uma etapa mais intelectual (resume-se à pesquisa) do que criativa, cujo interesse é apenas constatar limites e potenciais, problemas e virtudes, identificando suas principais fontes. A formulação do mapa das orientações é a etapa criativa e, por isso mesmo, depende da imaginação. Sim, é a imaginação – educada pelo estudo cuidadoso e comparativo de experiências nacionais e internacionais e plantada na terra firme pelo exame minucioso realizado na etapa do diagnóstico – que concebe e prefigura intervenções nos mais diferentes níveis. Prefigurar mundos possíveis ou arranjos alternativos da realidade remete a uma forma de legitimidade intelectual vacilante, que repousa na força persuasiva dos argumentos. Nunca é trivial demonstrar a confiabilidade de determinada antevisão dos efeitos em cadeia na vida social. Dificilmente se poderia evocar, aqui, o método da demonstração científica. Mais do que nunca, trata-se do exercício da razão argumentativa, sempre precária. Previsões sociais, por definição, não encontram amparo em evidências empíricas e comprovações metódicas. Tudo se complica quando a política orienta as práticas na direção de mudanças significativas. O que é novo é desconhecido. O que se ignora se teme. O que provoca medo gera reações negativas. Numa atmosfera de incertezas e temores, os interesses corporativos e políticos se infiltram com naturalidade, fortalecendo resistência a mudanças. Por tudo isso, políticas que envolvam mudanças tendem a ser rejeitadas por governantes, burocratas e operadores.

A terceira etapa é a da passagem do desenho para a prática, completando o modelo, isto é, tornando real a política de segurança. Em geral, os gestores identificam três tipos de iniciativas em uma política pública: programas (conectando múltiplos projetos), projetos (dirigidos a metas e mobilizando recursos em escala mediana) e ações (locais e de menor escala).

Muitas mediações têm de ser consideradas: a legitimidade e a força política do agente público que lidera o processo; o nível de informação da opinião pública e o apoio da sociedade; a consistência e a sustentabilidade da coalizão política construída (ela está preparada para manter a unidade quando surgirem as dificuldades?); o grau de engajamento dos operadores da política, nos mais distintos planos; a agilidade, a autoridade e a habilidade dos líderes para circunscrever e isolar os focos de resistência políticos, corporativos e sociais.

Outro ingrediente-chave é o nível de identificação do chefe do Executivo com a política de segurança adotada. Se for circunstancial e frágil, dificilmente os obstáculos serão vencidos, até porque uma política de segurança consistente exigirá o envolvimento de diversas secretarias, assim como uma substancial provisão de recursos. Duas perguntas se impõem: há recursos suficientes? Serão eles colocados à disposição com a agilidade necessária?

Como se vê, a construção de um consenso mínimo e de alianças amplas e o engajamento da liderança governamental são componentes tão importantes quanto a competência técnica do diagnóstico multidimensional e a qualidade criativa da imaginação prospectiva. A política também é tão relevante quanto a densidade reflexiva, o conhecimento de experiências diferentes e a maturidade dos formuladores – qualidades que, juntas, moldam a consistência da previsão. Em síntese, política de segurança pública requer conhecimento profundo (local e circunstancial) dos fenômenos pluridimensionais que se associam à insegurança, assim como das instituições policiais, das demais agências que atuam no campo e dos espaços de elasticidade delimitados pelos marcos legais. Exige, ao mesmo tempo, imaginação, capacidade preditiva, aptidão democrática argumentativa e adequada construção política.

Vale sublinhar um ponto que já deve estar claro: qualquer política pública de segurança consistente destina-se a intervir no real (o real socialmente construído, formado por comportamentos, interações, sentimentos, interpretações, projeções e expectativas), aumentando a segurança ou reduzindo a insegurança. Por isso mesmo, tem de ter plasticidade, abertura permanente a mudanças adaptativas, ou seja, tem de embutir em sua lógica mecanismos para a absorção do imprevisível e a flexibilidade necessária para acolhê-lo e moldar-se a ele, transformando-o em energia construtiva, não disruptiva.

Traduzindo essa complexidade para a história brasileira recente, concluímos que foram poucos os governos que apresentaram à sociedade uma política de segurança pública. A concepção durante a ditadura militar (de 1964 a 1982[10]) era

---

[10] A delimitação temporal da ditadura é em si mesma problemática, dada a natureza negociada da transição para a democracia. Em geral, utiliza-se o ano de 1985 como referência para seu encerramento, considerando-se a posse do primeiro presidente civil, representante – malgrado todas as contradições e percalços do destino – das oposições. Pessoalmente, prefiro usar a promulgação da Constituição como momento de inflexão: assim, a ditadura iria de 1964 a 1988, embora os últimos anos tenham sido vividos sob a ambiguidade de leis fora de lugar e em vigência episódica ou declinante. Contudo, quando a referência é a segurança pública, 1982 talvez possa ser considerado um marco (ainda que não definitivo), se não no campo legislativo, pelo menos no plano mais substantivo das práticas. Afinal, elegeram-se governadores que buscaram redefinir a segurança pública, como Leonel Brizola e Mário Covas, apesar das dificuldades e do precário respaldo institucional.

simplória: segurança e defesa nacional praticamente se sobrepunham, e os aparatos de coerção serviam para garantir a ordem pública e a intangibilidade do Estado ante ameaças subversivas ou desordeiras. Os cidadãos não eram os destinatários das ações da segurança nacional. Pelo contrário, eram fontes de suspeita e ameaça à estabilidade do poder do Estado. Essa visão, conectada a um conjunto de práticas autoritárias e arbitrárias, sofreu escassa refração ao longo da transição política. Descolando-se apenas parcialmente da ideologia do Estado forte, a "segurança" transitou para o universo da ideologia tecnocrática e burocrática. Nesse universo discursivo e prático, segurança não era (e não é) pensada como política pública, mas como mero exercício do trabalho policial, que, por sua vez, se resumiria a empregar com presteza e vigor a força onde os chamados (pelo 190) indicassem necessário, investigando autorias de crimes, quando preciso. Nada além disso. Tratar-se-ia, portanto, apenas de fazer a máquina funcionar. Os únicos embaraços a resolver seriam a falta de contingente, de veículos, armas e munição, além da questão salarial dos servidores. Por isso, tanto os prefeitos quanto o governo federal são considerados, nesse contexto, atores secundários: suas contribuições se reduziriam a apoiar financeiramente as polícias estaduais, equipando-as.

No Brasil, até meados dos anos 1990, foi predominante essa perspectiva tecnocrática, reativa e burocrática das polícias, segundo a qual elas são o que são, porque têm de ser assim, como se a estrutura organizacional brotasse automaticamente de sua essência e realizasse seu destino natural. Como se elas não fossem produto de uma história construída por escolhas políticas. Prova dessa curiosa e perversa naturalização, que subtrai o tema "modelo policial" (mantê-lo ou mudá-lo) da agenda pública, é o fato de que secretarias de Segurança, em vários estados, foram criadas recentemente: no Rio de Janeiro, em 1995, quando foi entregue a um general (1995), sucedido por outro (1995), substituído por um coronel do Exército (1998) e, em seguida, por outro general (1999) – o que também é significativo; em Minas Gerais, em 2003, e o governador pelos dois anos subsequentes ainda manteve o hábito de receber os comandantes das duas polícias, separadamente e sem a presença do secretário (um desembargador). Antes da instalação de secretarias de Segurança, cada polícia correspondia a uma secretaria e o comandante ou chefe tinha *status* de secretário de Estado. Ou seja, não havia agência responsável por uma política de segurança, mas duas polícias, cada uma com sua linha de ação. A própria ideia elementar, e indispensável para qualquer política de segurança, de que o trabalho policial em sua integralidade envolve ambas as polícias e não se esgota nelas só encontra espaço de afirmação, reconhecimento e aplicação quando são constituídas as secretarias. Contudo, a criação das secretarias não correspondeu necessariamente à implantação de políticas de segurança nem ao entendimento de que o trabalho policial requer coordenação integradora.

Os governos estaduais, em geral, não vão além da divulgação de algumas metas específicas, com frequência adornadas por vagos compromissos com resultados tão otimistas quanto genéricos e ilusórios. As raras e honrosas exceções não por acaso apresentaram suas políticas de segurança com a linguagem de planos que começavam com a identificação do ponto-chave: é ocioso indicar linhas de ação, se as polícias, pela natureza de sua estrutura organizacional e pelas características de seus mecanismos institucionais, forem ingovernáveis ou refratárias à gestão racional. Em outras palavras, uma política não se limita a um plano decorrente de um diagnóstico ou de um retrato no tempo. Ela orienta e, em se implementando, determina a criação das condições para que retratos sejam tirados de forma contínua e para que desses retratos derivem linhas de ação preventiva e repressiva. Uma política focaliza, sobretudo, meios, processos e dinâmicas. Os conteúdos serão preenchidos no processo pelo trabalho diário dos operadores, aos quais caberá aperfeiçoar e corrigir os rumos ditados pela política, caso ela seja fiel ao princípio de que só será efetiva se for aberta a avaliar a si mesma e corrigir-se, na prática, renovando-se e evoluindo.

Surgem aí os impasses mais graves. Como o modelo policial brasileiro, herdado da ditadura, tem se revelado um empecilho a dinâmicas institucionais sistêmicas e inteligentes[11], as poucas políticas nacionais de segurança pública dignas desse nome esbarram em obstáculos que ultrapassam seu domínio de intervenção. Orientam-se, então, para o esforço de reduzir os danos provenientes do modelo policial, constitucionalmente estabelecido, o que faz com que cada êxito seja uma conquista a contrapelo, isto é, na contramão das tendências, por assim dizer, naturais. Por isso, essas conquistas devem ser entendidas não como realizações das instituições, mas dos profissionais que nelas atuam e que, apesar delas, eventualmente alcançam metas positivas (graças a sua competência e à qualidade da política empreendida).

Por fim, registre-se que são distintos os desafios, as possibilidades de atuação legal e as responsabilidades da União, dos estados e dos municípios. Estes são negligenciados na Constituição, mas nem por isso precisam omitir-se ou estão obrigados ao imobilismo. Têm ocorrido no nível municipal algumas das experiências mais

---

[11] Inteligente seria a dinâmica institucional em cujo âmbito se aprende com a experiência e, sobretudo, com os próprios erros.

ricas e exitosas no campo da prevenção da violência. Nos casos que se destacaram, políticas de segurança municipais foram desenhadas e aplicadas, ainda que restritas às dimensões cobertas pelas atribuições municipais. Suas principais características têm sido o investimento multissetorial, territorializado, nas áreas mais vulneráveis, criando condições para a proteção integral à criança, à família e à juventude, sobretudo por meio da articulação em redes locais dos serviços de saúde, educação, cultura, lazer, saneamento, habitação e infraestrutura urbana. Outro ponto-chave tem sido o trabalho cooperativo com agências estaduais e federais, viabilizado pela criação de gabinetes de gestão integrada da segurança pública. Por vezes, guardas civis municipais são constituídas em bases promissoras.

Aos estados cumpre operar as polícias civis e militares, combinando seu funcionamento adequado com ações de outros setores governamentais.

À União compete avaliar a situação nacional, identificar os problemas e os motivos pelos quais eles existem (dinâmicas criminais e violência na sociedade, além de mau funcionamento das instituições), analisar os meios à disposição e formular sua própria política, cuja meta principal terá de ser mobilizar seus recursos para criar as condições necessárias a fim de que todas as instituições da segurança que atuam no país se tornem capazes de cumprir seu mandato constitucional. No caso brasileiro, isso implica liderar esforços de transformação dos marcos legais constitucionais por meio de sua capacidade de mobilização política, respeitando a autonomia do Legislativo para que se promova a modernização racionalizadora e democratizante do campo institucional da segurança pública. Enquanto a Constituição bloquear avanços e perpetuar o modelo policial herdado da ditadura, gerador de estruturas organizacionais refratárias à governabilidade – o que força as políticas de segurança estaduais a orientar-se para a redução dos danos ditados pela irracionalidade do sistema –, só restará ao governo federal empregar seu poder indutor (como o repasse de recursos do Fundo Nacional de Segurança) para exigir que os governos estaduais formulem e implementem políticas de segurança voltadas às finalidades institucionais e às prioridades derivadas, garantindo a vigência de mecanismos de avaliação de desempenho e efetivo controle externo. Por exemplo, seria saudável se o Executivo federal, em sua própria política de segurança, se comprometesse a suspender repasses de recursos às polícias estaduais que perpetram execuções extrajudiciais, de forma sistemática, em ambiente de funcionamento reativo e voluntarista, marcado pela ausência de uma política de segurança que aponte caminhos e metas e que forneça instrumentos de reversão do quadro de abusos.

A política nacional de segurança pública: histórico, dilemas e perspectivas[1]

Segue-se a *descrição* de um processo (sucessivas tentativas de formular e implantar políticas por meio da elaboração de planos), buscando-se compreender seus principais movimentos (avanços e recuos, pressões e reações, indução e negociações que marcaram a experiência recente dos diversos atores relevantes na área da segurança pública em âmbito nacional). O uso de "descrição", em vez de "avaliação", não é casual. Por prudência e honestidade intelectual, descartemos falsas expectativas: é muito difícil proceder a uma avaliação de políticas de segurança pública, assim como da *performance* policial. E não se trata de uma dificuldade exclusivamente brasileira. Em todo o mundo, entre especialistas e gestores, estudiosos e profissionais que atuam na área, essa é uma questão controversa. As polêmicas se sucedem em seminários internacionais e visitas de consultores. É simples entender: determinada política pode ser virtuosa e, ainda assim, os indicadores selecionados por vezes apontam crescimento dos problemas identificados como prioritários – por exemplo, taxas de certos tipos de criminalidade. O contrário também é verossímil: podem conviver uma política inadequada e bons resultados.

---

[1] Este ensaio foi originalmente publicado na *Revista Estudos Avançados*, n. 21, 2007, p. 61.

A problemática da avaliação

Deixando de lado hipóteses mais simples, como os efeitos de sazonalidade[2] e a relatividade da aceleração[3], há a ideia prosaica de que fatores sociais promotores das condições favoráveis à reprodução ampliada de práticas criminosas – fatores independentes de ações policiais e externos ao âmbito de intervenção de políticas públicas de segurança – continuem a produzir efeitos e o façam em razão de diversos motivos alheios à área em foco, com potência crescente. Nesse caso, mesmo que a política de segurança fosse adequada, inteligente e consistente, eficiente, eficaz e efetiva, ainda assim os indicadores poderiam ser negativos. Provavelmente, seriam menos maus do que se a referida política não estivesse sendo adotada, mas isso conduziria o analista a um argumento contrafactual impossível de testar e, portanto, de comprovar.

O contrário também se mostraria viável: os referidos fatores negativos poderiam perder força ou mesmo desaparecer, produzindo resultados positivos e alheios às políticas de segurança. Consideremos quatro exemplos da participação relativamente autônoma de fatores negativos (o primeiro e o quarto fatores citados são, na verdade, positivos em si mesmos, porém negativos do ponto de vista do provável impacto sobre a segurança pública):

1) Dinâmicas demográficas ou a qualidade da saúde pública materno-infantil, ou o aperfeiçoamento das condições sanitárias, fruto de processo de urbanização, levam ao aumento do número de jovens na população. Sabemos que a magnitude da presença de jovens na população constitui variável significativa para o panorama da criminalidade e da violência. Eis um contexto favorável ao crescimento do número de crimes.

2) Desastres naturais, como enchentes e tornados, podem gerar desabastecimento, desespero e uma onda de saques de tal maneira que se produza um ambiente propício à proliferação de práticas criminosas de tipos diversos, contra a vida e o patrimônio.

3) Crise econômica, provocando desemprego em massa e aprofundando desigualdades, na contramão de uma cultura hegemônica individualista e igualitária, pode funcionar como facilitador da difusão de práticas criminosas.

---

[2] O verão muda hábitos e aumenta o número de encontros sociais em espaços públicos, o que tende a elevar a possibilidade de conflitos e a exposição a riscos – o mesmo vale, internamente ao ciclo semanal, para fins de semana.

[3] Quando comparado a outros recortes diacrônicos, isto é, a outros períodos similares de tempo, o aumento observado pode revelar-se, de fato, uma redução do crescimento que seria esperado se o padrão histórico previamente fixado se mantivesse.

4) Crescimento econômico, elevação da renda média e universalização do acesso ao ensino público, em ambiente de intenso desenvolvimento tecnológico, no contexto da expansão do que se convencionou chamar "sociedade do conhecimento ou da informação", tornam simples a reprodução doméstica de obras culturais (como filmes e gravações musicais) e incontrolável sua distribuição ilícita, colocando em xeque os termos que tradicionalmente definem a propriedade intelectual e alimentando verdadeira avalanche de crimes apelidados "pirataria".

Cada uma das quatro hipóteses – ou as quatro associadas – corresponde a um conjunto de fatores independentes da *performance* policial ou das políticas de segurança e configura um cenário em que boas práticas – políticas e *performance* virtuosas – não podem senão reduzir danos ou limitar consequências negativas. Seria injusto e inadequado avaliá-las pelo resultado agregado do entrechoque de dinâmicas, vetores e processos, a não ser que o fizéssemos em comparação com situações análogas.

Em certo sentido, vetores independentes – esses e outros, incluindo aqueles que, a par de intrinsecamente positivos, exercem pressão auspiciosa – estão sempre atuando, sobretudo em momentos de instabilidade. Como é impossível isolar o campo de intervenção das políticas e das *performances* a serem examinadas, impõem-se cautela e uma boa dose de ceticismo na aplicação da cláusula *ceteris paribus*, ou seja, aquela que exige, para teste ou avaliação, a manutenção de todas as demais condições inalteradas – reconheçamos que, a rigor, ela só é aplicável em laboratório, hipótese que não se presta aos fenômenos sociais.

O quadro começa a ficar realmente interessante quando observamos que o sucesso ou o fracasso de tais políticas e *performances* concorrem para a formação de vetores independentes positivos ou negativos, o que relativiza a própria noção de independência dos fatores, com a qual trabalhamos até aqui.

Há outras dificuldades: o aprimoramento dos serviços de segurança pública pode elevar o grau de confiança da população nas polícias, o que, por sua vez, é capaz de levar ao crescimento do volume das denúncias ou dos registros de crimes. É o que tipicamente ocorre quando, por exemplo, o Estado oferece às mulheres um atendimento respeitoso e diferenciado, mediante a qualificação de policiais e da instalação de delegacias especializadas no atendimento à mulher (Deam). Os delitos computados crescem exatamente quando a *performance* melhora e uma política positiva se implementa – o que, em geral, leva os incautos na mídia e os espertos na oposição a críticas injustas e precipitadas. Políticas especificamente dedicadas à redução da homofobia e do racismo produzem o mesmo efeito. Via de regra, o efeito é sentido em qualquer área e se potencializa quando são as instituições da segurança pública e da Justiça Criminal, em conjunto, que se aprimoram e conquistam credibilidade.

Pesquisas demonstram que o cidadão deixa de procurar a polícia quando é vítima de um crime por três razões principais: medo de ser maltratado pela própria polícia; medo de ser alvo de vingança por parte do agente do crime e de seus cúmplices; e descrença na capacidade da polícia, o que tornaria inútil seu esforço de ir à delegacia. Deduz-se, portanto, que, se os resultados começarem a aparecer, será criado um círculo virtuoso, e denúncias e registros tenderão a chegar, aumentando a capacidade de investigação e antecipação das polícias – se a gestão for orientada de modo adequado. Evidentemente, o argumento só é válido se os registros crescerem até certo ponto, bem entendido; ponto dificilmente identificável, *ex ante*, a partir do qual se daria um efeito de saturação.

O mesmo valeria para o caso de as polícias demonstrarem que passaram a adotar atitudes respeitosas para com os cidadãos, independentemente da cor, da região de moradia, da idade, da orientação sexual e da classe social. Em ambas as situações, os números dos crimes tenderiam a crescer (não os fatos, e sim os números), e a qualidade da ação preventiva e repressiva se ampliaria (reitere-se a observação cautelar já assinalada).

Claro que há sempre o recurso a pesquisas de vitimização, que medem eventos e percepções. Repetidas com regularidade, são o meio mais seguro para acompanhar quantidades e tipos de ocorrências, assim como a confiança popular nas polícias. Todavia, não resolvem o problema da avaliação, porque persistem os motivos referidos.

Há também as profecias que se autocumprem e os efeitos não intencionais da ação social – efeitos perversos ou de composição. Isso sobretudo quando avaliações não se esgotam nos exercícios acadêmicos e se convertem em instrumento de monitoramento, indução, distribuição de recursos e de capital político. Quando políticas e *performances* são avaliadas para fins de aprimoramento, ônus e bônus são distribuídos a gestores e corporações, conforme os resultados colhidos. Essa perspectiva altera o próprio objeto da avaliação, para o bem ou para o mal, deixando todo o processo mais complexo. Note-se que pode ser um equívoco premiar com recursos os estados ou as áreas que apresentam os dados mais graves, as taxas mais elevadas de criminalidade, uma vez que pode tornar atrativo o fracasso; tanto quanto fazer o inverso pode condenar ao abandono e ao círculo vicioso do agravamento que se retroalimenta a situação mais necessitada de apoio.

Resultados paradoxais – isto é, eminentemente positivos, mas ao mesmo tempo geradores de efeitos negativos (sendo essa ambivalência sincrônica ou diacrônica, conforme o caso) – constituem outra fonte de problemas para avaliações. Por isso, uma boa política deve manter-se aberta, autorizando mudanças sucessivas de orientação, a partir, entretanto, de linhas gerais permanentes. Tal abertura corresponderia ao reconhecimento do caráter dinâmico do quadro sobre o qual pretende incidir – o dinamismo, aqui, espelha os movimentos derivados dos próprios impactos precipitados pela política adotada. Não se trata, portanto, nem de profecias que se autocumprem (porque os problemas contemplados preexistiam à intervenção dirigida para resolvê-los e não são agravados por dita intervenção; pelo contrário, são amenizados ou solucionados) nem de ações geradoras de efeitos perversos (porque os efeitos visados são alcançados). No entanto, os resultados positivos – aos quais atribuímos a qualidade da ambivalência e do paradoxo – criam novos desafios.

Um exemplo: digamos que o aprimoramento das investigações policiais aumente a taxa de esclarecimento de determinados crimes, reduzindo a impunidade. Disso pode resultar o estímulo ao desenvolvimento de técnicas mais sofisticadas de organização, comunicação e ação dos criminosos que atuam na área em questão. Mais bem organizados, equipados e orientados, os criminosos podem tornar-se mais ambiciosos e mais perigosos em termos de escolhas e ações. O custo do investimento nesse esforço de qualificação, por parte dos criminosos, pode ser compensado pela inflação do valor dos objetos ou dos bens (materiais ou imateriais) por eles visados – essa inflação pode ser, por sua vez, determinada pelo aumento do risco das operações necessárias para obter tais bens ou objetos. O aumento do risco provém da melhoria dos serviços policiais – um bem em si mesmo, uma vez que gera um sem-número de benefícios para a sociedade – e do endurecimento das leis penais – o que mostra quão falsa pode ser a suposição de que leis mais duras são eficientes no combate ao crime.

Tome-se o caso das drogas: na medida em que se aperta o cerco ao tráfico internacional, maiores passam a ser os riscos do transporte ilegal e da distribuição para o varejo. A leitura ingênua deduziria dessa adição de custos uma tendência à desaceleração do comércio de drogas. Contudo, o que é mais difícil e envolve mais riscos tem mais valor e passa a exigir, para realizar-se, pagamento correspondente ao novo valor, inflacionado, paradoxalmente, pelos novos obstáculos agregados à provisão do serviço ilícito. Ganhos mais elevados, por sua vez, implicam mais estímulo a investimentos nessa área da economia ilegal e maior capacidade de recrutamento de operadores dispostos a enfrentar óbices e riscos. Ou seja, a espiral descrita faz de cada ônus acrescido ao ato criminoso uma promessa de benefício, uma ampliação da recompensa.

O mesmo vale para o caso da corrupção: aprimoramento dos instrumentos de controle, intensificação de ações repressivas e aumento de penas tornam o custo da transgressão mais elevado. No entanto, o ciclo não se esgota aí. Considerando que a parcela do ganho ilícito (digamos que se trate de fraudar uma licitação) apropriada pelo mediador criminoso é, por definição, elástica, o aumento do risco pode promover um novo arranjo, em cujo âmbito se reduz a margem de lucro do beneficiário da fraude – sem subtrair-lhe atratividade – e se eleva, proporcionalmente, o percentual que cabe ao *broker*, mantendo-se, para ele, o interesse da operação. Se o processo inflacionar em excesso o valor da operação, pode, em vez de desestimulá-lo, suscitar a mudança de qualidade, tornando-a ainda mais danosa. Por exemplo, provocando o entendimento entre os competidores da licitação para que a manipulem, incluindo-a em pacote mais abrangente, em cujos termos todos os envolvidos se beneficiariam, no médio prazo, lesando com mais proficiência e em maior intensidade o interesse público. Isso não significa que não haja o que fazer e que Estado e sociedade devam render-se ao inevitável. Significa, contudo, que intervenções efetivas requerem mais engenho e arte – isto é, mais atenção à complexidade do que suporia necessária visão ligeira do problema.

Nesse contexto, talvez ganhem sentido algumas perguntas que, de outro modo, provavelmente soariam inconsequentes e arbitrárias: o chamado "problema das drogas" não decorreria justamente da criminalização, tornando-se matéria de segurança pública? E a corrupção? Não a estaríamos combatendo por métodos caros e contraproducentes? Hoje, no Brasil, há muitos mecanismos de controle que envolvem gastos consideráveis e um verdadeiro cipoal burocrático, dificultando imensamente a gestão e exigindo exação fiscal de efeitos recessivos. Talvez esse emaranhado oneroso e paralisante exerça um papel contraditório, alimentando a corrupção, pelos motivos já expostos.

Efeitos paradoxais das políticas de segurança e da *performance* policial podem ser, ainda, as migrações das práticas criminosas: o sucesso de determinadas intervenções locais acaba provocando o deslocamento dos crimes para bairros contíguos, cidades próximas ou estados vizinhos. O resultado agregado pode, com isso, manter-se inalterado ou deteriorar-se, uma vez que migrações por vezes implicam disputas por território e intensificação do recurso à violência para que se viabilize o empreendimento criminoso. Há também a migração não geográfica, mas de tipo de crime: quando a repressão de roubos a banco aumenta, os criminosos podem deslocar-se para a prática de sequestros e daí para o roubo de cargas – e assim sucessivamente.

O mesmo ocorre em âmbito internacional: mais rigor no combate ao terrorismo, por exemplo, pode induzir deslocamento de suas bases para áreas periféricas às disputas políticas centrais – do ponto de vista dos protagonistas do terror. Coloquemo-nos na posição do agente do terror. O que ele procura? De que ele precisa (além de dinheiro e militantes) para criar meios de intervenção, treinando equipes e reunindo informações para planejar ações? São indispensáveis as seguintes condições: acesso a um território situado em uma região geopoliticamente estável e pacífica, que suscite pouca suspeita e baixo interesse, por parte das agências de inteligência dos países diretamente envolvidos nos confrontos terroristas; um território em que prospere a impunidade, marcado pela baixa qualidade dos serviços nacionais de segurança, no qual armas ilegais circulem livremente, em que haja vastos espaços para treinamento, distantes da atenção de instituições do Estado e pouco acessíveis à mídia; um território que propicie acesso praticamente ilimitado a tecnologia e comunicações de primeira qualidade, servido por transporte rápido e eficiente para qualquer parte do mundo – ou seja, inserido na globalização, mas relativamente refratário, por força de sua soberania, à voracidade panóptica dos países centrais; um território politicamente independente, que não se envolva a fundo com conflitos em que os terroristas estejam implicados, em que não haja grandes segmentos populacionais tendentes a engajar-se na política das regiões em conflito, em que a situação política interna seja estável e a economia favoreça o emprego de força de trabalho nativa barata. Claro que o Brasil se destacaria, portanto, como opção preferencial, fosse esse o cálculo dos terroristas. Nesse sentido, convergiriam ação eficiente antiterror em outros países com a desatenção – para dizer o mínimo – nacional: o resultado poderia ser a migração para nosso país de bases de treinamento e operação terroristas.

Observe-se que não são só resultados que se mostram pertinentes à avaliação. Processos e metas intermediárias, identificados por diagnósticos institucionais como especialmente relevantes, devem ser objetos de acompanhamento crítico sistemático. Por exemplo: a qualidade da formação e da capacitação de policiais e demais profissionais que atuam no campo da segurança pública; a consistência dos dados produzidos; os métodos de gestão; a confiabilidade e a efetividade dos controles interno e externo etc. Para o caso das políticas preventivas, os programas aplicados podem ter valor segundo distintos critérios, independentemente de resultados perceptíveis no curto prazo. Nesse sentido, acrescenta-se que a perspectiva temporal é necessária para uma avaliação rigorosa, mas nem sempre se mostra factível, dada a natureza prática da própria avaliação, útil, afinal de contas, para o monitoramento corretivo do sistema examinado, cujo aprimoramento não pode aguardar uma década de estudos comparativos.

Deixemos por ora a reflexão sobre os limites da avaliação de políticas de segurança pública e de *performance* policial e passemos à descrição dos planos que prescrevem políticas de segurança pública, assim como dos movimentos encetados pelos atores relevantes para implementá-los. O âmbito de observação é nacional, e o período, que originalmente cobria de 2000 a 2007, foi ampliado por um posfácio que abrange até os dias atuais (2019).

Governos Fernando Henrique Cardoso: tímida gestação de um novo momento

Sucessivos ministros da Justiça do segundo governo Fernando Henrique Cardoso (FHC), com a colaboração de secretários nacionais de Segurança, gestavam, lentamente, um plano nacional de segurança pública, quando um jovem sobrevivente da chacina da Candelária, Sandro, sequestrou, no coração da Zona Sul carioca, o ônibus 174, ante a perplexidade de todo o país; as emissoras de televisão nos transformaram em testemunhas inertes da tragédia, em tempo real. Ato contínuo, o presidente da República determinou que seus auxiliares tirassem da gaveta o papelório e decidissem, finalmente, qual seria a agenda nacional para a segurança, pelo menos do ponto de vista dos compromissos da União. Em uma semana, a nação conheceria o primeiro plano de segurança pública de sua história democrática recente, o qual, em função do parto precoce, vinha a público sob a forma canhestra de listagem assistemática de intenções heterogêneas. Assinale-se que, antes, no primeiro governo FHC, foram dados passos importantes para a afirmação de uma pauta especialmente significativa para a segurança pública, regida por princípios democráticos: foi criada a Secretaria Nacional de Direitos Humanos e formulou-se o primeiro plano nacional de direitos humanos.

Faltava a esse documento a estrutura política, o que exigiria a identificação de prioridades, uma escala de relevâncias e a identificação de um conjunto de pontos nevrálgicos condicionantes dos processos mais significativos, de tal maneira que mudanças incrementais e articuladas ou simultâneas e abruptas pudessem alterar aspectos-chave, promovendo condições adequadas às transformações estratégicas, orientadas para metas claramente descritas. Isso, entretanto, não se alcança sem uma concepção sistêmica dos problemas, em suas múltiplas dimensões sociais e institucionais; tampouco se obtém sem um diagnóstico, na ausência do qual tampouco se viabiliza o estabelecimento de metas e de critérios, métodos e mecanismos de avaliação e monitoramento. O documento apresentado à nação como um plano não atendia aos requisitos mínimos que o tornassem digno daquela designação.

Entre as boas ideias daquele "plano", destacava-se o reconhecimento da importância da prevenção da violência, tanto que derivou daí o Plano de Integração e Acompanhamento dos Programas Sociais de Prevenção da Violência (Piaps), cuja missão era promover a interação local e, portanto, o mútuo fortalecimento dos programas sociais implementados pelos governos federal, estadual e municipal, que, direta ou indiretamente, pudessem contribuir para a redução dos fatores potencialmente criminógenos. A ambição era formidável, assim como os obstáculos à sua execução. Dada a estrutura do Estado, no Brasil, caracterizada pela segmentação corporativa, reflexo tardio da segunda Revolução Industrial, nada mais difícil do que integrar programas setoriais, gerando, pela coordenação, uma política intersetorial. Sobretudo quando a pretensão ultrapassa o domínio de uma única esfera de governo e se estende aos três níveis federativos.

Importantes esforços foram feitos pela Secretaria Nacional de Segurança Pública (Senasp) na direção certa: estabelecimento de condições de cooperação entre as instituições da segurança pública; apoio a iniciativas visando à qualificação policial; investimento (ainda que tímido) na expansão das penas alternativas à privação da liberdade; desenvolvimento de perspectivas mais racionais de gestão, nas polícias estaduais e nas secretarias de Segurança, por meio da elaboração de planos de segurança pública, nos quais se definissem metas a alcançar.

Exemplo maior da atenção tardia e modesta do segundo governo Fernando Henrique Cardoso à segurança foi a criação do Fundo Nacional de Segurança Pública, que ficaria sob responsabilidade da Senasp e que, supostamente, serviria de instrumento indutor de políticas adequadas. No entanto, ante a ausência de uma política nacional sistêmica, com prioridades claramente postuladas, dada a dispersão varejista e reativa das decisões, que se refletia e se inspirava no caráter dispersivo e assistemático do plano nacional de 2000, o fundo acabou limitado a reiterar velhos procedimentos, antigas obsessões, hábitos tradicionais: o repasse de recursos, em vez de servir de ferramenta política voltada para a indução de reformas estruturais, na prática destinou-se, sobretudo, à compra de armas e viaturas. Ou seja: o fundo foi absorvido pela inércia e rendeu-se ao impulso voluntarista que se resume a fazer mais do mesmo. Alimentaram-se estruturas esgotadas, beneficiando políticas equivocadas e tolerando o convívio com organizações policiais refratárias à gestão racional, à avaliação, ao monitoramento, ao controle externo e até mesmo a um controle interno minimamente efetivo e não corporativista.

O espírito democrático da maioria dos ministros da Justiça que se revezaram no governo corroborou esse verdadeiro e involuntário capitulacionismo. Escusando-se de intervenções mais ousadas, renunciando à iniciativa reformista, ministros e secretários nacionais repetiram à exaustão reuniões com secretários estaduais de Segurança e chefes das polícias, no afã de persuadi-los a participar do esforço nacional, por exemplo, de uniformização da linguagem informacional das polícias – requisito indispensável para o estabelecimento de condições mínimas para a cooperação operacional. A pequena sabotagem, a miudeza das arestas interpessoais, o atrito entre projetos e as rivalidades políticas combinaram-se e criaram o caldo de cultura para que prosperasse o que se poderia denominar "política do veto", graças à qual todo o movimento nacional rumo à racionalização administrativa e à modernização institucional tornava-se refém da má vontade de uma autoridade estadual, do mau humor de um personagem obscuro, de uma crispação corporativa, de uma medíocre disputa provinciana.

De todo modo, o período Fernando Henrique Cardoso marcou uma virada positiva, democrática e progressista, modernizadora e racionalizadora, na medida em que conferiu à questão da segurança *status* político superior, reconhecendo sua importância, a gravidade da situação e a necessidade de que o governo federal assumisse responsabilidades nessa matéria; firmou compromisso político com a agenda dos direitos humanos na área da segurança pública com uma pauta virtuosa (prevenção; integração intersetorial e intergovernamental; valorização da experiência local; qualificação policial; estímulo ao policiamento comunitário; apoio ao programa de proteção às testemunhas e à criação de ouvidorias). Infelizmente, a riqueza da pauta não se fez acompanhar dos meios necessários e suficientes para sua execução – entendendo-se, nesse caso, os meios em sentido amplo: faltaram verbas, orientação política adequada, liderança e compromisso efetivos, além de um plano sistêmico, consistente, que garantisse uma distribuição de recursos correspondente às prioridades identificadas no diagnóstico.

Observe-se que, antes das movimentações tímidas, porém inaugurais, do governo FHC, o campo da segurança pública, no âmbito da União, era marcado por indiferença e imobilismo, resignando-se os gestores federais a dar continuidade a práticas tradicionais, adaptando-as ao novo contexto democrático consagrado pela Constituição de 1988. As estruturas organizacionais, entretanto, permaneceram intocadas pelo processo de transição para a democracia, o qual foi coroado pela promulgação da Carta Magna cidadã. As autoridades que se sucederam limitaram-se a recepcionar o legado de nossa tradição autoritária acriticamente, reproduzindo suas características básicas, introduzindo meros ajustes residuais. Ou seja, as polícias e suas práticas deixaram de ser ostensivamente voltadas com exclusividade para a segurança do Estado, redirecionando-se, no perfunctório, para a defesa dos cidadãos e a proteção de seus direitos – sobretudo no nível do discurso oficial e dos procedimentos adotados nas áreas afluentes das cidades. Todavia, a velha brutalidade arbitrária permaneceu sendo o traço distintivo do relacionamento com as camadas populares, em particular com os negros em periferias e favelas. O mesmo se passou com o sistema penitenciário e os cárceres de modo geral.

Os tempos mudaram, o país se adequou à nova ecologia política ante a ascensão dos movimentos sociais e do associativismo, mas as instituições da segurança pública preservaram seus obsoletos formatos – com o ciclo de trabalho policial dividido entre Polícia Militar e Polícia Civil –, sua irracionalidade administrativa, sua formação incompatível com a complexidade crescente dos novos desafios, sua antiga rivalidade mútua, seu isolacionismo, sua permeabilidade à corrupção, seu desapreço pelos próprios profissionais, seu desprezo por ciência e tecnologia e seus orçamentos irrealistas, que empurram os profissionais ao segundo emprego na segurança privada ilegal e em atividades nebulosas.

Em outros termos, a transição democrática não se estendeu à segurança pública, que corresponde a um testemunho vivo de nosso passado obscurantista e, do ponto de vista dos interesses da cidadania, ineficiente. Ainda que as realidades estaduais e regionais sejam muito diferentes, as instituições da segurança pública tornaram-se, via de regra, parte do problema, não a solução.

Primeiro governo Lula: proposta audaciosa que a política abortou

O primeiro mandato do presidente Lula teve início sob o signo da esperança para a maioria da população, inclusive para aqueles que se dedicavam à segurança pública e acreditaram nas promessas de campanha. Em fevereiro de 2002, Luiz Inácio Lula da Silva, como pré-candidato à Presidência da República pelo Partido dos Trabalhadores (PT) e presidente do Instituto Cidadania, acompanhado dos coordenadores do Plano Nacional de Segurança Pública[4], apresentou o plano à nação, no Congresso Nacional, ante a presença do ministro da Justiça, Aloysio Nunes Ferreira, do presidente da Câmara, Aécio Neves, e do presidente do Senado, Ramez Tebet.

O plano foi recebido com respeito até mesmo pelos adversários políticos, porque, de fato, era nítido seu compromisso com a seriedade técnica, porque repelia jargões ideológicos, assumia posição eminentemente não partidária e visava a contribuir para a construção de um consenso mínimo nacional, partindo do pressuposto de que segurança pública é matéria de Estado, não de governo, situando-se, portanto, acima das querelas político-partidárias. Sagrado candidato, Lula incorporou o plano a seu programa de governo.

O Plano Nacional de Segurança Pública foi elaborado no âmbito do Instituto Cidadania, ao longo de mais de um ano de trabalho, com opiniões de gestores, pesquisadores, especialistas e profissionais das mais diversas instituições e regiões do país, formados nas mais variadas disciplinas, além de lideranças da sociedade, em todo o país. Nós coordenadores também buscamos incorporar, na medida do possível, bem-sucedidas experiências nacionais e internacionais. Com Lula eleito, coube à Secretaria Nacional de Segurança Pública, órgão do Ministério da Justiça, aplicar o plano, o que começou a ser feito, até que sucessivos sinais foram deixando clara a indisposição do governo de levar adiante a integralidade dos compromissos assumidos.

Fui secretário nacional de Segurança Pública de janeiro a outubro de 2003 e me coube colocar em marcha as primeiras etapas do plano, nomeadamente:

1) Construir um consenso com os governadores em torno do próprio plano, de suas virtudes, sua conveniência, sua oportunidade, sua viabilidade, demonstrando os benefícios que proporcionaria para o conjunto do país e para cada estado, em particular, se fossem feitos os esforços necessários, em moldes cooperativos, suprapartidários, republicanos, para que se superassem as resistências corporativas, as limitações materiais, as dificuldades operacionais e de gestão e se implementassem as medidas propostas. Modular em sua estrutura, o plano deveria ser

---

[4] Antonio Carlos Biscaia, Benedito Mariano, Roberto Aguiar e o autor deste livro.

implantado etapa por etapa, o que implicaria – segundo a prospecção otimista que fazíamos – afirmação progressiva da tendência a que se ampliassem as bases de apoio ao próprio plano, de forma gradual, nas polícias e na sociedade.

2) Os pontos fundamentais do acordo seriam a normatização do Sistema Único de Segurança Pública (Susp)[5] e a desconstitucionalização das polícias.

3) Aos governos estaduais e federal caberia instalar Gabinetes de Gestão Integrada (GGIs) da segurança pública, um em cada estado, o que funcionaria como braço operacional do Susp e começaria a trabalhar com base no entendimento político, antes mesmo da normatização que o institucionalizaria. O GGI seria um fórum executivo que reuniria as polícias de todas as instâncias e, mediante convite, as demais instituições da Justiça Criminal. As decisões seriam tomadas por consenso a fim de que se eliminasse o principal óbice para a cooperação interinstitucional: a disputa pelo comando. Como se constatou haver ampla agenda consensual para ações práticas na área da segurança pública, não se temeu a paralisia pelo veto. Observe-se que os GGIs começaram a operar de imediato e, nos raros estados em que, nos anos seguintes, não foram esvaziados pelo boicote político, renderam frutos e demonstraram-se promissores.

4) Cumpriria ao governo federal, por sua vez, não contingenciar recursos do Fundo Nacional de Segurança Pública, em 2003, e aumentá-lo em proporção considerável nos anos subsequentes – razão pela qual foi iniciada negociação com o Banco Mundial e o Banco Interamericano de Desenvolvimento (BID), visando a um aporte a juros subsidiados de 3,5 bilhões de dólares, por sete anos. O Fundo Nacional de Segurança seria aceito pelos credores como a contrapartida do governo federal.

5) Também competiria ao governo federal enviar ao Congresso Nacional a emenda constitucional da desconstitucionalização das polícias e, como matéria infraconstitucional, a normatização do Sistema Único de Segurança Pública.

6) Uma vez endossados os termos do acordo com os 27 governadores, o presidente os convocaria para a celebração solene do Pacto pela Paz, reiterando, politicamente, o compromisso comum com a implantação do Plano Nacional de Segurança Pública.

Estivemos perto de alcançar o entendimento nacional em torno das reformas, uma vez que os governadores se dispuseram a colaborar, endossando a carta de

---

[5] Ver, neste volume, o capítulo "O Sistema Único de Segurança Pública e o poder embriagado", p. 149-54.

adesão que foi submetida à apreciação de cada um. Entretanto, o presidente Lula, para surpresa dos que construíam o consenso por meio de delicadas negociações, não confirmou a participação do governo no pacto nacional. Não houve, portanto, o passo número seis. Se o presidente tivesse convocado os governadores para a celebração do pacto, completaríamos as etapas quatro e cinco quase automaticamente, sem maiores traumas – a despeito de dificuldades naturais, mas, certamente, superáveis, considerando-se a força política, então, do presidente, além da liderança dos governadores.

O presidente reviu sua adesão e desistiu de prosseguir no caminho previsto porque percebeu – na interlocução com a instância que, à época, se denominava "núcleo duro do governo" – que fazê-lo implicaria assumir o protagonismo maior da reforma institucional da segurança pública no país, ou seja, assumir a responsabilidade pela segurança perante a opinião pública. E isso o exporia a riscos políticos, pois a responsabilidade pelos problemas em cada esquina de cada cidade lhe seria imputada. O desgaste seria inevitável, uma vez que os efeitos práticos de uma reorganização institucional só se fariam sentir no longo prazo.

Dada a contradição, no Brasil, entre o ciclo eleitoral (bienal, posto que os detentores de cargos executivos engajam-se, necessariamente, nas disputas para as outras esferas federativas) e o tempo de maturação de políticas públicas de maior porte e vulto (aquelas mais ambiciosas, que exigem reformas e ferem interesses, provocando, em um primeiro momento, reações negativas e efeitos desestabilizadores), torna-se oneroso, politicamente, arcar com o risco das mudanças e, portanto, do ponto de vista do cálculo utilitário do ator individual, mostra-se irracional fazê-lo.

Assim, em 2003, chegamos a um acordo nacional em torno de transformações significativas e criamos uma nova agência operacional, os GGIs, mas os resultados se perderam em decorrência da alteração de rota no ministério da Justiça e no Planalto.

As características elementares do Plano Nacional de Segurança Pública do primeiro mandato do presidente Lula eram originais: tratava-se de um conjunto de propostas articuladas por tessitura sistêmica, visando à reforma das polícias, do sistema penitenciário e a implantação integrada de políticas preventivas, intersetoriais. Em outras palavras, compreendia-se que alterações tópicas produzem efeitos sobre os demais componentes do universo contemplado e que uma transformação suficiente para impactar a realidade da violência criminal requer mudanças simultâneas e sucessivas, em níveis distintos e escalas diferentes, respeitando-se as lógicas e os ritmos específicos. Sobretudo, trabalhava-se com a convicção de que a consistência interna e a objetividade de um plano dependiam do rigor do diagnóstico e de sua abrangência, assim como o sucesso de sua implementação dependia de avaliações regulares e monitoramento sistemático, identificando-se os erros para que não houvesse o risco de repeti-los indefinidamente.

Os focos sobre os quais incidiria o programa de reforma das polícias seriam: recrutamento, formação, capacitação e treinamento; valorização profissional; gestão do conhecimento e uniformização nacional das categorias que organizam os dados, para que eles possam funcionar como informação; introdução de mecanismos de gestão, alterando funções, rotinas, tecnologia e estrutura organizacional; investimento em perícia; articulação com políticas preventivas; controle externo; qualificação da participação dos municípios via políticas preventivas e guardas municipais, preparando-as para que se transformem, no futuro próximo, em polícias de ciclo completo, sem repetir os vícios das polícias existentes; investimento em penas alternativas à privação da liberdade e criação das condições necessárias para que a Lei de Execuções Penais (LEP) fosse respeitada no sistema penitenciário.

A normatização do Susp não seria senão a definição legal das regras de funcionamento dos tópicos referidos. Assim, o Susp não implicaria a unificação das polícias, mas a geração de meios que lhes propiciassem trabalhar cooperativamente, segundo matriz integrada de gestão, sempre com transparência, controle externo, avaliações e monitoramento corretivo. Nos termos desse modelo, o trabalho policial seria orientado prioritariamente para a prevenção e buscaria articular-se com políticas sociais de natureza especificamente preventiva.

Em paralelo à aludida institucionalização do Susp, o Plano Nacional de Segurança Pública do primeiro mandato do presidente Lula propunha a desconstitucionalização das polícias, o que significava a transferência aos estados do poder para definirem, nas respectivas constituições, o modelo de polícia que desejassem, precisassem e/ou pudessem ter. Sendo assim, cada estado estaria autorizado a mudar ou manter o *status quo*, conforme julgasse apropriado. Isto é, poderia manter o quadro, caso avaliasse que a ruptura do ciclo do trabalho policial, representada na organização dicotômica Polícia Militar-Polícia Civil, funcionasse bem. Caso contrário, se a avaliação fosse negativa – caso se constatassem desmotivação dos profissionais e falta de confiança por parte da população, ineficiência, corrupção e brutalidade –, poderiam ser feitas mudanças, e novos modelos seriam experimentados. Por exemplo, a unificação das atuais polícias estaduais; a criação de polícias metropolitanas e municipais (pelo menos nos municípios maiores) de ciclo completo; e a divisão do trabalho entre polícias municipais, estaduais e federais, de acordo com a complexidade dos crimes a ser enfrentados, sabendo, entretanto, que todas atuariam em regime de ciclo completo, ou seja, investigando e cumprindo o patrulhamento uniformizado.

O Brasil é uma república federativa; é uma nação continental, marcada por profundas diferenças regionais. Soluções uniformes não são necessariamente as melhores. Além disso, soluções uniformes acabam se defrontando com a política de veto, praticada por estados que não têm condições políticas de promover mudanças em suas polícias ou por aqueles que consideram contraproducente fazê-lo. Esse contexto conduz à paralisia e torna os estados que precisam de transformações urgentes e profundas reféns dos que optam pela manutenção do *status quo*. Observe-se que, segundo o que dispõe o Plano Nacional de Segurança em pauta, em caso de mudanças os policiais seriam aproveitados nas novas instituições, passando por processos de requalificação, desde que a ficha profissional assim recomendasse.

Sempre segundo o Plano Nacional do primeiro mandato de Lula, desconstitucionalização não implicaria confusão quanto a princípios matriciais, na definição do próprio papel e da própria natureza das polícias no Estado democrático de direito. Os princípios elementares seriam mantidos na Constituição Federal. Os modelos organizacionais é que passariam a ser definidos pelos estados. A possibilidade de que o Brasil ingressasse em uma fase de intenso experimentalismo é tida como auspiciosa e não conducente ao caos, a mais fragmentação e a mais ineficiência do que se verifica atualmente. Isso porque a desconstitucionalização se daria em paralelo à normatização do Susp, processo que compensaria a flexibilização federativa, posto que fixaria regras aplicáveis a todas as polícias existentes ou por criar. Hoje vigora a fragmentação babélica na formação, na informação, na gestão, nos abismos que separam as instituições da União e dos estados. O Susp significaria ordenamento do caos e geração de condições para a efetiva cooperação, horizontal e vertical.

A armadilha política descrita, fruto da contradição entre o ciclo eleitoral e o tempo de maturação de políticas públicas reformistas, levou o governo federal a aposentar, precocemente, seus compromissos ambiciosos na segurança pública: o Plano Nacional foi deslocado, progressivamente, do centro da agenda do Ministério da Justiça e foi substituído, também de modo gradual, por ações da Polícia Federal que passaram a emitir para a sociedade a mensagem de atividade competente e destemida, na contramão de nossa tradicional e corrosiva impunidade. Não é preciso ponderar, entretanto, que, por mais virtuosas que tenham sido as operações da Polícia Federal – surgiram questionamentos pertinentes quanto à consistência de algumas e ao caráter midiático de muitas delas –, ações policiais não podem substituir uma política de segurança pública. Sobretudo em uma situação como a brasileira, marcada por fragmentação institucional e pela incompatibilidade entre o modelo herdado da ditadura e os desafios crescentes de uma sociedade que se complexifica e transnacionaliza em contexto democrático, mas profundamente desigual.

Restaram, como contribuições mais significativas para a segurança pública, na esfera da União, os esforços envidados pela Senasp em favor da qualificação policial, com cursos a distância e presenciais (esforços necessários, mas insuficientes, porque teriam de ser acompanhados pela criação de um ciclo básico nacional comum para todos os profissionais da segurança pública e pela criação de um Conselho Federal de Educação Policial, com independência de governos e capacidade amplamente reconhecida, para avaliar, monitorar, orientar mudanças, discutir procedimentos e questionar metodologias, à luz do conhecimento produzido no país e no exterior), e aqueles envidados em favor do desarmamento, cujo impacto, segundo alguns analistas, teria reduzido os homicídios dolosos no país. O resultado do referendo, entretanto, favorável à comercialização de armas, freou o ímpeto inicial do movimento, que unia polícias e expressivos segmentos da sociedade.

Dois importantes compromissos originais do Plano Nacional de Segurança Pública, com o qual o presidente Lula inaugurou seu primeiro mandato, foram descartados: a elevação do *status* da Senasp ao nível ministerial, tornando-a uma Secretaria especial, diretamente ligada à Presidência da República e para cujo âmbito seriam transferidas ambas as polícias federais; e o deslocamento da Secretaria Nacional Antidrogas (Senad) para a reforçada Senasp (ou para o Ministério da Justiça, ou da Saúde).

Segundo governo Lula: retomando compromissos, ampliando repertórios, adiando questões polêmicas

Em 20 de agosto de 2007, o governo federal lançou, pela Medida Provisória 384, o Programa Nacional de Segurança Pública com Cidadania (Pronasci), comprometendo-se a investir 6,707 bilhões de reais, até o fim de 2012, em um conjunto de 94 ações que envolveriam dezenove ministérios, em intervenções articuladas com estados e municípios.

Do ponto de vista dos princípios matriciais, o Pronasci reiterou o Plano Nacional de Segurança Pública do primeiro mandato do presidente Lula, o qual, por sua vez, incorporava, sistematizava e explicitava o que já estava, embrionária ou tacitamente, presente no Plano Nacional do governo Fernando Henrique Cardoso. Isso mostrava que, a despeito das diferenças e da precariedade do tratamento conferido à questão dos princípios no plano do governo FHC, houve mais continuidade do que descontinuidade entre os esforços sucessivos, que formaram, então, uma série histórica tão mais relevante quanto mais se distinguia do período anterior, ainda fortemente marcado por reverente omissão em relação à área – tabu – da segurança pública.

Os valores consensuais em pauta – que o Pronasci endossava e enfatizava – eram os seguintes: direitos humanos e eficiência policial não se opõem; pelo contrário, são mutuamente necessários, pois não há eficiência policial sem respeito aos direitos humanos, assim como a vigência desses direitos depende da garantia oferecida, em última instância, pela eficiência policial. Tampouco é pertinente opor prevenção a repressão qualificada; ambas as modalidades de ação do Estado são legítimas e úteis, dependendo do contexto. Polícia cumpre papel histórico fundamental na construção da democracia, cabendo-lhe proteger direitos e liberdades. Nesse sentido, empregar a força comedida, proporcional ao risco representado pela resistência alheia à autoridade policial, impedindo a agressão ou qualquer ato lesivo a terceiros, não significa reprimir a liberdade de quem perpetra a violência, mas preservar direitos e liberdades das vítimas potenciais. Assim, aprimoramento do aparelho policial e aperfeiçoamento da educação pública não devem constituir objetos alternativos e excludentes de investimento estatal. Não se edifica uma sociedade verdadeiramente democrática sem igualdade no acesso à Justiça, a qual depende da qualidade e da orientação das polícias (e das demais instituições do sistema de Justiça Criminal) e da equidade no acesso à educação.

O Pronasci tinha também o mérito de valorizar a contribuição dos municípios para a segurança pública, rompendo preconceitos restritivos oriundos de uma leitura limitada do artigo 144 da Constituição – contribuição que não se esgota na criação de guardas civis, estende-se à implantação de políticas sociais preventivas.

Outro princípio essencial, explicitamente retomado pelo Pronasci do plano lançado por Lula em 2002, afirma que segurança é matéria de Estado, não de governo, situando-se, portanto, acima de disputas político-partidárias.

Ao se compararem os planos dos dois mandatos do presidente Lula, evidenciam-se algumas diferenças expressivas: em favor do Pronasci, destaque-se a edição de medida provisória que o institui, o que implica, entre outras vantagens, envolvimento formal do governo com sua implantação e fortalecimento político dos agentes responsáveis por essa implantação. Os operadores trabalham sob constante tensão e insegurança quando o plano a que servem e que se esforçam por implementar só encontra como sustentação a palavra do líder, às vezes evasiva e puramente retórica.

Ainda a favor do Pronasci, registre-se a importância da explicitação dos recursos que seriam destinados à implementação, em seis anos (2007-2012), o que, por sua vez, importava em um benefício adicional: o comprometimento do governo seguinte, pelo menos em sua primeira metade, com a continuidade dos trabalhos e o cumprimento das metas previstas.

Especialmente positiva também era a identificação da instituição responsável pela avaliação do programa – assim como a designação de agentes locais de avaliação –, o que significava que haveria investimento na construção de indicadores e no desenvolvimento de métodos de avaliação. Daí talvez pudesse derivar uma dinâmica que disseminasse uma nova cultura institucional, ainda inexistente na área da segurança pública, como vimos, não só por causa de todas as dificuldades apontadas na primeira unidade do presente ensaio, mas também, e sobretudo, pela ausência de mecanismos institucionais indispensáveis a uma gestão racional nas polícias: tecnologia, funções e rotinas, estrutura organizacional compatível, qualificação de pessoal.

No entanto, não houve somente avanços. Eis alguns pontos do Pronasci que representavam retrocesso em relação ao plano de segurança com que o presidente Lula venceu a eleição de 2002: a) em vez de unidade sistêmica, fruto de diagnóstico que identificava prioridades e revelava interconexões entre os tópicos contemplados pelo plano, tinha-se a listagem de propostas, organizadas por categorias descritivas (em si discutíveis), mas essencialmente fragmentárias e inorgânicas, isto é, desprovidas da estrutura política; b) o envolvimento de um número excessivo de ministérios lembrava o Piaps, com seus méritos e suas dificuldades. A intenção era excelente, mas o arranjo não parecia muito realista ao se considerar, por um lado, o grau de atomização de nossa máquina pública e, por outro, o nível de burocracia e de departamentalização dos mecanismos de gestão; c) a única referência à regulamentação do Susp era brevíssima, superficial, pouco clara e sugeria uma compreensão restrita, reduzindo-o à dimensão operacional:

> O Pronasci irá regulamentar o Sistema Único de Segurança Pública (Susp), já pactuado entre estados e União, mas ainda não instituído por lei. O Susp dispõe sobre

o funcionamento dos órgãos de segurança pública. Seu objetivo é articular as ações federais, estaduais e municipais na área da Segurança Pública e da Justiça Criminal.[6]

d) O tema decisivo, as reformas institucionais, não era sequer mencionado – provavelmente devido a seu caráter politicamente controvertido (dada a indefinição das lideranças governamentais a respeito do melhor modelo a adotar) e de seu potencial desagregador, derivado das inevitáveis reações corporativas que suscitaria. Assim, com o Susp anêmico e sem seu complemento institucional – a desconstitucionalização ou alguma fórmula reformista, no nível das estruturas organizacionais –, o *status quo* policial e, mais amplamente, o quadro fragmentário das instituições da segurança pública acabaram sendo assimilados. Desse modo, naturalizou-se o legado da ditadura, chancelando-se a transição incompleta como transição possível. O Pronasci resignou-se a ser apenas um bom plano destinado a prover contribuições tópicas.

Examinemos as categorias com as quais o Pronasci foi formulado. As duas categorias ordenadoras denominavam-se "ações estruturais" e "programas locais". A categoria "ações estruturais" subsumia os seguintes eixos temáticos: "modernização das instituições de segurança pública e do sistema prisional", "valorização de profissionais de segurança pública e agentes penitenciários" e "enfrentamento à corrupção policial e ao crime organizado". Já a categoria "programas locais" subdividia-se em: "território de paz", "integração do jovem e da família" e "segurança e convivência".

No primeiro eixo das ações estruturais, denominado, como vimos, "modernização das instituições de segurança pública e do sistema prisional", havia os seguintes tópicos: a) "Força Nacional de Segurança Pública", em que se dizia quando foi criada, de quantos profissionais era composta, para que servia e que ganharia sede própria, em Brasília, onde ficariam quinhentos agentes em condição de pronto-emprego, mediante solicitação dos governadores; b) "Polícia Rodoviária Federal", em que se faziam breves referências a melhorias, em um parágrafo; c) "vagas em presídios", em que se prometiam 37,8 mil novas vagas, até 2011, e a construção de presídios para jovens entre 18 e 24 anos; d) "Lei Orgânica das Polícias Civis", em que não se especificava o conteúdo da lei em questão; e) "regulamentação do Susp", que já foi aqui comentado; f) "Lei Maria da Penha", de proteção à mulher, em que se prometia a construção de centros de educação e reabilitação para agressores; g) "Escola Superior da Polícia Federal"; e h) "campanha de desarmamento".

---

[6] Documento do Ministério da Justiça, intitulado Pronasci.

No segundo eixo, "valorização dos profissionais de segurança pública e agentes penitenciários", incluíam-se: a) "bolsa-formação"; b) "moradia"; c) "rede de educação a distância"; d) "graduação e mestrado"; e) "formação dos agentes penitenciários"; f) "atendimento a grupos vulneráveis", em que se explicitava o compromisso de formar os profissionais da segurança a tratar de maneira adequada e digna "mulheres, homossexuais, afrodescendentes e outras minorias[7]"; g) "jornadas de direitos humanos"; h) "tecnologias não letais"; i) "comando de incidentes"; j) "inteligência"; l) "investigação de crimes"; m) "guardas municipais"; n) "policiamento comunitário".

Do terceiro eixo, "enfrentamento à corrupção policial e ao crime organizado", constavam: a) "laboratórios contra lavagem de dinheiro"; b) "ouvidorias e corregedorias"; c) "tráfico de pessoas".

No primeiro eixo temático subsumido pela segunda categoria, "programas locais", denominado "território de paz", estavam os seguintes tópicos: a) "Gabinetes de Gestão Integrada Municipal"; b) "Conselhos Comunitários de Segurança Pública"; c) "Canal Comunidade".

No segundo eixo temático, "integração do jovem e da família", incluíam-se: a) "mães da paz"; b) "saúde da família"; c) "formação do preso"; d) "pintando a liberdade e pintando a cidadania".

No terceiro eixo, "segurança e convivência", encontravam-se: a) "urbanização"; b) "projetos educacionais"; c) "atividades culturais".

As apresentações dos itens eram sumaríssimas. Portanto, não seria justo avaliá-las pelo documento divulgado. Seria necessário aguardar a apresentação do Pronasci, em sua versão completa e definitiva. Saltavam à vista, entretanto, desde logo, alguns aspectos positivos e outros negativos. Eram extremamente positivos os pontos focalizados, em si mesmos. Todos relevantes, ainda que alguns fossem mais importantes do que outros, até porque constituíam precondições para a realização dos demais. Todavia, o caráter assistemático do programa, concebido como listagem de tópicos e compromissos que mal se adaptavam às categorias ordenadoras escolhidas ou que o faziam com heterogeneidades e assimetrias, acabava provocando redundâncias e lapsos – ou seja, não se indicavam os passos que completariam as iniciativas anteriores para torná-las efetivas, uma vez que muitas

---

[7] Evidentemente, há um equívoco aqui: mulheres e afrodescendentes são maioria no Brasil.

delas, mesmo quando virtuosas em si, poderiam condenar-se à ineficácia se não fossem acompanhadas de outras medidas e reformas.

Cito apenas alguns exemplos, que poderiam se multiplicar: mencionavam-se as duas polícias federais, afirmando-se compromisso com ações destinadas a promover aprimoramentos tópicos. Contudo, nada se dizia sobre suas inter-relações nem sobre as relações de ambas com a Senasp, assim como nada se dizia sobre a relação desse conjunto institucional com as polícias estaduais. Tampouco se identificavam critérios para distribuição dos recursos do Fundo Nacional de Segurança Pública – nem havia o reconhecimento de que as polícias federais, tanto quanto as estaduais, permaneceriam desprovidas de mecanismos de avaliação, monitoramento e controle externo.

Nenhum dos seis eixos do Susp era reconhecido como alvo estratégico de intervenções sistêmicas e modulares: formação, informação, gestão, perícia, controle externo e articulação com as políticas sociais. Por isso, o Pronasci elencava propostas em várias dessas áreas, mas não o fazia de forma estruturada: referia-se, por exemplo, a cursos diversos, mas não à substituição da fragmentação babélica que se verificava no setor por um modelo nacional, respeitoso da diversidade regional e da autonomia federativa, mas integrador. Sobre o futuro das guardas municipais, o documento era omisso. Apenas defendia a valorização e a qualificação dessas guardas, atribuindo-lhes vocação para a prevenção, mas sem assumir posição na polêmica sobre o destino institucional dessas corporações: havia dezenas de projetos de emenda constitucional, no Congresso Nacional, que propunham sua transformação em polícias ostensivas, uniformizadas e armadas.

Seria essa mudança de *status* desejável, sem que as guardas se submetessem a intensa preparação e profunda reorganização, para que não reproduzissem os vícios das PMs? Deveria a ruptura do ciclo de trabalho policial ser replicada na esfera municipal, ou seja, deveriam as guardas ser pequenas PMs? Ou valeria aproveitarmos a oportunidade histórica de uma renovação institucional desse porte para superar a dicotomia que, hoje, divide o trabalho policial entre as polícias civil e militar nos estados? Por que não guardas civis municipais como polícias de ciclo completo, ainda que se lhes preservassem a vocação comunitária e preventiva?

Eis aí, portanto, razões para otimismo e para cautela. Os méritos do Pronasci eram suficientes para justificar a esperança de que haveria avanços na segurança pública brasileira. No entanto, não pareciam suficientes para justificar a esperança de que o país começaria, finalmente, a revolver o entulho autoritário que atravanca o progresso na área, com sua carga de irracionalidade e desordem organizacional, incompatível com funções tão importantes, exigentes e sofisticadas, em uma sociedade cada vez mais complexa, na qual o crime cada vez mais se organiza, se nacionaliza e se transnacionaliza. Por outro lado, considerando a virtude dos compromissos que já tinham sido firmados pelo então ministro da Justiça, Tarso Genro, com a edição do Pronasci, com todo o potencial para produzir bons resultados – ainda que parciais e insuficientes –, havia bons motivos para crer que o processo fortaleceria sua liderança e criaria condições políticas mais favoráveis à assunção dos riscos envolvidos nas reformas mais ousadas.

***

Posfácio (2019)

A época dos planos nacionais de segurança pública parece ter acabado. É a impressão que se tem, observando o passado recente e os meses iniciais do governo Bolsonaro. Depois dos planos de Fernando Henrique e Lula, neste último caso nos dois mandatos, veio o grande silêncio e o relativo imobilismo, rompido aqui e ali por iniciativas reativas e isoladas no varejo das conjunturas. A presidenta Dilma Rousseff, depois de frustrar expectativas descontinuando o Pronasci, prometeu um plano contra homicídios, e seu ministro da Justiça, José Eduardo Cardoso, foi ao Rio de Janeiro apresentá-lo, mas decepcionou a audiência informando que faltava definir detalhes, e a promessa foi postergada. Não houve tempo. O golpe parlamentar interrompeu o segundo governo Dilma e içou Michel Temer ao poder para cumprir uma agenda neoliberal extremada de natureza eminentemente regressiva, liquidando direitos arduamente conquistados e comprimindo investimentos e políticas públicas. No campo da segurança, o governo Temer notabilizou-se pela intervenção federal/militar no estado do Rio de Janeiro, entre fevereiro e dezembro de 2018, cujos resultados, como era previsível, foram negativos[8]. Segundo o Observatório da Intervenção (coordenado pelo Centro de

---

[8] Outra iniciativa foi a criação do Ministério da Segurança Pública, cujo titular, Raul Jungman, tinha consciência das deficiências sistêmicas da arquitetura institucional, porque havia liderado, como relator da Comissão de Segurança da Câmara Federal, uma série de audiências públicas em vários estados, ao longo dos anos anteriores, em torno do ciclo completo do trabalho policial. Em mandato anterior, como deputado federal pelo Partido Popular Socialista (PPS), havia lançado o debate sobre municipalização como opção para a reforma institucional da segurança. Em função desse acúmulo, como ministro, foi contrário à intervenção federal no Rio e às operações de Garantia da Lei e da Ordem (GLO) e mobilizou-se para incluir na agenda pública o tema das reformas estruturais e para formular um plano nacional. No entanto, operou em limites políticos estreitos, ditados por um governo sem

Estudos em Segurança e Cidadania da Universidade Candido Mendes, em parceria com outras entidades) e o Instituto de Segurança Pública do Estado do Rio de Janeiro, houve, no período sob responsabilidade dos generais interventores, 4.127 homicídios dolosos (menos que os 4.422 registrados em 2017), mas o número de mortes provocadas por ações policiais cresceu 36,3%, chegando a 1.287, o que elevou a quantidade de crimes letais intencionais de 5.366, em 2017, para 5.414, no ano seguinte[9]. O evento mais significativo de todo esse período foi o bárbaro assassinato da vereadora Marielle Franco e de seu motorista, Anderson Gomes, em 14 de março de 2018, crime não esclarecido até o momento em que escrevo.

Posto que Jair Bolsonaro não apresentou nenhum plano de segurança pública, resta avaliar seu programa de governo e o pacote autodenominado anticrime, levado pelo ministro da Justiça, Sérgio Moro, ao Congresso Nacional. O programa apresentado durante a campanha eleitoral não toca nas questões institucionais, como se tudo estivesse perfeito em nosso modelo policial e em nossa arquitetura institucional da segurança pública, contrariando a opinião de 70% dos próprios policiais e dos profissionais que atuam na área da segurança pública (incluindo agentes penitenciários e guardas municipais). Nenhuma palavra foi dita sobre articulação entre as polícias. Nada sobre o papel da União e dos municípios, hoje negligenciados. Nada sobre políticas para a juventude. Nada sobre prevenção. Nada sobre os milhões sem escola e sem emprego. Eis a pauta de Bolsonaro: 1) Exclusão de ilicitude e, portanto, novas regras de engajamento para policiais, chancelando a violência policial letal – como se vê, propõe-se fazer mais do mesmo, esperando obter resultados diferentes. 2) Manter a dinâmica em curso de aprisionamento em massa e intensificá-la, sem refletir sobre a inversão de prioridades nessas prisões (homicidas estão impunes e varejistas das substâncias ilícitas, presos), fruto da prevalência do flagrante sobre a investigação, isto é, da Polícia Militar sobre a Polícia Civil e a Perícia, e sem levar em conta o fortalecimento das facções criminosas – cuja força de trabalho está sendo recrutada pela política

---

nenhum compromisso com mudanças democráticas, respeito aos direitos e à soberania nacional e orientado para viabilizar a vitória da direita nas eleições de 2018, de modo a assegurar a continuidade da agenda regressiva.

[9] Não é o propósito do presente capítulo expor dados relativos à criminalidade, mas, como critiquei a intervenção, vale acrescentar outras informações pertinentes: houve 109.952 registros de roubos de rua, um aumento de 0,8% em relação ao ano anterior; os tiroteios e disparos foram 8.193, um crescimento de 56%, e os roubos de carga constituíram o único destaque positivo, caindo 15,3%, embora o número continue absurdo, 7.417. A prometida remodelagem institucional e da gestão não ocorreu, e as milícias permanecem no domínio de inúmeros territórios.

cega de encarceramento em massa. 3) Ampliar a atuação das Forças Armadas na segurança pública, a despeito dos sucessivos fracassos tanto da intervenção no Rio de Janeiro quanto das operações de Garantia da Lei e da Ordem (GLO) – caracterizadas pela atribuição, via autorização presidencial, de poder de polícia ao Exército em determinada circunscrição territorial. 4) Flexibilizar o acesso a armas, apesar de todas as pesquisas respeitáveis no mundo demonstrarem que mais armas implicam mais crimes, mais violência e mais mortes.

A referida flexibilização constituiu um dos primeiros atos do novo governo, por decreto, mas quem supôs que a cota de insanidade, na área penal e da segurança pública, tivesse sido preenchida, equivocou-se. Depois da tormenta, o dilúvio. O anteprojeto de lei apresentado pelo ministro da Justiça e da Segurança Pública, Sérgio Moro, em 4 de fevereiro de 2019, é um acinte à consciência crítica do país, uma agressão à sensibilidade moral, uma arrogante manifestação de desprezo pelas evidências disponíveis e uma negação do conhecimento acumulado nas últimas décadas. A proposta de Moro rasga a Constituição e o pacto social que ela consagra.

O famigerado "pacote anticrime" instaura, na prática, a pena de morte no Brasil. Pior, uma pena de morte que prescinde de julgamento. Ele o faz ao mudar o código penal no que se refere à ação policial. Afirma o anteprojeto: "§ 2º O juiz poderá reduzir a pena até a metade ou deixar de aplicá-la se o excesso decorrer de escusável medo, surpresa ou violenta emoção".

Deve-se destacar que a alteração prevista será aplicada no país que, sabidamente, é um dos campeões mundiais da brutalidade policial letal e da impunidade desses crimes fatais perpetrados pelo Estado. Apenas no estado do Rio de Janeiro, entre 2013 e 2018, 15.061 pessoas foram mortas em ações policiais. Uma fração mínima desses casos (sequer há dados acessíveis sobre essa proporção, o que, em si mesmo, indica negligência e cumplicidade) foi objeto de acusação por parte do Ministério Público e de condenações pela Justiça. Em 2017, houve 63.880 homicídios dolosos no país e 5.144 mortes provocadas por ações policiais – este último número representa um retrato subestimado da realidade, expressivo das dificuldades de produzir dados confiáveis, sobretudo quando se referem a eventos criminais sob responsabilidade do Estado. A qualidade das informações varia conforme os estados e os tipos criminais.

Além de implantar a pena de morte, na prática, legalizando o genocídio em curso, nas periferias e favelas, o anteprojeto do ministro Moro autoriza o "abate" –

para usar a infeliz expressão cunhada pelo governador do estado do Rio, Wilson Witzel –, facultando ao agente da lei que atire para matar, não para defender a própria vida ou a vida de terceiros, mas ante "risco" de conflito armado:

> Art. 25. Parágrafo único. Observados os requisitos do *caput*, considera-se em legítima defesa: I - o agente policial ou de segurança pública que, em conflito armado ou em risco iminente de conflito armado, previne injusta e iminente agressão a direito seu ou de outrem [...].

Merece registro o fato de que o código penal em vigor, em seus artigos 23 e 25, já garante o direito à legítima defesa, tanto ao cidadão comum quanto ao policial: "Entende-se em legítima defesa quem, usando moderadamente os meios necessários, repele injusta agressão, atual ou iminente, a direito seu ou de outrem"[10].

O advérbio "moderadamente" corrobora a compreensão universalmente aceita pelas declarações dos direitos humanos e integra os protocolos de ação policial difundidos pela ONU e aplicados em países regidos pelo Estado democrático de direito. Significa o respeito ao chamado "gradiente do uso da força", isto é, a noção de que o uso da força por parte de uma agência policial só é legítimo quando comedido, ou seja, quando mobiliza somente a força correspondente àquela empregada na resistência à ordem proferida pela autoridade, no estrito cumprimento de seu dever constitucional, e também correspondente aos riscos implicados para o profissional da polícia ou para terceiros. No caso extremo de agressão iminente ou atual à própria vida do policial, ou de terceiros, é legítimo, legal e necessário o recurso aos meios de defesa aptos a anularem esse ataque.

Quando o ministro Sérgio Moro acrescenta ao artigo do código penal essa excludente de ilicitude mitigada, porque submetida ao escrutínio subjetivo do magistrado, seu objeto explícito é o "excesso", ou seja, é o ato que transgride a norma legal. O anteprojeto prevê a possibilidade, a critério do juiz, de que seja aplicada apenas metade da pena ou mesmo de que não seja aplicada, "se o excesso decorrer de escusável medo, surpresa ou violenta emoção". Desafio a leitora e o leitor a me apresentar uma situação, cujo desfecho inclua eventual ação "excessiva" por parte do policial, em que este não possa alegar, com verossimilhança, medo, surpresa ou violenta emoção. Ora, para que polícia, então? Milícias e linchadores cumpririam melhor o papel. Afinal, policiais são preparados e a instituição existe nos

---

[10] Parte dessa análise crítica foi publicada, numa versão inicial, na revista eletrônica *Carta Capital*, em fevereiro de 2019.

países democráticos justamente para que medo, surpresa e violenta emoção sejam enfrentados com método e racionalidade, a partir de treinamento técnico adequado. A essa proficiência chama-se profissionalismo. Nas polícias legal, técnica e democraticamente qualificadas, a mera possibilidade de envolvimento emocional com alguma causa ou circunstância é suficiente para determinar o afastamento da missão em pauta. Se nas grandes manifestações populares de junho de 2013 viam-se policiais visivelmente envolvidos com as mais fortes emoções, demonstrando ódio pessoal e júbilo pela vingança física, era porque os profissionais não haviam compreendido a natureza de sua função. Quando, em incursões nas favelas cariocas, eles agem como soldados em guerra, devotados a eliminar os inimigos, colocando em prática treinamentos nos quais entoam hinos que exaltam a morte de negros favelados, não estão exercendo o papel de polícia e comprovam que seus comandantes há muito traíram os compromissos constitucionais. Em vez de servirem à garantia de direitos, à defesa da vida e à segurança pública, os agentes estatais da brutalidade letal dão mostras de que se converteram em mecanismos de uma ciclópica e tirânica máquina de morte e degradação, que aprofunda o racismo estrutural e as desigualdades sociais, e termina por triturá-los também a eles, algozes e vítimas, nos embates fratricidas.

Se já havia cumplicidade por parte da Polícia Civil, do Ministério Público e da Justiça em milhares de casos de execuções extrajudiciais no Brasil, posto que somente uma ínfima parcela é alvo de denúncia e julgamento, o que teremos depois da aprovação do anteprojeto? Querem uma pista? A cumplicidade sairá do armário, as execuções serão legalizadas, os policiais homicidas, condecorados. Já ouviram essa história antes? Pois é, ela não foi interrompida, mas será intensificada e se tornará ainda mais despudorada.

Outra proposta extremamente negativa no anteprojeto de Moro é a importação do *plea bargain* estadunidense. Se implementado, o sistema deslocaria mais poder para o Ministério Público, cujos operadores teriam autoridade para negociar com suspeitos a admissão da autoria de crimes em troca de redução ou suspensão das penas. Em outras palavras, caberia aos integrantes do MP decidir sobre culpa e sentença, eliminando o processo judicial. Sem respeitar os ritos que garantem os direitos à presunção de inocência, ao contraditório e a um julgamento isento, o *plea bargain*, na prática, converteria o suspeito em réu e em culpado, sem acusação formulada e aceita pela Justiça, bastando que para isso o alvo se reconhecesse culpado, em troca dos benefícios que encurtariam sua pena, se pena houvesse, ou seja, tudo isso na suposição de que, havendo julgamento, o suspeito seria condenado. Como demonstra o exemplo estadunidense, tal metodologia tende a aumentar o encarceramento, seja por induzir ao reconhecimento de culpa ante a ameaça representada pela acusação (embora não submetida à Justiça, ela funciona como pressão, ou mesmo coação) de um MP ainda mais poderoso, seja por extinguir a primariedade quando a prisão é evitada.

E o crime, o tal "crime organizado" de que falam? Esse vai muito bem, obrigado, e irá ainda melhor, na medida em que sua principal fonte de recrutamento, em vez de secar, tornar-se-á mais abundante: o encarceramento em massa. O anteprojeto aposta no incremento desse fluxo, que lhe parece, paradoxalmente, insuficiente. Se já temos quase 800 mil presos, a terceira população penitenciária do mundo e a que cresce mais velozmente desde 2002, sem que os crimes mais graves sejam contidos, a qualquer observador sensato ocorreria pensar, refletir, sopesar custos e benefícios, estudar os dados, detidamente, ponderar, examinar informações e analisá-las, antes de repetir platitudes e insistir nas velhas práticas. O observador sensato, espécie em extinção no governo da ultradireita, concluiria que a abordagem adotada pelo país até aqui – isto é, o encarceramento em massa sobretudo dos jovens identificados em flagrante, negociando substâncias ilícitas – só tem servido ao fortalecimento das facções criminosas que dominam o sistema penitenciário. Os crimes contra a vida permanecem impunes, sequer são investigados, enquanto já são 28% os que cumprem pena por tráfico, tendo sido presos, na maioria dos casos, sem armas, sem praticar violência, nem demonstrar ligações orgânicas com organizações criminosas. As autoridades de Brasília, fossem minimamente racionais e objetivas e menos escravas de concepções ideológicas mistificadoras – seria hilário, não fosse trágico, ouvi-las dizer que desejam banir a ideologia e, pragmaticamente, apenas admitir a verdade que emana, sem mediações, da experiência real –, reconheceriam que mais de 80% dos presos foram detidos em flagrante e, vale a pena insistir, somente uma parcela ínfima dos homicídios são investigados, que as facções avançam com o encarceramento, que penas maiores nada acrescentam, apenas atendem ao anseio primário por vingança do populismo penal que grassa entre nós e do punitivismo irracional. Houvesse juízes e legisladores em Brasília, governantes minimamente inteligentes e uma pitada de bom senso, o óbvio ululante seria admitido: não adianta fazer mais do mesmo, esperando resultados diferentes. A guerra às drogas é uma estupidez, como o mundo ao nosso redor começa a compreender. Prisões não resolvem o problema complexo e multidimensional da insegurança pública. Nossa arquitetura institucional da segurança pública, que inclui o modelo policial, é um dinossauro em pleno século XXI, corroído pela mais desbragada corrupção, nutrida, sobretudo, pela leniência das autoridades e das instituições com a brutalidade institucionalizada, tema tabu, do qual as milícias constituem exemplo ostensivo e repulsivo. Destravar o debate sobre o tabu seria incompatível com um governo regressivo, que parasita o medo e o vasto repertório de preconceitos que o elegeu. Implicaria trazer a lume as problemáticas decisivas para o futuro pós-obscurantista – porque haverá um futuro – da sociedade brasileira: o racismo estrutural e as desigualdades.

UPP: considerações sintéticas[1]

Uma avaliação séria sobre o programa das Unidades de Polícia Pacificadora (UPPs) e sua implantação exige, em primeiro lugar, que se evitem *slogans* propagados na disputa política, frequentemente expressos em generalizações acusatórias ou laudatórias. Os exemplos mais usuais são: "As UPPs pacificaram as favelas e devolveram a segurança a cariocas e fluminenses" ou "as UPPs são o outro nome da ditadura e da opressão impostas às comunidades pelo governo, pelo capitalismo, pela CIA ou pela dinâmica global do imperialismo".

É indispensável evitar a mera propaganda e as teorias conspiratórias, assim como as definições precipitadas e levianas, supostamente aplicáveis a todas as UPPs, quando não ao conjunto do estado do Rio de Janeiro. É preciso que nos concentremos no exame objetivo da realidade complexa das UPPs e de sua história, inclusive da trajetória que a precedeu e inspirou. Assim, encontraremos uma grande diversidade de situações, por vezes contraditórias entre si, e resultados distintos, seja nas comunidades, seja nas demais áreas do estado.

A diversidade tem sido a marca da implementação do projeto. Por isso, não se podem atribuir a todas as UPPs as características encontradas nas favelas de Santa

---

[1] Este texto, embora escrito em 2015, permaneceu inédito. Foi elaborado com o propósito de enriquecer o debate privado entre interlocutores preocupados com a segurança pública no Rio de Janeiro e de responder aos repórteres que, sucessivas vezes, pediram minha opinião sobre as UPPs. Como me recusava a dar uma resposta simples e direta, sem mediações, e considerando a complexidade do quadro, eu me via obrigado a repetir uma longa exposição a cada entrevista. Sendo longa, era inútil e nunca plenamente aproveitada. Depois de alguns anos, coincidindo com o ocaso do programa, eis o texto.

Marta, Rocinha, Vidigal ou Borel, que são inteiramente distintas entre si. Em paralelo à instalação de UPPs, a vida segue nas demais regiões do estado, o que exige dos observadores atenção ampla, capaz de focalizar a especificidade do projeto sem perder de vista suas consequências para o conjunto do estado e sem esquecer que o projeto não é uma política pública, ou seja, não tem pretensões a se universalizar, o que, por sua vez, remete à questão: quais são os critérios de seleção dos territórios em que as UPPs estão instaladas e o que o governo do estado dispõe-se a realizar (ou realizou) nas demais áreas? Em outras palavras, qual é a política de segurança do governo do estado?

Seguindo um caminho prudente e responsável, será possível tornar a crítica mais consistente e persuasiva. Ao mesmo tempo, será viável admitir conquistas e avanços, mesmo quando não consolidados e combinados a equívocos e retrocessos.

Os pontos listados sintetizam observações fiéis à orientação enunciada.

1) Projeto e realidade. É necessário distinguir o projeto das UPPs, tal como apresentado à opinião pública, das realidades produzidas por sua implantação. Essa distinção é fundamental porque, com frequência, seus defensores reportam-se ao projeto, enquanto os críticos consideram seus efeitos concretos. É possível que os primeiros reduzam seu entusiasmo se tiverem contato direto com situações negativas provocadas pela implementação do projeto, assim como é provável que muitos críticos moderem seu radicalismo se defrontados exclusivamente com o projeto.

O que dizem sobre o projeto, na mídia, as autoridades governamentais? Elas afirmam que as UPPs correspondem à instalação de núcleos policiais em áreas submetidas ao controle de grupos criminosos armados, garantindo plena vigência do Estado democrático de direito em todos os territórios, isto é, para todos os seus moradores. As unidades policiais atuariam respeitando integralmente os direitos da população local, pois para isso teriam sido criadas. Por essa razão, adotariam métodos de policiamento comunitário ou de polícia de proximidade. As UPPs seriam acompanhadas da implantação de um conjunto de políticas públicas, permitindo que o Estado cumprisse seu dever em setores como saúde, educação, meio ambiente, saneamento, infraestrutura etc.

As virtudes do projeto saltam aos olhos. Não por acaso encheram de esperança a sociedade fluminense. É virtuosa a instalação de unidades policiais efetivamente comprometidas com os direitos da população, agindo por metodologias comprovadamente fiéis à cidadania, não só porque elas teriam todas as chances de alcançar bons resultados – na redução da violência e na interrupção de uma longa história de abandono, que expunha moradores ao arbítrio criminoso de grupos armados –, mas também porque tal modelo implicaria o fim das incursões policiais de natureza bélica.

Outra contribuição para a redução da violência, indireta, involuntária e quase irônica das UPPs, caso fossem capazes de inviabilizar o controle armado de territórios e populações por parte de criminosos, traficantes ou milicianos, seria a modernização do tráfico de drogas. A experiência internacional demonstra que o varejo das drogas prescinde da violência, da formação de grupos armados, do domínio de territórios e populações. O tráfico carioca é pesado, oneroso – em termos de vidas e recursos –, além de econômica e politicamente insustentável. Resumindo, é irracional. O modelo de sucesso nas grandes cidades do mundo é nômade, leve, ágil, chama menos atenção e custa menos, inclusive para corromper segmentos venais das polícias: vendedores avulsos deslocam-se ou circulam fazendo entregas, num notório *delivery*. Portanto, se funcionassem, as UPPs, paradoxalmente, induziriam o tráfico a ajustar-se a modelos econômicos mais rentáveis, sustentáveis e menos prejudiciais para todos, sobretudo para a sociedade.

Passemos do projeto da UPP à realidade de sua implantação.

2) Quais critérios nortearam a localização das UPPs?

A seleção das comunidades que receberiam o projeto não foi aleatória nem atendeu às prioridades da segurança pública, segundo perspectivas universalistas e equânimes. O mapa das UPPs indica claramente a adoção de um critério: foram escolhidas favelas contíguas aos bairros afluentes da capital, situadas em espaços eminentemente turísticos, e aquelas que margeiam o circuito olímpico. A escolha não acompanhou a gravidade da insegurança pública, os índices de criminalidade, a começar por aqueles referentes aos crimes letais, que são os mais graves. O resultado foi o aprofundamento da distância entre pobres e ricos, a reprodução ampliada das desigualdades, tão pronunciadas no estado do Rio de Janeiro em todos os setores. Em termos de segurança, não é diferente. Enquanto na Zona Sul a proporção é de um policial por duzentos habitantes, ou menos, na Baixada Fluminense, em São Gonçalo, na Zona Oeste, a relação pode chegar a 2 mil moradores por policial. Esse é apenas um dos vários indicadores da orientação política subjacente às escolhas, e todos sabemos que escolhas são sempre necessárias quando os recursos são escassos.

O princípio que orientou a seleção dos territórios não foi a redução da insegurança onde ela é mais grave. Os grandes eventos, festa das empreiteiras, e o capital especulativo imobiliário estão na origem do mapa das UPPs. Por esse motivo, é inadiável enfrentar a problemática das remoções e da chamada gentrificação, cujas consequências sociais são perversas. Enxotar os trabalhadores para áreas distantes dos polos urbanos, nos quais se concentram a oferta de trabalho e os serviços públicos, não resolve o dilema da habitação popular. Pelo contrário, aprofunda, gravemente, as desigualdades sociais. Uma política de segurança democrática e cidadã não pode ser veículo para a realização de interesses privados em detrimento dos direitos sociais.

3) Qual policiamento?

A promessa do projeto (segundo o que foi divulgado pela mídia, ao reproduzir declarações das autoridades responsáveis) era clara: as UPPs levariam para as comunidades métodos de policiamento comunitários ou de proximidade, cujas marcas distintivas são o respeito à população, a identificação de suas funções como prestação de serviço público à cidadania e a estrita fidelidade aos mandamentos constitucionais e aos princípios estabelecidos nas declarações internacionais dos direitos humanos, das quais o Brasil é signatário.

Pois a promessa não foi cumprida. As ações policiais, seus métodos e suas abordagens da população local, na maior parte dos territórios cobertos por UPPs, depois de mais de sete anos de experiência, nada têm a ver com o modelo evocado. De fato, não poderia ser diferente, como já anteviam pesquisadores e policiais mais tarimbados. Como alterar padrões institucionalizados ao longo de décadas sem modificar profundamente a própria polícia, revalorizando os profissionais na ponta, investindo a sério em sua formação para o cumprimento de missões de novo tipo e alterando as visões estratégicas dos estratos superiores e os mecanismos de gestão? Como instalar unidades de policiamento comunitário sem dialogar, ouvir e pactuar, reconhecendo que a comunidade deve ser beneficiária do trabalho policial, não tratada como inimiga, como se estivéssemos em guerra contra os destinatários do serviço policial? Nada disso se fez a sério, como política universal para o conjunto das UPPs – exemplos do contrário tornaram-se casos singulares e exceções.

Como muitos observadores previram – inclusive o autor deste texto –, sem um plano consistente de reforma policial, as UPPs, tais como definidas no projeto, não seriam sustentáveis nem passíveis de universalização, isto é, não se converteriam em política pública. Estariam condenadas a permanecer um projeto localizado e, pior, com tendência ao declínio. As forças inerciais da corporação absorveriam os componentes inovadores e virtuosos que se encontravam no projeto. Em outras palavras, sem uma política de segurança digna deste nome, que inscrevesse em seu eixo central a reforma policial, o melhor da UPP, enquanto projeto, não se realizaria.

4) Quais políticas sociais?

Não é preciso ir longe. Basta ler ou escutar sucessivas entrevistas do secretário de Segurança do Estado do Rio de Janeiro, José Mariano Beltrame. É ele quem afirma o óbvio: sem que o estado assuma seus compromissos e cumpra suas obrigações na educação, na saúde, no saneamento, na infraestrutura, as UPPs fracassarão. Não é necessário explicar. O debate evoluiu no Brasil, e já há uma compreensão consensual a respeito desse ponto-chave. O investimento simultâneo à instalação das UPPs nas demais políticas públicas era compromisso estabelecido no projeto, considerando os sucessivos pronunciamentos dos que se apresentavam como responsáveis por sua implantação. Entretanto, esse compromisso jamais foi posto em prática, salvo tópica e precariamente, apesar da mobilização das comunidades e de esforços louváveis de vários agentes públicos, aos quais faltaram recursos materiais e políticos, porque esta nunca foi a prioridade do governo do estado.

5) Sem investimento consistente nas demais políticas e ampla participação da comunidade, sem reforma policial e mudança na cultura corporativa, nos métodos de abordagem e na visão estratégica, a que se reduz a UPP?

Dois efeitos negativos decorrem do isolamento da Polícia Militar, quando passa a conviver, no dia a dia, com uma comunidade popular sem ser acompanhada pela intensificação da presença do Estado na educação, na saúde, no saneamento etc. Lembremo-nos de que se trata de uma instituição policial não transformada, com pesado contencioso interno (na relação entre oficiais e praças, que recebem baixos salários e se sentem maltratados pela corporação, regida por código disciplinar inconstitucional) e externo (é longa a história de conflitos com as populações mais vulneráveis do estado, recheada de casos bárbaros de tortura e execuções extrajudiciais, sobretudo vitimando jovens negros e pobres). O primeiro efeito da falta de investimento em setores sociais extremamente importantes é aquele mais óbvio: o déficit em educação, saúde, saneamento etc. Seu sentido é conhecido, e seu impacto, dramático. O segundo efeito não é assim direto e evidente: na ausência de outras agências estatais, a polícia, particularmente a militar, converte-se na única fonte de autoridade acessível, o que a leva, muitas vezes involuntariamente, a hipertrofiar seu espectro de responsabilidade e intervenções, ocupando todos os espaços de poder local, vendo-se instada a decidir, por exemplo, sobre bailes funk e dissídios entre vizinhos. A expansão tende a transformá-la em verdadeiro leviatã local, cujo domínio tentacular e onipresente asfixia a comunidade, sobretudo os jovens, no cotidiano. Em vez de proteger a cidadania, a PM passa a ser – ou continua sendo – vista como fonte de medo, provocando indignação e claustrofobia, até porque a dinâmica expansionista vincula-se à adoção dos velhos métodos violentos de abordagem.

Não cabe à Polícia Militar substituir todo tipo de autoridade, muito menos as associações locais, cujo protagonismo na mediação de conflitos deveria ser sempre estimulado. Tratando entidades comunitárias, jovens e outros moradores como suspeitos, ou mesmo inimigos, como tem ocorrido em várias ocasiões, a PM se fecha em seu casulo e é tratada com a mesma suspeita, quando não com violência, o que faz com que a profecia pessimista se autocumpra. Por isso, não são poucas as vozes que denunciam algumas UPPs como variantes da velha tirania exercida pelo tráfico de que as comunidades eram vítimas – ou exercida pela milícia, no caso específico da favela do Batan, única em que a UPP foi instalada para libertar a comunidade do domínio armado miliciano. A comparação soa exagero ou simples impertinência, mas a simbiose denunciada encontra fundamento quando dão claros sinais de retorno, em certas localidades, as velhas práticas corruptas do famigerado "arrego" (acordo entre segmentos policiais e traficantes).

Sendo assim, a indiscutível e meritória melhora dos indicadores da criminalidade – principalmente daqueles referentes a crimes letais – em territórios com UPP e arredores começa a apresentar preocupantes alterações para pior. Segundo uma avaliação serena e ponderada, esse, provavelmente, é só o início de uma deterioração que já se mostra, hoje, ostensiva e que não será revertida se não forem entendidas suas razões. Os riscos são os seguintes: de que, em vez de ser instrumento de garantia dos direitos da cidadania, merecendo apreço e confiança, a UPP se converta em fonte de medo, suspeição e revolta. Se não houver clareza sobre o que acontece, o ciclo levará a UPP de volta a sua origem, não ao projeto virtuoso que a concebeu, mas à matriz institucional, a Polícia Militar, que ainda não foi capaz de redefinir-se como prestadora de serviço público, consciente de que a prova dos nove de seu trabalho é a confiança popular. A UPP foi uma oportunidade extraordinária de restabelecimento da confiança perdida. Pode ser preservada se as virtudes do projeto forem salvas dos equívocos de sua implantação e da negligência ao desafio maior: a reforma policial. Todavia, tudo aponta no sentido contrário. Não há sinais positivos no horizonte. Os casos de brutalidade policial, mesmo onde há UPP, disseminam-se e agravam-se. E já são frequentes os discursos populares reivindicando a extinção da UPP, uma vez que a PM que lá está é a mesma de sempre e, havendo UPP, o contato dos policiais com os moradores é constante, é mais assíduo do que seria se não houvesse UPP, o que apenas intensifica as tensões e multiplica os episódios lamentáveis de humilhação, extorsão e violência – observe-se que também policiais têm sido vítimas frequentes de todo tipo de ataques, inclusive assassinatos.

Como se sabe, o relacionamento entre comunidades vulneráveis e traficantes de drogas varia muito. Os tipos extremos são os seguintes: o padrão instável e potencialmente violento de convívio, marcado pela dominação exercida exclusivamente por meio da força – isso tende a ocorrer quando o poder local é estabelecido pela invasão de uma facção rival, que, por assim dizer, conquista o território; e o padrão de sociabilidade estável e razoavelmente pacífico, decorrente de um domínio que, sem negar sua natureza em última instância despótica, é exercido por um grupo originário da própria comunidade, à qual se vincula por laços de parentesco, vizinhança antiga e amizade. Contudo, como expus em *Meu casaco de general*[2], o que as populações locais mais temem é a imprevisibilidade, atributo característico das ações policiais, sobretudo de suas incursões bélicas. Entretanto, com a progressiva deterioração de diversas UPPs, até mesmo as incursões voltaram a ser promovidas.

6) De que modo se relacionam padrões de policiamento ineficientes e hostis, tão presentes no cotidiano das favelas e das periferias, mesmo onde há UPP, com o modelo de organização policial determinado pela Constituição?

O fato de existirem duas polícias com atribuições distintas e complementares, a polícia ostensiva, uniformizada, que patrulha as ruas (Polícia Militar), e a polícia investigativa (Polícia Civil), limita os policiais militares a abordar suspeitos (frequentemente definidos pelo estigma) e, se for o caso, prender em flagrante. Não lhes cabe investigar. Mais que isso, estão impedidos de fazê-lo. Se o trabalho das polícias fosse compartilhado, o resultado não seria mais proveitoso? Parece óbvio que sim. Não apenas haveria mais eficiência, como deixariam de ser necessárias tantas abordagens, uma vez que a investigação reduziria o foco da atenção a quem fosse, de fato, suspeito. A aparência contaria menos do que o levantamento e a análise de informações. Contingentes menores produziriam efeitos mais profundos,

---

[2] Luiz Eduardo Soares, *Meu casaco de general: 500 dias no front da segurança pública do estado do Rio de Janeiro* (São Paulo, Companhia das Letras, 2000).

amplos e permanentes. O racismo estrutural da sociedade brasileira encontraria menos oportunidades para mostrar suas garras, em toda a sua crueza. Dado que a divisão do ciclo de trabalho policial tem de ser respeitada, enquanto a Constituição não for alterada (o que é urgente, pois melhorias tópicas são insuficientes e apenas mitigam os problemas – não por acaso, a PEC-51 foi apresentada, em 2013, pelo senador Lindbergh Farias[3]), podem-se reduzir os danos provocados pela ruptura do ciclo, criando-se núcleos de gestão e ação integrados em que profissionais de ambas as polícias compartilham missões. Os núcleos deveriam ser locais e supervisionados por gabinetes regionais e estaduais de gestão integrada. A integração pela base, sempre a partir da afirmação dos princípios fundamentais, nunca seria perfeita em um contexto institucional marcado pela separação ao longo de toda uma história, tampouco seria inviável caso se combinassem com a descentralização na gestão a valorização de quem está na ponta e o diálogo com a sociedade, cuja participação é indispensável. Fundamental é compreender que, no Estado democrático de direito, a função essencial das polícias é promover a garantia de direitos e que sua ação deve ser regida por princípios constitucionais e pelo respeito estrito aos direitos humanos. A realidade não tem sido essa. Nunca foi, na história brasileira, nem mesmo após a promulgação de nossa primeira Constituição democrática, em 1988. Ao mesmo tempo, não se pode confundir a continuada transgressão aos mandamentos constitucionais com aquilo que a Constituição determina, sob pena de contribuirmos, involuntariamente, para a naturalização e a consagração das ilegalidades perpetradas, seja no plano da corrupção, seja na esfera da brutalidade.

Referi-me a descentralização. Descentralizar soa perigoso para quem se preocupa com indisciplina e desvios de conduta. A preocupação é legítima. Entretanto, a verdade é que os problemas atuais em matéria de controle da legalidade e da ética nas polícias não derivam de um quadro de descentralização, mas de um sistema verticalizado e rígido, extremamente centralizado, intrínseco à natureza militar da polícia ostensiva brasileira. A experiência demonstra que o melhor óbice à corrupção é o orgulho profissional. O orgulho provém de reconhecimento, aprovação de outros, dos beneficiários do serviço, da comunidade. Quando um laço de apreço, reconhecimento e confiança se estabelece, ele não é facilmente trocado por bens materiais. O valor que uma comunidade respeitada atribui a profissionais que a atendem não tem preço. Esse elo de confiança, raiz da legitimidade institucional, teria tudo para ser o fundamento de outra realidade no campo da segurança.

---

[3] Ver, neste volume, o capítulo "Debate sobre uma proposta de mudança", p. 53-83, e o Apêndice, p. 285-9.

7) Além de problemas internos, a UPP gerou dois enormes contingentes sociais: os sem UPP e os atingidos por UPP.

Se há virtudes nas unidades, os moradores de territórios não beneficiados por elas sentem-se excluídos. E seu número é bem maior do que os demais – em abril de 2015, havia quarenta UPPs e mais de mil favelas (avaliando por número de moradores, no entanto, a quantidade não seria tão insignificante). Quanto mais a mídia divulga o sucesso da UPP, mais se dissemina a frustração de quem não participa do novo projeto. Por outro lado, como é amplamente sabido, a UPP desloca grupos criminosos, os quais não necessariamente desistem do crime. Com frequência, passam a agir em outras regiões. Isso faz com que a legião dos sem UPP sinta-se duplamente indignada: não usufrui dos ganhos e paga um preço elevado quando se vê obrigada a conviver com um grau de insegurança superior ao que antes tolerava. Esse quadro gera grupos de pressão que tendem a apontar, simultaneamente, em direções opostas: querem UPP na comunidade (enquanto a veem sob ótica positiva) e não querem UPP em outras comunidades, se isso lhes causa danos pela migração do crime. Assim, cada UPP eleva o ruído e intensifica reações críticas. Entretanto, sabe-se que, além dos problemas intrínsecos mencionados, há outro bem evidente: a UPP não constitui um modelo universalizável, porque se baseia na presença policial ostensiva ao ponto da saturação. Materialmente, é inviável e insustentável estendê-lo a todo o estado, a todos os bairros pobres submetidos ao contato diário com grupos armados de milicianos ou traficantes. O que o governo oferece aos sem UPP? E que política de segurança foi planejada para inibir a migração e seus efeitos?

A conclusão é simples: o projeto da UPP apresenta virtudes inegáveis, mas não foi cumprido conforme a previsão (ainda que o histórico de implantação revele variações significativas, produzindo situações bastante diferentes) nem poderia sê-lo sem que se articulasse a um programa consistente de reforma policial – o que, por sua vez, depende, para ser consistente, da mudança do artigo 144 da Constituição Federal –, a uma política integrada e sistêmica voltada ao conjunto da região metropolitana e do estado (com foco em armas e milícias) e a um conjunto mais abrangente de políticas multissetoriais, animadas por investimentos pesados em educação, saúde, saneamento, cultura e meio ambiente. E nada disso seria suficiente sem se compreender que o ponto-chave para a reversão da insegurança, aquele que não resolve tudo, magicamente, mas constitui a condição *sine qua non* para a verdadeira mudança nesse campo, é a construção da confiança, a qual requer repactuação, sobretudo nas comunidades e entre jovens pobres e negros, duramente atingidos pela violência criminal e policial. É indispensável valorizar o protagonismo dos jovens numa profunda repactuação pela paz, porque, como se sabe, ou haverá segurança para todos, ou ninguém estará seguro.

8) Política de drogas e modelo policial, os males do Brasil são.

Os leitores já devem ter deduzido em que ponto situa-se o epicentro do problema: aquele em que se cruzam o modelo policial – que veda a investigação a uma das polícias, obrigando-a a prender apenas em flagrante (sabendo-se que o ambiente social, cultural e político pressiona a polícia que está nas ruas, a polícia ostensiva, uniformizada, a mais numerosa, isto é, a Polícia Militar a mostrar serviço, ou seja, a prender em grandes quantidades) – e a lei de drogas, que reputo hipócrita, inconstitucional e absolutamente irracional. Se a polícia que está nas ruas não pode investigar, pois lhe é imposto o flagrante como condição para a prisão, os delitos que selecionará como alvos de seu trabalho são aqueles passíveis de prisão em flagrante, aqueles filtrados pelo critério a que se subordinam os objetos de sua ação. Eis o filtro seletivo, oriundo do modelo policial, que se combinará aos demais, inconsciente ou conscientemente acionados pelas culturas corporativas, pelo viés de classe e pelo racismo estrutural da sociedade brasileira.

Sendo assim, qual é a lei à mão, no varejo? Qual é o delito mais instrumentalmente útil para que a polícia ostensiva produza? Entendendo-se essa "produtividade" como costumeiramente é o caso: mais prisões e apreensões de armas e drogas do que redução da insegurança. A resposta é óbvia: as transgressões relativas ao porte, à posse e ao comércio de substâncias ilícitas, as "drogas". Resultado: cada vez mais as penitenciárias se enchem de varejistas dessas substâncias. E assim têm sido privados de liberdade quantidades crescentes de jovens quase sempre pobres, na grande maioria negros, com baixa escolaridade – muitos dos quais não portavam armas, não agiam com violência nem estavam organicamente ligados a organizações criminosas.

E eis aí o mistério solucionado: há mais de 60 mil crimes letais intencionais por ano, no Brasil, dos quais apenas uma parcela mínima é investigada (para alguns pesquisadores, não mais que 8%). A taxa de impunidade em relação ao crime mais grave atinge, portanto, patamares escandalosos. Entretanto, o Brasil está longe de ser, como se poderia precipitadamente inferir, o país da impunidade: temos a terceira população penitenciária do mundo (726 mil presos, segundo dados defasados do Departamento Penitenciário Nacional [Depen], divulgados em 2016), a que mais velozmente cresce. No universo prisional, 40% estão em prisão provisória, 13% cumprem pena por homicídio, dois terços estão sentenciados por crimes contra o patrimônio e delitos vinculados a drogas – sendo este último o subgrupo que mais vem aumentando, representando 28% do total.

A receita do fracasso está aí desvendada: proibir a polícia que está nas ruas, a mais numerosa, de investigar; cobrar-lhe produtividade; identificar eficiência com prisões, as quais terão de ser feitas exclusivamente em flagrante; oferecer-lhe a lei de drogas como filtro seletivo e açoite; juntar esses ingredientes e levar ao fogo brando da inépcia política; salpicar omissão das demais instituições da Justiça Criminal; polvilhar com autorização tácita da sociedade; bater a gosto – ninguém está olhando e a sede de vingança dá o tom nos programas televisivos demagógicos. Pronto, eis o quadro dantesco da insegurança brasileira, invertendo prioridades e sacrificando a vida, que, afinal, é dos outros. O racismo rege essa máquina selvagem que criminaliza a pobreza. E, quando novos crimes escandalizam, o populismo penal clama pela elevação das penas para que se faça mais do mesmo, com mais força, esperando resultados diferentes. Seria patético se não fosse trágico.

O Sistema Único de Segurança Pública e o poder embriagado[1]

A ideia do Sistema Único de Segurança Pública (Susp) foi formulada e apresentada pela primeira vez no Projeto de Segurança Pública para o Brasil, que integrou o programa de governo do então candidato Lula, em 2002. Fui um dos coordenadores e redatores do texto, elaborado no âmbito do Instituto Cidadania[2]. O documento se transformaria, com a vitória de Lula, na orientação a ser cumprida pela Secretaria Nacional de Segurança Pública, da qual fui titular, no primeiro governo Lula (de janeiro a outubro de 2003). Portanto, meu dever como gestor foi criar as condições para a implementação do Susp, o que exigiria amplas negociações com os 27 governadores e o Congresso Nacional, visando à mudança do artigo 144 da Constituição, indispensável à plena viabilização do Susp, ainda que algumas alterações infraconstitucionais fossem também pertinentes – embora insuficientes.

As negociações avançaram muito, mas o governo federal resolveu abdicar do compromisso assumido na campanha. O motivo: a extensão e a profundidade das reformas levariam o Executivo federal – mesmo que as transformações dependessem em grande parte do Parlamento – para o centro da cena da insegurança pública, dotando-o de inusitado protagonismo nessa área predominantemente afeta aos governos estaduais, o que implicaria risco iminente de desgaste político, uma vez que atribuiria à União responsabilidades que o artigo 144 não lhe confere.

---

[1] A primeira versão deste ensaio foi publicada no portal do *Justificando* (<www.justificando.com.br>) em 4 jul. 2018.

[2] O nome Susp foi concebido por Benedito Mariano, membro do grupo de coordenadores do projeto.

Enquanto fui secretário nacional, criei 27 gabinetes de gestão integrada de segurança pública (GGIs), um em cada estado e no DF, antecipando, na prática, experiências de articulação interinstitucional e coordenação que a plena instalação do Susp regulamentaria e institucionalizaria. Contudo, sempre chamei a atenção da mídia e da sociedade para o fato de que, enquanto não fosse possível institucionalizar a integração, os GGIs só funcionariam se houvesse vontade política das instituições "convidadas" a participar, posto que a elas não caberia qualquer obrigação de cooperar. Por isso, nos GGIs as decisões só poderiam se dar por consenso, o que restringiria sua capacidade de ação, evidentemente. No entanto, não haveria alternativa, uma vez que as instituições envolvidas eram autônomas e não poderiam submeter-se a qualquer comando externo, como o voto da maioria dos participantes, por exemplo.

Saí do governo, e o Susp foi esquecido, até que, no segundo mandato do presidente Lula, o ministro da Justiça Tarso Genro retomou o assunto, desengavetou o projeto e buscou aproveitar o que pudesse ser viabilizado sem mudança constitucional (muito pouco, portanto, mas nem por isso irrelevante).

Em junho de 2018, foi promulgada a chamada Lei do Susp[3], que é tão comprometida com a realidade quanto uma obra do surrealista Salvador Dalí. É simplesmente inacreditável – e lhe faltam o encanto e o poder de evocação da grande arte. Apenas um misto de desatenção e ignorância da grande mídia pode ter protegido essa Lei da crítica objetiva que a desmascarasse. Não vou discutir detalhes, somente destacar alguns pontos óbvios, que demonstram sua mais elementar inconstitucionalidade. Esse é o resultado da mistura de demagogia e mistificação, que, mais uma vez, substitui a reforma verdadeira – a qual, vale insistir, exigiria a mudança do artigo 144 da Constituição – por um puxadinho que não resistirá à primeira onda de questionamentos por parte de instituições e entes federados.

Vejamos alguns exemplos. Diz-se, no capítulo 7, "Das estratégias": "A Política Nacional de Segurança Pública e Defesa Social será implementada por estratégias que garantam integração, coordenação e cooperação federativa...".

Eis os atores, no nível das estratégias: "I) a União, os Estados, o Distrito Federal e os Municípios, por intermédio dos respectivos Poderes Executivos; II) os Conselhos de Segurança Pública e Defesa Social dos três entes federados".

---

[3] A Lei do Susp está disponível em: <http://www2.camara.leg.br/legin/fed/lei/2018/lei-13675-11-junho-2018-786843-publicacaooriginal-155823-pl.html>; acesso em: nov. 2018.

Pergunto: como haverá integração sem comando? Quem decidirá as estratégias? Quem coordenará? Só há duas respostas: as decisões serão tomadas por consenso (medida que adotei nos GGIs para viabilizá-los, ainda que isso os reduzisse quase à impotência ou, na melhor das hipóteses, à boa vontade circunstancial dos agentes), por maioria de votos ou, ainda, por um comando previamente estabelecido.

Pois essa matéria crucial foi olimpicamente negligenciada. Por quê? Porque é questão insolúvel no nível dos puxadinhos infraconstitucionais. O que está em jogo é o pacto federativo, é a autonomia dos entes federados.

E os atores operacionais? Vejamos quem são, segundo a Lei:

> I) Polícia Federal; II) Polícia Rodoviária Federal; III) (vetado); IV) polícias civis; V) polícias militares; VI) corpos de bombeiros militares; VII) guardas municipais; VIII) órgãos do sistema penitenciário; IX) (vetado); X) institutos oficiais de criminalística, medicina legal e identificação; XI) Secretaria Nacional de Segurança Pública (Senasp); XII) secretarias estaduais de segurança pública ou congêneres; XIII) Secretaria Nacional de Proteção e Defesa Civil (Sedec); XIV) Secretaria Nacional de Política sobre Drogas (Senado); XV) agentes de trânsito; XVI) guarda portuária.

Uma lei pode se sobrepor à Constituição? Uma lei pode abolir a autonomia dos governos estaduais e dos órgãos policiais ou das secretarias que lhes são subordinados? O Ministério da Segurança – vale dizer, o governo federal – vai ditar ao secretário de Segurança de um estado o que fazer, sem que estejamos sob intervenção federal, ou em estado de sítio, ou de defesa? Como é possível que esse Frankenstein normativo, vazio no centro, que não fica em pé porque lhe falta a estrutura vertebral, o poder, tenha sido aprovado pelo Congresso Nacional e sancionado pelo governo federal? Talvez a resposta não seja tão difícil: estamos ou não na temporada aberta às violações constitucionais e à *performance* política mais irresponsável?

O Brasil, na área de segurança pública, tornou-se o reino do voluntarismo, do arremedo, do improviso, da mistificação mais simplória, da retórica no lugar do tratamento sério e objetivo dos problemas reais.

No entanto, a peça inacreditável não para aí. Depois do que se anuncia, em termos de integração, vem a seguinte pérola: "§ 4º Os sistemas estaduais, distrital e municipais serão responsáveis pela implementação dos respectivos programas, ações e projetos de segurança pública, com liberdade de organização e funcionamento, respeitado o disposto nesta Lei".

Ora, o gênio legislador se esqueceu de explicar como se respeita o disposto nesta Lei e, ao mesmo tempo, a liberdade de organização e funcionamento dos entes federados e de seus organismos subordinados.

A viagem lisérgica, surto de embriaguez, carraspana legislativa (que contagiou o Executivo, responsável pela sanção dessa peça inverossímil) prossegue: na seção II, "Do Funcionamento", lê-se:

> Art. 10. A integração e a coordenação dos órgãos integrantes do Susp dar-se-ão nos limites das respectivas competências, por meio de: I - operações com planejamento e execução integrados; II - estratégias comuns para atuação na prevenção e no controle qualificado de infrações penais [...].

Indago: como se determinam planejamento e execução integrados sem que haja qualquer menção ao processo decisório, sabidamente calcanhar de aquiles de todas as experiências de cooperação já experimentadas no Brasil?

O notável legislador coletivo ofereceu, sim, resposta límpida, cândida, que provavelmente só um cidadão amargo e venenoso como eu não seria capaz de entender. Diz a Lei: "§ 3º O planejamento e a coordenação das operações referidas no § 2º deste artigo serão exercidos conjuntamente pelos participantes".

Realmente, brilhante: se a Lei não diz como se decidirá em ambiente coletivo, marcado por multiplicidade de esferas e instâncias autônomas, ela terceiriza a decisão sobre a decisão, isto é, afirma que a decisão ficará a cargo dos atores envolvidos. Ou seja, aqueles mesmos que não têm como decidir sem ferir autonomias terão de decidir sobre como decidir. Em suma, o Congresso, *data venia*, perdeu a razão (e não terá sido a primeira vez, embora nas demais situações haja interesse a espreitar e governar o desatino – aqui, aparentemente, o desatino é sua própria razão) na data em que promulgou essa insensatez, que não resistirá, insisto, à primeira interpelação quanto a sua constitucionalidade.

Há mais: as disposições sobre os conselhos são primores de platitudes e devaneios impraticáveis. Não pretendo entrar em detalhes, apenas assinalo que em conselhos em que todos estão ninguém está e nada funciona.

Passo ao controle interno (seção I):

> Art. 33. Aos órgãos de correição, dotados de autonomia no exercício de suas competências, caberá o gerenciamento e a realização dos processos e procedimentos de apuração de responsabilidade funcional, por meio de sindicância e processo administrativo

disciplinar, e a proposição de subsídios para o aperfeiçoamento das atividades dos órgãos de segurança pública e defesa social.

Ou seja, que se faça o que já se faz e não funciona. Quem sabe fazendo mais do mesmo se alcance resultado diferente? A essa expectativa francamente irracional, Einstein deu um nome: "loucura".

Avançando na leitura da Lei, encontra-se o que parece ser, afinal, uma boa ideia, uma ousadia que atende a antigo pleito popular. Na seção II, "Do Acompanhamento Público da Atividade Policial", consta o seguinte enunciado: "Art. 34. A União, os Estados, o Distrito Federal e os Municípios deverão instituir órgãos de ouvidoria dotados de autonomia e independência no exercício de suas atribuições".

Infelizmente, a alegria dos democratas dura pouco. Vejamos do que, efetivamente, se trata:

> *Parágrafo único.* À ouvidoria competirá o recebimento e tratamento de representações, elogios e sugestões de qualquer pessoa sobre as ações e atividades dos profissionais e membros integrantes do Susp, devendo encaminhá-los ao órgão com atribuição para as providências legais e a resposta ao requerente.

Inacreditável, a ouvidoria, na Lei do Susp, reduz-se a uma agência burocrática, uma espécie de *call center* que recolhe e repassa ao órgão que já existe e que fará o mesmo que sempre fez – e nunca funcionou, tanto que se pleiteia uma ouvidoria. Ah, mas nem tudo está perdido! Finalmente, há uma penalidade, expressando uma cadeia de autoridade. Vejamos:

> § 2º O integrante que deixar de fornecer ou atualizar seus dados e informações no Sinesp poderá não receber recursos nem celebrar parcerias com a União para financiamento de programas, projetos ou ações de segurança pública e defesa social e do sistema prisional, na forma do regulamento.

Penalidade? Não exatamente. A frase soa como uma advertência paterna: quem não fizer o dever de casa *poderá* sofrer sanção. *Poderá.* Claro que a eventual tentativa de implementar a determinação de que os dados sejam atualizados por meio de corte de verbas acabará sustada por decisão da Corte Suprema, quando a Lei do Susp, em conjunto, for contestada por inconstitucional – e será, assim que o primeiro agente público ou ente federado se sentir constrangido em sua autonomia. E não restará pedra sobre pedra. Desse modo, mais uma vez, teremos perdido a oportunidade de levar a sério as problemáticas da integração e do controle externo, fundamentais na segurança pública. Não nos enganemos:

nenhuma solução racional e efetiva será viável sem a mudança de toda a arquitetura institucional da segurança pública[4], que inclui o modelo policial e está definida no artigo 144 da Constituição, nicho que abriga o legado mais sombrio da ditadura.

---

[4] Quem quiser conhecer a proposta de reforma que defendo deve consultar a PEC-51, apresentada pelo senador Lindbergh Faria em 2013. Ver, neste volume, o Apêndice, p. 285-9, e também o capítulo "Debate sobre uma proposta de mudança", p. 53-83.

II. Drogas

Contra a drogafobia e o proibicionismo: dissipação, diferença e o curto-circuito da experiência[1]

À memória de Santuza Cambraia Naves e Gilberto Velho[2]

O assunto das drogas foi sequestrado pelo discurso da Justiça Criminal a ponto de nortear suas práticas. Hoje, em nosso país, é impossível fechar os olhos para as consequências: a terceira maior população carcerária do planeta, em números absolutos, mais de 700 mil presos[3], e o maior índice de crescimento dessa população, desde 2002, sendo que o subgrupo que mais cresce é o formado pelos condenados por transgressões à lei de drogas[4]. O foco socialmente seletivo da política criminal e de segurança pública incide sobre jovens pobres, com baixa escolaridade. Entretanto, a despeito da voracidade monopolizadora da Justiça Criminal e de seus dispositivos, há tempos a chamada "questão das drogas" também frequenta a

---

[1] Uma versão anterior deste ensaio foi escrita para leitura na palestra de abertura da conferência que celebrou os 58 anos da Fiocruz, em 10 de setembro de 2012.

[2] Santuza e Gilberto pesquisaram, respectivamente, a música popular e a vida nas metrópoles mas, em comum e sobretudo, nos legaram lições de abertura e liberdade de pensamento, sensibilidade para as inquietações mais fundas de nosso tempo, além e aquém de modismos, doutrinas e preconceitos. Ao mesmo tempo, foram exemplos de fidelidade aos valores que nos são caros e à amizade. Além disso, Gilberto foi pioneiro no estudo das drogas como objeto das ciências sociais no Brasil.

[3] No primeiro semestre de 2019, estima-se que o número de presos já se aproxime de 800 mil.

[4] Há alguns anos tenho escrito bastante sobre os motivos dessa concentração nos delitos relativos ao uso e ao comércio de substâncias ilícitas: combinam-se na produção desse resultado a lei de drogas e nosso perverso modelo policial, herdeiro da ditadura, em cujos termos a PM, a polícia mais numerosa, é proibida de investigar, mas instada a produzir. Como seus comandantes com frequência confundem produtividade e encarceramento, a PM se dedica a prender. Sem poder investigar, prende em flagrante, ou seja, investe no enfrentamento dos crimes passíveis de identificação em flagrante. A lei de drogas se apresenta, então, como a ferramenta mais útil na montagem desse crivo seletivo, que inverte as verdadeiras prioridades.

agenda da saúde. Mais que isso: deixou de limitar-se ao escrutínio na área científica da saúde. Tornou-se tema fundamental para quem estuda a cultura e a política.

Uma pergunta elementar se impõe: por que, ainda hoje, em pleno século XXI, quando gênero, sexo e corpo já aprenderam a falar línguas diferentes, quando a família encena arranjos imprevisíveis e a comunicação globalizada reinventa mapas e utopias, por que ainda balbuciamos o bê-a-bá dessa ladainha enfadonha, em dicção policial[5]? Seria porque muita gente se mata abusando de seu consumo? Ora, muito mais gente se autodestrói bebendo ou fumando cigarro. Nem por isso a mídia dramatiza o assombro nas manchetes. Nem por isso a pauta política é colonizada por propostas criminalizantes ou programas de higienização. Em resumo, a explicação materialista e funcional não se sustenta. Legisladores, assim como operadores do sistema de Justiça Criminal e de segurança pública, não extraem a legitimidade de suas decisões repressivas da necessidade – entendida, por sua vez, como derivação do compromisso teleológico com a preservação da vida. Não determinam a repressão para salvar ninguém, a não ser suas carreiras – com as honrosas exceções de praxe. Na melhor das hipóteses, o debate público converteu-se em uma ciranda interminável de símbolos. Na pior, rendeu-se à farsa demagógica mais desavergonhada e obscurantista.

Caso os fatos empíricos valessem, todos já teriam aprendido as lições mais triviais: segundo o Escritório das Nações Unidas sobre Drogas e Crime (UNODC), o tráfico internacional de drogas ilegais movimentou, em 2005, 320 bilhões de dólares, valor superior ao PIB de 88% dos países. Apesar dos custos bilionários, nem o consumo nem os preços foram afetados. Os únicos beneficiários têm sido o tráfico e os setores da economia que lucram com armas, equipamentos militares e instrumentos de segurança, além dos titulares políticos da moralidade dos costumes e dos governos, que precisam de inimigos para promover a coesão ameaçada por crises e descrédito.

A guerra às drogas constitui o mais escandaloso fracasso de política pública transnacional continuada de que se tem notícia, nas últimas décadas, sem que o resultado pareça importar aos governos que a implementam. O que demonstra quão valiosos são os ganhos secundários e as vantagens setoriais.

---

[5] É surpreendente que ainda sejam atuais e que seja pertinente reiterar, em 2012, argumentos que empreguei pela primeira vez 25 anos antes, em meu artigo "A política de drogas na agenda democrática do século XXI", publicado no volume coletivo organizado por Francisco Inácio Bastos e Odair Dias Gonçalves, *Drogas: é legal? Um debate autorizado* (São Paulo, Instituto Goethe/Imago, 1993).

Como afirmou o célebre liberal Milton Friedman, em 1989 (a posteridade só confirmou o que há vinte anos já era evidente):

> Após décadas de experiência, é evidente que: mais polícia, mais prisões, penas mais duras, aumento dos esforços de apreensão, mais publicidade sobre os males das drogas – tudo isso tem sido acompanhado por mais, não menos, viciados; por mais, não menos, crimes e assassinatos; por mais, não menos, corrupção e por mais, não menos, vítimas inocentes.[6]

De acordo com levantamento da Liga de Policiais contra a Proibição (Leap), os Estados Unidos já gastaram, em ações domésticas e internacionais, desde 1972, quando Nixon declarou guerra às drogas, mais de 1 trilhão de dólares[7]. Nas quatro décadas seguintes, a criminalização da pobreza avançou celeremente naquele país. Se houvesse a legalização, 2 milhões de prisões deixariam de ser feitas, a cada ano, no país – prisões que afetam sobretudo negros e latinos.

No Brasil, com a Lei n. 11.343/2006, o usuário de drogas ilícitas não pode ser preso, mas deve ser conduzido à delegacia, depois a um Juizado Especial Criminal, onde poderá receber advertência verbal, pena de prestação de serviço à comunidade, medida de comparecimento obrigatório a programa educativo ou multa. O consumo ainda é considerado crime. No Rio de Janeiro, 80% dos presos por tráfico são jovens entre 16 e 28 anos, primários; a grande maioria foi capturada em flagrante, não portava arma, não agia com violência e não tinha ligação com organização criminosa[8].

A lei brasileira não define a partir de que quantidade o porte passa a ser interpretado como tráfico, o que estende ao limite a discricionariedade da autoridade judicial. Dispondo de larga margem para avaliações subjetivas, a maior parte dos juízes termina por reproduzir as desigualdades e as discriminações que marcam a sociedade e a cultura. Os efeitos desse coquetel têm sido mais graves do que a ingestão de qualquer composto de substâncias psicoativas pernicioso à saúde.

---

[6] Milton Friedman, "An Open Letter to Bill Bennet", *The Wall Street Journal*, 7 set. 1989, citado por Marcos Rolim, *Políticas públicas sobre drogas: o papel dos municípios* (inédito, 2011). Rolim tem publicado na internet e em suas colunas nos jornais gaúchos, antes no *Zero Hora* e, atualmente, no *Sul21*, intervenções muito importantes, com as quais me identifico plenamente, aprendo e enriqueço meus argumentos.

[7] Cf. Marcos Rolim, *Políticas públicas sobre drogas*, cit.

[8] Luciana Boiteux, Ela Wiecko, Vanessa Oliveira Batista e G. M. Prado, "Tráfico e Constituição: um estudo sobre a atuação da Justiça Criminal do Rio de Janeiro e de Brasília no crime de tráfico de drogas", *Revista Jurídica*, Brasília, v. 11, 2009, p. 1-29.

Do ponto de vista antropológico, há vários mitos a desconstituir. Examinemos cada um deles:

1. A única meta das políticas públicas relativas a drogas é a abstinência.

Não se trata de um enunciado analiticamente sustentável nem normativamente defensável. Por que o mesmo corpo institucional não vê do mesmo modo o consumo de cigarros e de bebidas alcoólicas, por exemplo? Não há razão para que a maconha e a cachaça tornem-se objeto de políticas cujas metas sejam a abstinência, em um caso, e a temperança ou a moderação, no outro. Não há nada na substância material desses produtos que determine um ou outro caminho, uma ou outra finalidade. Na verdade, há outro fim no mascaramento do caráter arbitrário dessas classificações e das atribuições de periculosidade: firmar e difundir a suposição de que há base substantiva para o exercício legiferante. O objetivo é formar a crença na existência de uma base substantiva para o exercício da autoridade repressiva do Estado. O poder político encontraria legitimidade por derivar seu funcionamento da ordem da necessidade, uma vez que suas ações decorreriam de imperativos morais, racionais e ontológicos. A base material de suas decisões equivaleria a uma plataforma sólida, arremedo de ontologia ungida de valor.

Por isso, a política de drogas proibicionista é antiliberal, mesmo quando proposta e aplicada por liberais. O contrato, fundamento da visão liberal da política, rejeita absolutos e fundamentos ontológicos e afirma que as normas do convívio devem repousar sobre a negociação livre de atores supostamente iguais. Não há nada mais distante do ideário liberal do que conferir ao Estado o papel de sujeito que sabe mais do que o indivíduo qual é (e deve ser) seu desejo mais profundo e seu interesse – a salvação de sua vida e de sua alma (de sua integridade moral) –, desejo e interesse por vezes supostamente encobertos por vontades patológicas e compulsões. O Estado converte-se em médico de espíritos e terapeuta de corpos indisciplinados. Como boa mãe, seleciona com esmero a dieta mais saudável para seus súditos – hesito em empregar essa palavra, mas não faria sentido falar, aqui, em cidadãos de uma república, muito menos de uma cidade democrática.

Mesmo nos casos que mereceriam ser tratados como patológicos, nos quais o sujeito confessa sua dor, reconhece sua impotência e pede ajuda, sabemos que há um vasto gradiente que se estende da redução de danos à abstinência, experimentada, e não à tôa, dia após dia, como o comedimento exigido pela escala diminuta da precária resistência humana, exatamente para evitar a ambição desmedida da solução definitiva, cujo peso tenderia a jogar por terra todo o avanço alcançado com o esforço modesto e continuado, cotidianamente reiterado.

2. Legalizar implica liberar, o que provocaria a explosão do consumo.

"Liberar" é um verbo caprichoso que insinua convite sedutor, apologia e celebração. Sobretudo, sugere falta de limites, ausência de regras e homogeneização das situações, sem respeito a nuances e gradações, normas e valores, cautelas e negociações. O verbo soa como a abolição dos males e o estabelecimento de uma condição atemporal e estável. Nada mais enganoso. Drogas liberadas, no sentido vulgar conferido a "liberado", sentido que associa o termo à ideia de anarquia, é o que temos: nenhum controle de qualidade dos produtos comercializados; nenhuma informação sobre limites de segurança para o uso de cada substância ou sobre os riscos envolvidos; mercado instável, em que a corrupção policial, a violência e as armas atravessam o caminho de toda a sociedade, mesmo dos que não têm interesse no consumo. Legalizar é criar o avesso do caos que hoje impera e que gera prejuízos a todos – menos para os que traficam. Legalizar implica disciplinar, regulamentar, negociar circunstâncias, métodos e padrões de relacionamento.

A experiência de políticas descriminalizantes tende a demonstrar que o consumo não sofre alteração significativa. A elevação gira em torno de 1,5% e fica na média do que se verifica em outros países que não flexibilizaram sua legislação, no mesmo período.

O grande erro de quem postula a proibição é a crença em sua eficácia prática. Supõe-se, ingenuamente, que proibir significa bloquear o acesso de consumidores potenciais às drogas. Não é o que ocorre no Brasil nem em qualquer país não totalitário. O acesso às drogas continuou sendo uma realidade inabalável ao longo das últimas décadas, apesar das políticas repressivas, independentemente do volume de dinheiro investido (ou perdido) nessa guerra e da qualidade das polícias mobilizadas. O acesso não é afetado pela proibição. Por isso, flexibilizações legais não importam em expressiva mudança na demanda.

Contudo, mesmo que as mudanças fossem significativas, esse fato não justificaria a intervenção do Estado no domínio da liberdade individual ou das escolhas privadas, desde que elas não violassem direitos alheios.

Por outro lado, essa opinião é, de princípio, reforçada pela avaliação pragmática dos resultados das políticas proibicionistas.

Não é demais repetir: os efeitos negativos agregados da criminalização e do proibicionismo são muito superiores às consequências do uso ou do abuso das drogas ilícitas. Das dezenas de milhares de homicídios dolosos anuais, no Brasil, não sabemos quantos têm relação direta ou indireta com tráfico de drogas e com o tráfico de armas, pelo primeiro financiado. No entanto, estimamos que o percentual seja elevado. Assim como sabemos que a corrupção policial é alimentada pelas oportunidades de negócios ilícitos que o comércio clandestino propicia. Aduzem-se os custos financeiros e humanos impostos pelo sistema penitenciário, assim como os gastos com as instituições de segurança e de Justiça Criminal, cujas energias são em boa parte consumidas com essa vasta problemática.

Segundo levantamentos realizados pelo Leap, mesmo os malefícios decorrentes do consumo excessivo de drogas devem-se mais à mistura do que à substância original. A pesquisa que realizei para meu livro *Tudo ou nada*[9] constatou que, no começo do século XXI, entre a produção, na Colômbia, e a venda no varejo, na Inglaterra, a coca tinha sua pureza reduzida seis vezes, de 85% para 15%.

Nada do que escrevi deve ser entendido como subestimação do sofrimento que pode estar envolvido no consumo de drogas, lícitas e ilícitas. Meu argumento é simplesmente este: tal sofrimento pode justificar, por parte do Estado, cuidado, preocupação, difusão de informações, oferta de apoio para a busca de alternativas, mas não a intervenção autoritária e paternalista no âmbito da liberdade individual, quaisquer que sejam os valores reivindicados, mesmo aqueles tidos por caridosos, aliados da saúde e moralmente edificantes. Aliás, em nome da saúde do corpo e do espírito, cometeram-se abjetas e cruéis violências.

3. Não é possível adotar políticas mais firmemente descriminalizadoras antes que o concerto das nações se disponha a fazê-lo.

Essa é a melhor justificativa para o imobilismo político. Nada mais do que isso. Faço, desde que os outros façam primeiro. A inércia se esconde na ostentação teatral da responsabilidade. No flagrante de um *flash*, a convicção desponta, sob o jaquetão da autoridade, como a piscada furtiva da leviandade pueril. Ela sinaliza para os críticos que continua um deles, não traiu sua origem, mas, afinal de contas, amadureceu e, hoje, sua voz é institucional.

---

[9] Luiz Eduardo Soares, *Tudo ou nada: a história do brasileiro preso em Londres por associação ao tráfico de duas toneladas de cocaína* (Rio de Janeiro, Nova Fronteira, 2012).

Para haver avanço mundial, será necessário que cada país assuma o protagonismo na matéria e ouse. A boa notícia é que até o país sede do quartel-general da guerra às drogas, os Estados Unidos, começam a mudar sua política, e experiências de descriminalização se multiplicam em vários estados.

4. O Brasil não está preparado para a legalização das drogas.

O Brasil está preparado para milhares de homicídios dolosos e o encarceramento massivo de jovens pobres? Está preparado para conviver com o tráfico de armas que se nutre do tráfico de drogas? Está preparado para arcar com os custos de uma política irracional, ineficiente, cujos resultados sistematicamente frustram expectativas e geram efeitos perversos em larga escala? Está preparado para acompanhar o calvário dos dependentes que desejam ajuda, mas não podem contar com todo o potencial de acolhimento aberto, transparente, solidário, dos profissionais especializados e das instituições? Está preparado para testemunhar, passivamente, a farsa a que são submetidos os que compram gato por lebre e os que percorrem uma senda suicida por falta de diálogo e informações?

Não, nenhum país está "preparado" para esses horrores e não deveria aceitar conviver com eles, naturalizando-os, como tem feito a sociedade brasileira. Estaria o Brasil preparado para um salto de qualidade? Se não está, deveria preparar-se, com urgência. Nenhuma deficiência poderia justificar a persistência numa política contraproducente. Além de tudo, uma transformação na abordagem da questão das drogas constituiria parte da própria preparação que se deseja: uma preparação para recepcionar e implementar as melhores ideias, a serviço do bem comum, adaptando-se a melhores condições de vida, com mais liberdade, menos hipocrisia, menos violência e corrupção, mais responsabilidade e mais respeito pelas diferenças.

5. Há uma porta de entrada para o mundo das drogas. A mais inofensiva leva às mais destrutivas.

A imagem de uma progressão negativa, ordenada em escala de gravidade ascendente, deriva dos seguintes pressupostos: há continuidade entre as experiências de consumo; há uniformidade dos produtos, que apenas se distinguiriam pela exacerbação de efeitos de mesmo tipo; e há homogeneidade do campo em que se dão as relações entre sujeitos e substâncias, assim como entre os próprios sujeitos.

Tais pressupostos são falsos: as experiências de consumo são descontínuas, assim como os produtos e seus efeitos são diferentes entre si, do mesmo modo que os campos instaurados por relações de uso e de convivência ou negociação (de significados ou produtos) são distintos. Em outras palavras, os usuários se reúnem ou se isolam e vivenciam os momentos de consumo das diferentes drogas de formas diversas, negociando, diferenciadamente, seja o sentido da experiência, seja o acesso ao produto no mercado clandestino. Como consequência, a experiência com cada tipo de droga ilícita não corresponde a uma etapa na escala evolutiva rumo à dependência mais aguda, partindo do tapinha ingênuo no primeiro baseado oferecido por um colega e terminando com um corpo estirado na sarjeta.

A verdadeira continuidade é aquela determinada pela criminalização do uso das substâncias em pauta. A Lei uniformiza ao construir uma classificação comum, gerando a homogeneidade da transgressão. É também a Lei que separa consumo e comércio, apondo ao segundo o adjetivo hiperbólico "hediondo". A Lei estabelece limites onde nem sempre há. As categorias legais – na teia de suas aplicações (aliás, menos puras do que a cocaína vendida no varejo) – promovem distinções rígidas entre ações e atores, os quais nem sempre se diferenciam por uma divisão do trabalho estável – e menos ainda se opõem como vítimas e algozes ou criminosos ativos e personagens passivos. Nos termos do código penal, os usuários são quase vítimas – no máximo, são vistos como cúmplices involuntários, condenados ao jogo de um destino prefixado pelo congelamento do desejo. Na visão de mundo subjacente ao discurso jurídico proibicionista, todo desejo é preâmbulo de compulsão e toda experiência de uso de substância proibida é prenúncio do cativeiro do vício. O consumo antecipa e termina por cumprir o percurso de um ser débil, que orbita em torno de uma dependência idealizada e que, por isso, só encontra salvação nas mãos maternais do Estado. O usuário é passivo quando se relaciona com o criminoso hediondo e compra dele a droga. É passivo ante seu destino, ante o destino compulsivo de seu desejo. É passivo, então, ante o Estado, que lhe estende a mão, depois de adverti-lo, educá-lo e puni-lo. A punição veste a máscara da mais doce correção de modos, para o bem do pobre consumidor infantilizado. Do outro lado está o monstro, diz-nos a Lei, o perverso que, para vender a droga, seduz o consumidor e o vampiriza, inoculando, em seu espírito curioso e inexperiente, o vício degradante.

A continuidade pode ser construída por determinados grupos, sob certas condições, mas está longe de ser uma trajetória necessária. A expectativa de avanço por um gradiente em direção ao vício devastador choca-se com a densidade simbólica e prática, emocional e social, das fronteiras erguidas pelos vários universos culturais vinculados a drogas específicas.

Entre o consumo de maconha e o de cocaína, pode haver um abismo. Não por acaso, cada uma dessas experiências apresenta afinidades eletivas com distintas épocas da história recente. Para explicar essa hipótese interpretativa, cito um trecho de meu livro *Tudo ou nada*.

Numa sociedade dominada pelo mercado, em que tempo é dinheiro e quase todos os objetos e as atividades humanas são mercantilizados, a experiência e as diferenças reduzem-se a variações inscritas em uma só dimensão, como se fossem marcas sobre um contínuo. Esse contínuo é o plano da vida coletiva regido pela moeda. Nesse plano, a espessura do vivido, sua singularidade, é achatada. A tabela monetária opera a conversão entre as unidades comparadas e trocadas. Dinheiro é o comutador universal. Entre uma noite em Casablanca e uma enceradeira, pode haver um abismo de sentido. Entretanto, esse abismo se dilui, e a diferença irreconciliável dissolve-se quando valores monetários são atribuídos à noite glamorosa e ao eletrodoméstico. Por serem compráveis, são também intercambiáveis. Representam custos distintos numa escala compartilhada. A diferença se resumiu à variação de preço. A comparabilidade tornou-se irrestrita, assim como a intercambialidade. E essa tradutibilidade recíproca ilimitada acaba insinuando uma ontologia (uma espécie de condição transcendental) como caução da univocidade, assim como a linguagem insinua a unidade do mundo, que chamamos "realidade".

Claro, sabemos que a linguagem não é espelho da natureza e que a moeda prescinde de metafísica para funcionar. Não é senão um operador imprescindível para que a troca ultrapasse o escambo e a economia supere os muros da comunidade, permitindo a complexificação da divisão do trabalho, maximizando a cooperação e gerando ganhos agregados, potencialmente em benefício de todos. A moeda corresponde à introdução da razão, isto é, da medida. Historicamente, a razão concebeu-se a si mesma, conceitualmente inspirada na medida, na ideia de medida. Sabemos de tudo isso, e ainda assim os efeitos persistem: a ubiquidade da imagem (projetada e pressuposta na cultura) de uma ontologia unitária que neutraliza a diferença e, por consequência, dilui a experiência e a singularidade. Em paralelo, aprendemos que essa imagem ubíqua (a comutabilidade sem limite, a afirmação da unidade essencial que subjaz à diversidade humana e a dissipação da diferença) transcende o domínio da imaginação ou o universo simbólico: transforma-se na força propulsora da sociedade e na experiência matricial de pertencimento a essa mesma sociedade. A comutabilidade é uma realidade no mundo regido pelo mercado.

Nesse contexto, o indivíduo corre o risco de sentir-se supérfluo e perceber os outros com o mesmo desdém: as coisas e as máquinas trocam-se entre si, emancipadas, autônomas. O ator social, nesse cenário sombrio, vale por suas extensões atuais e virtuais – vale por seu potencial de comprar e vender, isto é, por seu potencial de consumidor e produtor ou intermediador desse jogo que não cessa. O tempo do indivíduo custa: ele paga para curti-lo ou o vende para ganhar o dinheiro que lhe permitirá, por sua vez, adquirir objetos ou comprar a fruição gratificante de shows, jogos, férias, viagens ou degustação culinária.

Os pontos remanescentes de fixação apaziguam a ansiedade provocada pela vasta onda que suprime a experiência e neutraliza os sujeitos. Esses pontos são os vínculos afetivos e os gestos autorais – ou criativos –, que fogem aos padrões, aos clichês e às previsões[10]. *Gestos e laços que não cabem na lógica das trocas e que desarrumam a reciprocidade previsível, as rotinas comportadas, as tabelas codificadas, o equivalente universal (monetário) e até os jogos de linguagem ordinários. Vejo os laços sociais personalizados sob o modo dos afetos e os gestos inventivos não apenas como o âmbito em que pode se dar a reinvenção de si –* self fashioning *–, se adotarmos os termos de uma estética da existência que o último Foucault redescobriu, mas também como matéria-prima para o readensamento da vida individual e para a inscrição da diferença, isto é, o estabelecimento das condições de possibilidade da experiência, sem a qual tampouco o Outro aparece.*

O que rompe a reciprocidade, desequilibra, fratura a unidade, desafina a gramática da ordem social é o excesso, a intensidade e o que é produzido e apropriado em sua singularidade irredutível, em sua diferença. Não me refiro à transgressão enquanto contraponto incluído na lógica que institui a norma. Exemplo da irrupção da diferença é o perdão, em vez da retribuição do mal com a vingança. Outros exemplos seriam os mergulhos do sujeito na alteridade – seja por meio da metamorfose, como faz o poeta, segundo Elias Canetti, seja por meio do êxtase místico. Entregar-se a miragens provocadas pela ingestão de plantas sagradas ou a transes induzidos pelo uso de substâncias psicoativas constituem modos de estender a percepção de si e da realidade até o limite da dissipação, contrapartida da simbiose com o mundo, vivenciada, nesses contextos, como reencantamento panteísta, mais do que como reificação da subjetividade.

Não digo que essas experiências sejam equivalentes, até porque tenho afirmado que, exatamente por serem experiências no sentido forte da palavra, são singulares

---

[10] Há aqui, é verdade, ecos de uma releitura idealista e neorromântica de alguns postulados do diagnóstico marxista do capitalismo.

e marcadamente diferentes (das rotinas e entre si). Contudo, a despeito da pluralidade de vias, fenômenos e significados, estamos diante de empreendimentos que, em conjunto, resistem à comutabilidade universal, à mercantilização, à colonização do mundo-da-vida pelo sistema, como diria Jürgen Habermas. As experiências dignas desse nome são, insisto, pontos de não retorno, irreversíveis, o que as aproxima da problemática do tempo, que é o outro nome da irreversibilidade. A experiência é o tempo, assim como, nesse sentido, tempo é diferença: não há unidade no tempo nem continuidade, somente reiteração (como nos ensinou Derrida), em que se embutem ação e risco, incerteza. No entanto, o tempo a que me refiro é incalculável, não se perde nem se ganha. É o tempo que risca o verniz da consciência como estrita e radical irreversibilidade. Tempo liberto do sequestro perpetrado pelos efeitos da domesticação. A domesticação cotidiana do tempo é operada por mecanismos e dispositivos tão diversos quanto relógios e aniversários, agendas e rituais, rotinas institucionais e códigos de conduta a serviço da divisão social do trabalho.

Quem busca substâncias psicoativas talvez esteja à procura de outra química consigo mesmo, de outra química para si mesmo, de outra química em suas relações com o Outro. Talvez esteja em busca da experiência, ou seja, do mergulho na diferença que singulariza. É preciso muita leviandade irresponsável ou muita coragem, a depender de como se dá essa busca e em que condições ela se efetiva. Uma coragem heroica, quase épica, porque não se brinca com fraturas e dissipações. O compromisso com esse caminho pode condenar o sujeito à afasia, porque aprender a falar de novo (na experiência a linguagem emerge alterada) pode provocar um desaprendizado, desmascarando como tais as convenções e desnaturalizando o mundo social e a vivência de si mesmo. Pode ser doloroso suspender a experiência para voltar a lidar com as rotinas.

Essa busca não deve ser idealizada, porque nem sempre entrega o que promete e pode ser destrutiva, inclusive do ponto de vista dos valores que inspiram o sujeito, como autoria e afeto. Não há garantias, e seria tão preconceituosa e empobrecedora a apologia quanto a estigmatização.

Sugiro que se compreenda a dependência (nesse caso, limito-me ao caso do uso de drogas)[11] *como curto-circuito da busca da experiência, como curto-circuito do desejo de experiência. O sujeito deseja a experiência e a procura recorrendo a práticas místicas, de meditação, de criação estética ou consumindo substâncias psicoativas. Gera*

---

[11] Reconheço na dependência dimensões biológicas, neurológicas, físico-químicas, cujo papel é decisivo na formação da sintomatologia. Entretanto, não concordo com a redução completa dessa complexa problemática a tais dimensões.

para si um núcleo gravitacional poderosíssimo, que tanto pode incitar o gesto criador e a entrega amorosa quanto pode aterrorizar, face à perspectiva da perda de controle e da própria dissipação de si – isto é, face à perspectiva de lançar-se à diferença. Lembremo-nos de que a morte é uma das figuras da alteração. A finitude é a outra face da singularidade. A morte é outro nome da irreversibilidade. E a morte assombra os mortais.

Percebendo-se à beira do abismo, precipita-se, na suposição de que já não é possível retornar, depois de ter provado o sabor da potência enigmática, mas de que é possível saltar no descontrole justamente para controlar a vida, o tempo, a incerteza. O que era disposição para a abertura converte-se em vontade de poder sem freios: hybris. *Falo em abismo porque a experiência é a voragem que energiza ou a iminência insuportável, intratável, inabordável do que não faz sentido, não cabe em narrativas, não é representável, não circula na linguagem dominante das equivalências*[12] *e aterroriza. Por que consumir compulsivamente poderia significar controle, vontade de poder sendo exercida, quando, de fato, implica perda de controle e, por isso, dependência? Creio que nada é mais previsível, nenhuma rotina é mais rigorosamente ordenada, nenhum fluxo cotidiano é tão esquadrinhado pelo impulso de controle quanto aquele de quem repete, repete e encena, diariamente, a ingestão da droga cobiçada.*

Em vez de compulsão, podemos pensar em recusa à incerteza, ao vazio produzido pela imprevisibilidade do futuro. A repetição circunscreve a potência incontrolável e desestabilizadora do tempo. O uso reiterado é um compromisso com a conservação rígida de práticas. Esse movimento duplo é complexo, contraditório, de quem busca a liberdade e se descobre cativo dessa busca, impotente para romper o círculo vicioso desse eterno retorno ao vazio, que atrai e repele, seduz e assombra. A busca pela experiência pode degradar-se em dolorosíssima obsessão pelo controle do tempo, em compulsão pela administração da incerteza. O corpo a corpo com o risco da mudança, da metamorfose, da alteração, provoca angústia visceral ao evocar a figura assustadora da finitude. O ímpeto de domesticar o futuro, de colonizá-lo emulando o passado, abole o repouso, a entrega. Creio ser dever moral dos pesquisadores compreender os dramas dos que consomem substâncias ilícitas de modo destrutivo e ajudá-los, sobretudo difundindo reflexões serenas e sensíveis à complexidade da questão. Qualquer contribuição efetiva, contudo, precisa começar com a crítica à política de drogas em vigor e ao imaginário proibicionista e criminalizante.

---

[12] O "real" de Lacan?

A cocaína no mundo, segundo Roberto Saviano

Cada um de nós tem suas admirações particulares. Roberto Saviano passou a ser como um herói para mim desde que li *Gomorra*[1] e soube de sua saga pessoal. Agora, em *Zero Zero Zero*[2], seu livro mais recente, ele foi mais longe. Saviano atua em um gênero que pinça o nervo de nosso tempo: convencionou-se denominá-lo "jornalismo literário". Para os céticos, tal título não significa *nem* literatura *nem* jornalismo. Uma espécie de dupla traição: à autonomia estética do discurso literário e à objetividade neutra do jornalismo, supostamente desapaixonado, livre da força poética das palavras e refratário à imaginação. Prefiro virar esses argumentos pelo avesso: sem o encantamento da linguagem, que requer ourivesaria estética, os relatos, por mais comprometidos que fossem com a descrição fiel da experiência, perderiam a voz, consumidos numa aridez opaca. Sem o toque da imaginação, o que seria das narrativas? Sem fantasia, o que seria do realismo? Sem a arquitetura formal que dá à literatura a dignidade da arte, o que seria da verossimilhança documental? Sem afeto, sedução, empatia e compaixão, como celebrar o pacto da objetividade com o leitor? E sem o cascalho do cotidiano e seus odores, o que seria da ficção? Além disso, Saviano é um desses exemplos raros e comoventes de bravura cívica que o cinismo militante da opinião pública se recusa a reconhecer, depois de uma salva de palmas protocolar n'alguma premiação para apaziguar nossa consciência. Afinal, reconhecer suas opções, sua trajetória e os riscos que

---

[1] Roberto Saviano, *Gomorra: a história real de um jornalista infiltrado na violenta máfia napolitana* (trad. Elaine Niccolai, Rio de Janeiro, Bertrand, 2008).
[2] Idem, *Zero Zero Zero* (trad. Federico Carotti et al., São Paulo, Companhia das Letras, 2014).

alguém assim aceita correr em nome do que um dia chamamos "bem comum" nos envolveria a todos, nos mobilizaria, nos obrigaria moralmente a dar-lhe as mãos, chamá-lo de irmão, abrir-lhe nossa casa, engajando-nos na mesma cruzada cidadã. Melhor tocar a vida. Já são muitos os nossos problemas privados. Vamos, então, à obra.

Zero Zero Zero, de Roberto Saviano, é um grande livro, cuja leitura será indispensável para quem tiver coragem de olhar nos olhos a barbárie contemporânea e repensar o que supomos saber sobre nosso tempo – e talvez sobre nós mesmos. Parece exagero? Explico meu entusiasmo. Os grandes livros, em minha opinião, são os que nos transformam, incidindo sobre a visão de mundo e os sentimentos dos leitores. Iria mais longe: são aqueles que também transformaram seus autores.

Impacto dessa magnitude sente-se quando se lê *Gomorra*, obra sobre máfias italianas que tornou seu autor mundialmente conhecido e respeitado – menos pelos criminosos, que reagiram fazendo de sua vida um inferno, obrigando-o a exilar-se e a cercar-se de escolta, dia e noite. Esse mesmo efeito transformador, em voltagem ainda mais intensa, é provocado por seu livro mais recente, em excelente tradução[3]. Entre os dois, Roberto Saviano explorou o universo literário, dialogando de outra forma com seus fantasmas. Em *Zero Zero Zero*, apelido da cocaína pura, Saviano deixa a ficção de lado, mergulha no osso do real e retoma o fio da meada maldita, seguindo o rastro de sangue e pólvora mundo afora, identificando os vestígios da crueldade mais assombrosa e desnudando o processo econômico e político que fez da cocaína o segundo negócio mais lucrativo do planeta, atrás apenas do petróleo.

"Ah! Eu sei, eu sei, mais um livro sobre drogas e violência, dinheiro sujo, corrupção, essas coisas...", talvez você resmungue, atribuindo à obra de Saviano a redundância que há tempos o afastou das tediosas páginas policiais dos jornais, que servem a ração diária de miséria humana. Antes que você desista desta resenha e do livro, porém, pergunto-lhe o seguinte: você estaria disposto a suspender sua crença de que as práticas comerciais ilegais de substâncias ilícitas constituem apenas o lado B da economia global, uma espécie de margem ou sombra da qual não há como livrar-se por completo, mas que não participa das decisões que definem nosso destino coletivo? E se eu lhe disser que não é assim que as coisas funcionam, que o lado B já se fundiu ao lado A e que o poder que a margem mobiliza

---

[3] Os tradutores são Federico Carotti, Joana Angélica d'Avila Melo, Marcello Lino e Maurício Santana Dias.

anula essa topografia antiquada e ingênua? E se eu lhe afirmar que suas noções de Estado, soberania, Justiça, legitimidade democrática, monopólio do uso da força, instituições da ordem e valores republicanos talvez precisem de um banho de realidade, um mergulho no ácido da evidência que as deformará?

Pronto, agora que conquistei sua atenção e suspendi sua expectativa a respeito do que provavelmente seria um livro sobre cocaína e suas tramas transnacionais, compartilho com você alguns dados que abalam qualquer pessoa sensata e inteligente. Em 2009, como sabemos, o mundo entrou em colapso. As dívidas eram negociadas em fluxo contínuo e a moeda eram outras dívidas, numa cadeia infinita cuja confiabilidade residia no suposto poder inabalável das instituições financeiras. Pois a hora da verdade chegou: não havia terra firme sob as vaporosas expectativas de pagamento. A bolha revelou-se o que era e desmanchou-se no ar. Ou o governo estadunidense (e logo os demais) emitia moeda e traía o dogma do livre mercado, ou outras torres tombariam: os bancos quebrariam, drenando para o ralo a economia global. O buraco inicial representava algo em torno de 1 trilhão de dólares. Naquele momento, só um setor da economia continuava a girar sem problemas de liquidez: o tráfico de cocaína, que lavou de imediato 352 bilhões de dólares, injetando esse montante nas instituições financeiras desidratadas. Cerca de um terço da liquidez mundial era dinheiro sujo de sangue. A crise demonstrou a pujança da cocaína e a vulnerabilidade do capitalismo financeiro desregulado.

São produzidas, anualmente, entre 788 e 1.060 toneladas de cocaína, segundo dados do *World Drug Report* de 2012. A maior fonte de exportação continua sendo a Colômbia, responsável por cerca de 60% da coca que circula no mundo, a despeito do desmantelamento dos cartéis de Medellín e Cali, e também das Farc, que se tornaram agentes do narcotráfico. A política de erradicação das plantações aplicada por sucessivos governos colombianos, em aliança com os Estados Unidos, solapou as bases tradicionais da economia camponesa e devastou o meio ambiente, o que promoveu a dispersão de comunidades rurais e o fracionamento da produção, tornando os pequenos produtores mais vulneráveis aos barões da droga, que intensificaram a exploração, investiram nas intermediações e elevaram a margem de lucro. O resultado tem sido o êxito de centenas de microcartéis e o fortalecimento de um deles: Norte del Vale.

A crise colombiana não eliminou a produção, mas deslocou as disputas por mediações comerciais para o México, onde mais de 70 mil pessoas já foram assassinadas na guerra interna contra o narcotráfico. Aproximadamente 20 milhões de cidadãos cruzam todo ano os 3 mil quilômetros de fronteiras que separam o país dos Estados Unidos, principal consumidor. Impossível conter os fluxos que se adaptam a todas as circunstâncias e driblam as tentativas de controle. A situação do México é particularmente dramática, porque a proliferação de grupos criminosos ampliou e agravou a disputa por domínio territorial, que corresponde ao poder sobre canais de exportação para o formidável mercado estadunidense. A partir de determinado ponto, o dinheiro não é mais contado, mas medido por peso, e se desloca com tanta rapidez e facilidade que as narcomáfias mexicanas não têm dificuldade em recrutar mercenários e cooptar militares, policiais e políticos nem em armar-se com tecnologia sofisticada e equipamentos de última geração. Essa, aliás, é a marca que se generaliza no universo da cocaína: grana e armas, poder para corromper, chantagear e matar.

Em meados dos anos 1980, Pablo Escobar, líder do cartel de Medellín, lucrava meio milhão de dólares por dia. O *capo* foi morto, seu cartel foi liquidado, mas os negócios prosperaram, em escala global, envolvendo empreendedores das mais distintas nacionalidades e organizações criminosas de todos os continentes.

Entre 2005 e 2007, a Marinha colombiana apreendeu dezoito submarinos, identificou trinta e estimou que outros cem estivessem em operação, transportando a droga pela costa do Pacífico até a Califórnia. O narcotráfico transnacional já acumulou capacidade técnica, acesso a componentes para fabricação e capital suficientes para produzir seus próprios submarinos, muitos dos quais em fibra de vidro. O arsenal inclui helicópteros M18, do Exército soviético, aeronaves mais novas, aviões de todas as dimensões, e embarcações dos mais variados tipos.

Falamos em armas e guerras com a superficialidade dos que não as vivenciam, diretamente, ainda que no Rio de Janeiro esta seja uma experiência diária para muita gente. A forte narrativa de Saviano não admite a indiferença e o tom *blasé*. Ao longo do livro, o autor nos leva pela mão aos mais variados cenários da tortura perpetrada por narcotraficantes em todo o mundo. Faz questão de nos conduzir aos escombros da modernidade, o outro lado da moeda, a face perversa da economia civilizadora: a crueldade extrema. O leitor talvez revire os olhos, como eu fiz tantas vezes, mas há ali, em cada capítulo, uma espécie de imperativo ético que nos impele a não abandonar a vítima, a acompanhar de olhos bem abertos o relato. As cenas se prolongam além da leitura, eu lhe asseguro. A crueldade não é regida pelo cálculo utilitário nem pelas paixões ordinárias. Há algo mais, ou menos, um excesso ou uma falta.

Não se trata de atavismo animal nem apego à natureza selvagem. Os animais matam para sobreviver. O universo selvagem busca a vida e, por isso, elimina o concorrente que ameaça. Não se compraz com a dor alheia. A crueldade é código exclusivamente humano. Nesse ponto, Saviano nos dá uma lição preciosa: não procurem na natureza humana essa brutalidade assombrosa. Ela se ensina e se aprende. Por isso, o crime organizado em todo o mundo, das máfias ao terrorismo, quando adota a violência como linguagem, inventa assinaturas em assassinatos, disputa com grupos rivais a intensidade dos tormentos a que submete vítimas e se mede pela habilidade em transformar seu poder em dor, medo e humilhação. Na verdade, os grupos imitam-se uns aos outros para diferenciar-se – e, quanto mais se esforçam por distinguir-se e afirmar suas marcas singulares, mais se constituem em espelhos de seus inimigos. Essa é a lógica mimética e paradoxal que rege a cultura da violência. A intensificação da brutalidade é o reconhecimento prático da própria impotência: gira-se em falso e a energia deposita-se no mesmo, por isso só resta elevar a voltagem ao limite da própria força, atestando sua subordinação à órbita do outro – do qual procurava afastar-se e distinguir-se para suplantá-lo.

E o Brasil com isso? Nosso país é o segundo maior consumidor mundial, atrás apenas dos Estados Unidos. Passam por aqui, anualmente, entre 80 e 110 toneladas de pó. Metade cheira-se aqui mesmo – estima-se que sejam 2,8 milhões os consumidores brasileiros. O resto do produto segue para a Europa e outros destinos. O aumento do consumo de cocaína verificado na sociedade brasileira tem as mesmas causas do crescimento das vendas de automóveis, cosméticos, pacotes turísticos, cerveja, carne, *smartphones* e do Viagra: a elevação da renda média. O mercado europeu também tem crescido bastante, ainda que, por lá, de modo geral, a situação econômica não favoreça a elevação do consumo. Esse é o paradoxal milagre dessa mercadoria única: ela dá lucro quando tudo vai bem, porque, afinal, tudo vai bem, e há mais dinheiro para saciar desejos individuais. E ela vai bem quando tudo vai mal, porque ninguém é de ferro e é preciso turbinar o ânimo para compensar o baixo-astral e enfrentar mais horas de trabalho ou mais tempo ocioso – angustiante, deprimente.

Vale dizer que não se paga um papelote de cocaína a prazo, com cheque ou cartão de crédito. Essa economia gira velozmente porque seu combustível é a liquidez imediata e sempre disponível. Se a demanda aumenta, nenhum problema: a oferta é elástica. Um quilo pode facilmente converter-se em dois ou três ou quatro quilos. A mágica está na mistura. Cheira-se pouquíssima cocaína no pó que se inala em Londres, Nova York, Paris, Moscou, Roma, no Rio de Janeiro ou em São

Paulo. Salvo nos salões abastados, que recebem o petróleo branco em condições especiais e pagam por isso. A pureza média da cocaína na Europa varia entre 25% e 43%. Em minha pesquisa, da qual resultou o livro *Tudo ou nada*[4], constatei que a coca sai da Amazônia colombiana com 85% de pureza (não pode ser 100% porque é necessária a adição de produtos químicos para proteger o produto da umidade e dos efeitos de algumas condições extremas) e é vendida no varejo, na Inglaterra, com apenas 15% de pureza. Ou seja, o ganho é de 600%, considerando-se o preço da mercadoria no atacado, adquirida na matriz. Claro que há custos de transporte, corrupção de agentes, a taxa média de perda etc. Ainda assim, a margem de lucro é considerável. Registre-se que a saúde dos consumidores abusivos é afetada muito mais pelos componentes misturados à coca do que pela própria substância que dá nome à mercadoria.

Em todo lugar, o consumo de cocaína democratizou-se. Enquanto as Américas ficam com 450 toneladas anuais, a Europa consome 300 toneladas anualmente. Treze milhões de europeus já usaram a droga, sendo que 7,5 milhões deles têm entre 15 e 34 anos. No Reino Unido, na última década, o número de usuários quadruplicou. Na França, entre 2002 e 2006, dobrou. Estima-se que entre 20% e 30% da produção de cocaína pura destinam-se ao mercado europeu.

As multinacionais da cocaína ramificaram-se por todas as regiões, aproveitando cada oportunidade para explorar a demanda potencial e imiscuir-se nas redes políticas, sociais e econômicas institucionalizadas. A promiscuidade com o mundo legal é seu método de autoproteção, torna-se tática de reprodução e fortalecimento, até converter-se em sua própria natureza, porque, a partir de determinado ponto, não é mais possível distinguir elos legais de ilegais, dinâmicas lícitas de criminosas. Os narcoempresários cercam-se de PhDs, gestores tarimbados que trabalham com metas e esquemas meritocráticos, operadores financeiros de primeira qualidade, sócios bem situados na arena transnacional, conselheiros econômicos e políticos refinados, com trânsito irrestrito no universo empresarial, jurídico-político e na grande mídia. O capital errante lava-se na aquisição de hotéis, restaurantes, redes de supermercados e *shopping centers*, revendedoras de automóveis e instituições financeiras e indústrias ou associando-se a empreiteiras e megaempreendimentos, inclusive nas áreas de energia, em especial petróleo e gás.

---

[4] Luiz Eduardo Soares, *Tudo ou nada: a história do brasileiro preso em Londres por associação ao tráfico de duas toneladas de cocaína* (Rio de Janeiro, Nova Fronteira, 2012).

No passado, o pó corria atrás dos circuitos do capital para parasitar o dinheiro e fertilizar a fortuna dos cartéis, ainda insulados e territorialmente circunscritos, falando, sobretudo, espanhol. Hoje, são os mercados que buscam atrair a fortuna dos cartéis e acercar-se dos narconegócios, falando todas as línguas da babel capitalista. Agora, é o dinheiro que gravita em torno do pó. Décadas atrás, o narcotráfico precisava de paraísos fiscais para lavar lucros milionários. Hoje, Nova York e Londres, Wall Street e a City são as grandes lavanderias globais, e os lucros são bilionários. O sistema bancário na matriz do capitalismo já deu mostras de que não tem grande interesse em investigar a origem de depósitos, transferências, trocas de papéis e títulos, dívidas e créditos em fluxos financeiros das mais diversas modalidades — mesmo quando essa identificação, digamos, arqueológica é viável, hipótese cada vez menos provável. A análise de Saviano é penetrante e conclusiva. Não autoriza ilusões.

O exemplo russo talvez seja o mais eloquente e dramático. Enquanto a União Soviética agonizava, as máfias preparavam-se para o dia seguinte. Grupos criminosos durante muito tempo abasteceram a despensa dos membros da Nomenklatura com contrabando de todo tipo de produto e saciaram o apetite generalizado na população por mercadorias ocidentais inacessíveis. Essa prática duradoura lhes permitiu acumular contatos estratégicos na alta hierarquia do Partido Comunista e informações confidenciais comprometedoras sobre funcionários poderosos. Contatos e informações, naqueles tempos sombrios, valiam mais que rublos decadentes.

Quando o muro finalmente ruiu e a União Soviética se desmembrou, os empreendedores mafiosos estavam prontos para agir. A riqueza estatal foi rapidamente apropriada por lobos vorazes que monopolizavam o conhecimento relativo a processos decisórios, modos de operação, quais atores estariam dispostos a assumir iniciativa e que regras do jogo seriam aplicadas. Assim, agentes empreendedores da Nomenklatura, em aliança com máfias locais, herdaram parte expressiva do patrimônio estatal soviético e legaram à etapa capitalista que se instalava um padrão violento e despudoradamente refratário aos princípios supostamente equitativos do mercado.

O negócio da cocaína, que já era próspero, mostrou-se extraordinariamente promissor. Não por acaso articulou-se com empreendimentos bilionários nas áreas de petróleo e gás. Tal promiscuidade chegou a constituir-se no eixo de conflitos entre Rússia, Ucrânia e Europa, relativos à distribuição de gás, cuja importância é vital para países europeus. Tampouco é arbitrário o fato de que um agente-chave nessa rede estratégica, o megamafioso Mogilevich, antes de ser desmascarado, tenha assumido o controle de um banco russo de prestígio internacional, o Inkombank, entre 1994 e 1998. Sua rede de contas envolvia o Bank of New York, o Bank of China, o suíço UBS e o Deutsche Bank. Outras histórias estão em curso, furando bloqueios e contando com parcerias insuspeitadas.

Reitero o ponto: dadas a magnitude, a escala e a complexidade dos fluxos financeiros provenientes do narcotráfico, tornou-se impossível separar o joio do trigo, mesmo quando há interesse em fazê-lo por parte de agentes financeiros, policiais, jurídicos e políticos. A dinâmica do capitalismo financeiro globalizado e a agilidade dos narconegócios, turbinados pela instantânea liquidez de suas operações, gestaram um novelo inextricável. Quanto mais a economia se desenvolver, mais se potencializará o narcotráfico – seja na ponta do consumo, seja por sua articulação orgânica com a economia legal. Na escala multibilionária dos mercados globais, a diferença entre legal e ilegal foi condenada à obsolescência, o que nos deixa diante de um dilema do tamanho do planeta: ou legalizamos as drogas e purgamos o veneno letal que infecciona e intoxica governos, instituições e sociedades, ou continuamos a pavimentar o caminho para a destruição de governos, instituições e sociedades, crescentemente destroçados pela corrupção e pela violência.

III. Raízes da violência

Raízes do imobilismo político na segurança pública[1]

A sociedade brasileira tem sido capaz de promover transformações profundas nas mais diversas esferas de sua experiência coletiva, mas permanece inerte e impotente ante alguns problemas históricos que persistem, entre os quais a insegurança pública, para a qual contribui a brutalidade letal do próprio Estado. Para que se tenha ideia da magnitude do problema, apenas no estado do Rio de Janeiro, de 2003 a 2017, 13.387 pessoas foram mortas por ações policiais, quase todas jovens, pobres, moradoras de territórios vulneráveis, a grande maioria composta de negros. O número de casos que suscitaram investigação policial efetiva e denúncia, por parte do Ministério Público, é ínfimo. A Justiça, que só age quando provocada, a não ser em matéria política, abençoou a omissão cúmplice, assim como a atuação criminosa. Enquanto isso, as máfias policiais, chamadas milícias, continuam expandindo seus negócios e as áreas sob seu domínio. O tráfico de armas não cessa de crescer, e os milhares de desaparecimentos prosseguem, ano após ano.

Na raiz dos problemas estão as desigualdades abissais, o racismo estrutural e a arquitetura institucional da segurança pública, estabelecida pelo artigo 144 da Constituição, que atribui à União poucas responsabilidades (salvo em crises), não confere autoridade relevante ao município (na contramão do que ocorre nas demais áreas) e concentra praticamente todo o poder nas polícias estaduais, ordenadas segundo modelo que fratura o ciclo de trabalho e, por seu desenho

---

[1] Este ensaio foi originalmente publicado em *Interesse Nacional*, ano 5, n. 20, jan.-mar. 2013. Foram feitos cortes para evitar redundâncias, além de algumas atualizações de dados e reflexões.

incompatível com as funções atribuídas, condena as instituições à ingovernabilidade e à mútua hostilidade.

Apesar do amplo consenso entre profissionais da área quanto à irracionalidade da arquitetura institucional[2], em especial do modelo de polícia, nenhum passo objetivo foi dado em direção à reforma, ainda que tenha havido esforços isolados[3].

Nesse contexto em que o desempenho é negativo, as estruturas não potencializam as competências profissionais mobilizadas, a maioria dos policiais desaprova o modelo institucional e a sociedade manifesta sua inconformidade, sistematicamente, ante a gravidade da insegurança pública, por que não logramos, enquanto nação, promover mudanças profundas e inadiáveis? Por que os poderes públicos têm sido incapazes de encetar uma iniciativa concertada? É fato que há *lobbies* atuantes de delegados e oficiais contrários a mudanças. É verdade que o consenso mínimo não foi negociado entre todos os atores pertinentes e que a sociedade mantém-se crítica, mas não se envolve na formulação de alternativas. Mesmo assim, permanece enigmático o imobilismo das lideranças políticas ante a agenda urgente da segurança.

Visando a lançar as bases de uma análise mais profunda, que ofereça hipóteses explicativas sobre a inércia nacional diante da complexidade da insegurança, convido os leitores a uma reflexão multidimensional sobre nossa história recente.

Em 2018, completaram-se trinta anos de vigência da Constituição Cidadã, em cuja letra instituiu-se o Estado democrático de direito, consagrando, formalmente, o vasto repertório de conquistas históricas que a resistência à ditadura acumulara, as negociações políticas viabilizaram e o árduo aprendizado coletivo ensejou. Não é pouca coisa: três décadas de experiência em novo ambiente normativo, sob nova moldura institucional, recuperando o tempo perdido, atando linhas de tradição rompidas pelo arbítrio do regime militar, calibrando expectativas que idealizaram a transição e abrindo picadas e horizontes para os complexos e inusitados desafios contemporâneos na arena global. Mesmo sabendo-se que o pacto constitucional

---

[2] Segundo a pesquisa "O que pensam os profissionais da segurança pública no Brasil", que realizei com Marcos Rolim e Silvia Ramos, graças ao apoio do Pnud e do Ministério da Justiça, em 2009, na qual registramos a opinião de 64.120 profissionais da segurança pública em todo o país, 70% são contrários ao modelo policial fixado pelo artigo 144 da Constituição.

[3] Na primeira unidade deste livro, tratei de uma iniciativa que julgo importante, a PEC-51, apresentada ao Senado Federal pelo senador Lindbergh Farias, em 2013.

foi profundamente abalado pelo *impeachment* da presidenta Dilma Rousseff, em 2016, e está sendo testado com radicalidade pela vitória eleitoral de Bolsonaro, ainda resiste como o marco institucional a nos proteger da ditadura.

Esse período de trinta anos, curto em perspectiva histórica, foi, porém, intenso e denso. O tempo compactou-se e acelerou transformações estruturais, promovendo uma espécie de vertigem ontológica, cujas manifestações alcançaram a sensibilidade, os valores, as dinâmicas intersubjetivas, as relações sociais e os processos econômicos. As temporalidades na vida social não são unívocas, unidimensionais e contínuas nem correspondem a mensurações isomórficas e universalizáveis. No Brasil, entre o período da ditadura e o fim do primeiro governo Dilma, em 2014, antes da emergência da crise, um rio caudaloso de mudanças – das quais talvez não nos tenhamos dado conta, suficientemente – carregou-nos para longe de nós mesmos ou do que supúnhamos ser como nação e do que pensávamos ser como atores. O fluxo arrastou cenários, embaralhou papéis e passou a exigir que reescrevêssemos a dramaturgia para a sociedade das próximas décadas numa linguagem arejada, liberta de velhos fantasmas e de suas correntes enferrujadas. Certamente, dilemas atávicos persistiam. Contudo, até mesmo eles assumiam outras formas e significações no novo contexto. Os problemas permanentes e endêmicos também exigiam descrições em novas linguagens. Onde estava a fonte fresca de água cristalina para a língua jovem estalar a pronúncia da palavra livre? Era a pergunta que nos fazíamos. Mapas não havia. Teriam de ser feitos *a posteriori*, admitíamos. Bússolas não havia. Entretanto, pensávamos ter a razão a nosso lado, ao lado do processo civilizador que as três décadas pareciam tornar real, tangível, realizável. Sobretudo, nos sentíamos mestres da razão argumentativa, que buscávamos esgrimir como campeões das virtudes democráticas. E dispúnhamos ainda, supúnhamos, de alguma coragem cívica, alguma ousadia intelectual. Ou não teríamos chegado até ali vivos, criativos, com esperança e bons motivos para cultivá-la. Éramos, enfim, puro otimismo da vontade, sem o gramsciano (e indispensável, como logo descobriríamos) pessimismo da razão.

Mas o rio caudaloso das mudanças promissoras cruzou com a maré montante do ultraconservadorismo transnacional, com erros dos governos progressistas, com as ondas eriçadas da cobiça do império pelo pré-sal, com a sofisticação crescente e a audácia incontida das agências de espionagem estadunidense, com as novas armas da guerra híbrida, com a hiperpolitização do Judiciário, aquecida pela agenda neoliberal extremada, e a pororoca resultante nos mostrou quão parcial – embora não ilusória – era nossa percepção triunfalista. O Brasil haveria de ser aquele mesmo, sombrio, desigual, racista e autoritário, por muito tempo, e as expectativas por uma democracia plena, aberta à dinâmica de seu constante aprofundamento, teriam de ser adiadas para um futuro indefinido. Os avanços acabaram produzindo um efeito paradoxal: espectros arcaicos do racismo e do elitismo, da LGBTfobia, da misoginia, e tantos outros, perderam o pudor e saíram do armário em que a dinâmica progressista os confinara. E estão entre nós, a nos assombrar e ameaçar. Não há como dormir com um barulho desses. Melhor assim, estaremos em vigília, os democratas, resistindo. Uma das formas de resistir é seguir pensando. Pensemos, pois, em nosso país, abrindo sobre nós as asas da história para que nos salvemos do claustro conjuntural, coalhado de cinzas e sombras.

O capítulo anterior à conjuntura democrática pós-1988 não se esgotou no regime político autoritário. Foi marcado por vários processos socioeconômicos e culturais relevantes, em especial por um fenômeno anterior a 1964, que completou seu ciclo sob a névoa discricionária. Refiro-me à migração interna e ao deslocamento do eixo de gravidade nacional do campo para a cidade. Importa destacar mais do que a natureza do processo, a escala, a velocidade e as implicações. O Brasil era 75% rural nos anos 1950 e se tornaria 75% urbano ao longo dos anos 1970. Sociologicamente, deu-se um deslizamento de placas tectônicas de efeitos extraordinários.

O saudoso professor Vilmar Faria* chamava atenção para o caráter excepcional do fenômeno, que talvez só encontrasse paralelo na União Soviética dos anos 1930. A magnitude demográfica e a concentração temporal conferiram ao caso brasileiro singular significação. Acredito que não seria leviano afirmar que as ciências sociais brasileiras não chegaram a aplicar-se com a atenção necessária sobre as consequências dessa transformação, considerando as condições em que se realizou. Ou melhor, não cessou de fazê-lo – uma vez que os impactos da "urbanização acelerada" projetaram-se sobre praticamente todas as questões sociais

---

* Vilmar Faria (1941-2001) graduou-se em sociologia e política na Universidade Federal de Minas Gerais em 1964, fez mestrado na Escuela Latinoamerica de Sociologia da Facultad Latinoamericana de Ciencias Sociales, em Santiago (Chile), e doutorado na Universidade Harvard (Estados Unidos) sobre ocupação marginal, emprego e pobreza no Brasil urbano (1976). Foi professor titular do Instituto de Filosofia e Ciências Humanas da Unicamp, diretor da Fundação do Desenvolvimento Administrativo (Fundap), presidente da Associação Nacional de Pós-Graduação e Pesquisa em Ciências Sociais (Anpocs) e do Centro Brasileiro de Análise e Planejamento (Cebrap). Com trabalhos nas áreas de estudos urbanos, demografia, emprego e técnicas de pesquisa, é considerado, junto com Ruth Cardoso, o principal mentor dos programas sociais do governo Fernando Henrique Cardoso. (N. E.)

subsequentes –, subestimando, no entanto, a conexão entre seus objetos e a profundidade da desestabilização identitária e da desorganização das referências valorativas e prescritivas provocada pela transição migratória.

Passar a viver na cidade implica revolucionar as relações de trabalho, envolver-se em diferentes ambientes normativos e em distintas experiências com o tempo e a natureza, submetendo-se a outras disciplinas e rotinas. Mudar para o meio urbano implica também redefinir a relação com a religiosidade, com os rituais e com a família – a mudança incide sobre o sentido que se atribui ao conceito de família e ao modo como se vivenciam os laços familiares. Transformam-se os significados da propriedade, os vínculos com a terra, a casa, a vizinhança, assim como as modalidades de consumo. Instalar-se na cidade tende a provocar a renúncia a tradições, a pautas morais, a concepções sobre autoridade. O convívio com a complexidade urbana promove a mudança na visão relativa a justiça e lealdade, nas percepções a respeito das instituições públicas e nas próprias ideias sobre a distinção entre público e privado. Mudam comportamentos, sentimentos, imagens de si e do outro, crenças, compromissos, gramáticas (individuais e coletivas) de construção da memória, projetos para o futuro, critérios de juízo sobre certo e errado, belo e repulsivo, verdadeiro e falso, aceitável e inaceitável, natural e antinatural, honra e desonra, masculino e feminino, superior e inferior. Nessa travessia, a impressão com frequência é a de que as "garantias ontológicas" – as colunas da fé que sustentam o mundo em que se crê, a que se dá o nome "realidade" – fenecem, porque desmoronam as estruturas de plausibilidade em que se apoiam as convicções pessoais. Nesse quadro, tudo pode ruir. A segurança mítica do universo parece ingressar numa zona instável, como se oscilasse, ameaçando a solidez de tudo o que há. Vive-se a angústia do colapso iminente. Não se trata (apenas) do colapso material, econômico e financeiro, com ruinosas consequências para a própria subsistência, quando as contas não fecham, empregos não há ou o trabalho (informal) não rende o indispensável. Trata-se de uma insegurança mais radical.

Claro que há o outro lado das migrações internas e da urbanização vertiginosa. A condição social que corresponde ao ponto de partida da viagem para a cidade não deve ser idealizada. A cidade só atrai se e na medida em que o campo expulsa; a cidade seduz porque o campo representa miséria e estagnação; a cidade brilha porque a tradição talvez seja vivida como obscurantismo opressivo; a cidade torna-se convidativa porque, no meio rural, o trabalhador é explorado; migrar afirma-se como opção porque ficar deixa de ser uma possibilidade ou porque, na ausência da reforma agrária, a fronteira agrícola permanece bloqueada para imobilizar a força de trabalho e beneficiar a especulação e a grilagem. Em outras palavras, a desestabilização radical provocada pela urbanização acelerada pode acarretar a contraditória promessa da libertação. A perda de referências eventualmente significa quebrar cadeias. A dissolução de convenções também representa a expansão do cardápio das escolhas e mais espaço para o exercício da individualidade. Economicamente, dependendo das circunstâncias e dos desdobramentos, pode implicar melhoria da qualidade de vida e ampliação de expectativas.

Contemplados os dois lados desse processo, conclui-se que, independentemente das avaliações que a posteridade autoriza, a sociedade brasileira foi sacudida por transformações profundas, cujos efeitos alcançaram o mais recôndito da vida privada e o domínio mais remoto da experiência de si dos sujeitos. Observe-se, ainda, que o sofrimento precipitado pela violência do fenômeno não encontrou a compensação de uma trama institucional tecida por um generoso *Welfare State*. O Brasil atravessou a tormenta sob ditadura – sem canais orgânicos de representação popular, portanto –, cuja política econômica promovia a concentração de renda e o aprofundamento das desigualdades.

Os aspectos negativos desse quadro não foram amenizados pelo declínio progressivo do regime militar – ao longo da segunda metade da década de 1970 até os primeiros anos da década seguinte –, uma vez que o fator provavelmente decisivo para o enfraquecimento político da ditadura era a crise econômica, cujo impacto sentia-se mais intensamente nas camadas populares. A surpreendente votação do partido de oposição, o MDB, em 1978, corroeu a força do regime em termos políticos, mas talvez expressasse mais inconformidade com a decadência econômica do que indignação com a tirania, ainda que este componente estivesse presente. De qualquer forma, a leitura democrática se impôs graças à hábil operação das lideranças oposicionistas, que disputaram com vigor a tradução pública dos resultados eleitorais.

A tímida "descompressão" política, iniciada pelo general Ernesto Geisel, sucedida pela "abertura lenta e gradual", ainda sob a regência de Golbery do Couto e Silva e, depois, pela estratégia da transição negociada, já no governo do general João Figueiredo, encontrou nas eleições para os executivos estaduais de 1982 uma oportunidade de inflexão e fortalecimento. O avanço obtido aí seria complementado na campanha por eleições "diretas já" para a presidência da República, em 1984, a despeito da derrota do projeto de Lei no Congresso Nacional. O amplo apoio popular à "emenda Dante de Oliveira" pavimentaria o caminho de Tancredo Neves ao Palácio do Planalto, que o destino obstou na undécima hora.

Inaugura-se um período voltado para a solução do impasse da dívida externa e da inflação, cujos efeitos perversos se derramavam sobre o conjunto da sociedade, desorganizavam o Estado, em todos os níveis, e bloqueavam a retomada do crescimento ou eventuais arremedos de política social distributivista. Anos difíceis que formariam a chamada "década perdida". As desigualdades sociais competiam com o controle da inflação pelo privilégio de ocupar o centro da agenda pública. O dilema teria de aguardar o Plano Real, em 1994, nos governos Itamar Franco e Fernando Henrique Cardoso, para que o nó da moeda fosse desatado, o país se tornasse governável e estratégias distributivas voltassem a reclamar prioridade, dessa vez com chances de efetiva e consistente implementação, como demonstraria o governo Lula. Permaneceram, entretanto, (relativamente) excluídos da pauta (ou insuficientemente incluídos) alguns temas-chave para o presente e o futuro, como a sustentabilidade e a segurança pública, o racismo estrutural e as desigualdades abissais.

Ainda quanto aos anos 1980, há dois itens a destacar, uma vez que são particularmente relevantes para a intensificação da violência no Brasil. Um deles diz respeito a processos sociais; o outro, à dinâmica político-institucional.

A evolução das lutas políticas rumo à democracia, que encontraria seu desfecho na convocação da Assembleia Nacional Constituinte, pelo menos na primeira etapa, foi acompanhada por dinâmicas econômicas e sociais que apenas desdobraram a crise e aprofundaram a curva declinante responsável (conjugada a outros fatores) pelo eclipse da ditadura. Enquanto esforços mais virtuosos dos atores sociais, individuais e coletivos, visavam a conferir confiabilidade e legitimidade à representação política e à institucionalidade nascente, o ceticismo prosperava – sobretudo entre os que pagavam o preço mais elevado pela estagflação –, contagiando a opinião pública como uma epidemia. O descompasso entre esperança política, inauguração de um novo tempo democrático no nível das instituições e indignação quanto à qualidade de vida produziu a sobreposição de duas dicotomias que parecem remeter ao DNA do país, dada a presença insidiosa de ambas, independentemente de mudanças institucionais (o que não reduz a importância fundamental destas últimas, apenas aponta seus limites, face a determinadas características estruturais da sociedade brasileira).

A primeira dicotomia suscitou, alguns anos depois, a criação do neologismo "Belíndia", com o qual o economista Edmar Bacha descreveu o abismo que dividia a sociedade brasileira. Por mais que os dois Brasis se articulassem e que o desenvolvimento se alimentasse da fome, como dissera Francisco de Oliveira, em sua crítica à razão dualista, a face indigente do país não cumpria simplesmente um papel funcional.

Outra dicotomia notória distingue o país legal e o país real. Houve sempre enorme distância entre o que as leis determinam e o que se faz, com o beneplácito de autoridades públicas. Além de não se cumprirem, elas não se realizam de modo previsivelmente seletivo, de acordo com fatores óbvios: classe, cor, gênero e território. Ou seja, a aplicação das leis é submetida à refração imposta por crivos seletivos bastante específicos, nada aleatórios. Por essa mediação, as desigualdades nacionais estendem-se ao campo do acesso à Justiça, filtrando a fruição dos direitos. Esse enviesamento do poder público espelha e realimenta padrões hierárquicos e discriminatórios de comportamento, comuns em nossa sociedade que tão tardiamente aboliu a escravidão. O exemplo mais notório foi estudado por Roberto DaMatta nos anos 1970[4]. Refiro-me à pergunta "você sabe com quem está falando?", que o membro da elite dispara contra quem ignora privilégios, especialmente contra a autoridade que ousa aplicar a Lei sem favoritismos.

O resultado da iniquidade é o descrédito, nos meios populares, das leis, da Justiça, do Estado e da própria ideia de legalidade, à qual se deixa, assim, de atribuir sentido universal e valor. Se o Estado, suas instituições e os representantes de tais instituições não agem como se todos fossem de fato iguais perante as leis – mesmo quando estas incorporam, em seu conteúdo, o compromisso democrático com a equidade –, as vítimas reais e potenciais da iniquidade serão estimuladas a jogar o jogo da farsa e do cinismo com a mesma moeda, adotando padrões de comportamento compatíveis com a instrumentalização da legalidade, a serviço de interesses privados e circunstanciais. Nem todos o farão, a maioria não o fará; entretanto, mesmo para os renitentes adeptos da ordem, independentemente de seu conteúdo, *norma* e *valor* habitarão universos distintos. Quando digo norma e valor, digo Estado e moralidade, política e ética. Em outras palavras: do ponto de vista popular, graças à reiteração continuada de práticas iníquas de agentes e agências públicas relevantes, de um lado há aquilo que não presta, o jogo de cena,

---

[4] Roberto DaMatta, "Você sabe com quem está falando?", em *Carnavais, malandros e heróis: para uma sociologia do dilema brasileiro* (Rio de Janeiro, Zahar, 1979).

falso e interessado, a manipulação do Estado pela mediação de ações ostensivas de seus agentes ou representantes; de outro lado, a vida de cada um, a família, a comunidade, o trabalho, a religião, tudo aquilo que é digno de respeito.

Registre-se que a população a que nos referimos não estava, por assim dizer, em repouso histórico; tampouco contava com referências identitárias e simbólicas consolidadas; muito menos dispunha de repertório consagrado e amplamente compartilhado de narrativas sobre sua experiência coletiva. Vale lembrar que essa população concluía, nos anos 1980, outra e mais tormentosa transição, em cujo percurso agitavam-se, como vimos, placas profundas da arqueologia social.

A dicotomia expressa na categoria "Belíndia" não é a mesma designada pela oposição "país legal e país real". Referem-se a dimensões diversas da vida brasileira. Contudo, dialogam entre si, remetem uma à outra, porque, afinal de contas, nossos "indianos" sabem que somente nosso lado Bélgica vive sob a guarda da legalidade, fruindo a garantia dos direitos, enquanto sobre si recai o rigor na cobrança dos deveres. Há, em síntese, uma correspondência, porque são sempre os mesmos que pagam o preço das desigualdades, na distribuição assimétrica de poder e riqueza ou nas práticas cotidianas dos agentes do Estado, desde a abordagem policial até o acesso à educação e à saúde.

A correspondência entre as duas dicotomias se converte em exata sobreposição quando a experiência popular do desamparo, da impotência e da indignação coincide com a celebração inaugural dos novos marcos legais. Na crise aguda posterior às desilusões com o Plano Cruzado – desativado logo depois das eleições de 1986 –, que corresponde ao período constituinte, configura-se uma conjuntura complexa e ambivalente: gestos virtuosos e comoventes, como a proclamação democrática de Ulysses Guimarães, erguendo a nova Carta como quem desfralda a bandeira da civilização contra os vestígios da barbárie, gestos e vozes cujas reverberações simbólicas remetem a dimensões proféticas do imaginário coletivo, espargindo carisma na cena política, convivem com a explosão inflacionária, o aumento do desemprego, o aprofundamento das desigualdades, a decadência dos indicadores sociais, a intensificação da violência, o incremento desgovernado dos grupos de extermínio e a multiplicação das execuções extrajudiciais. Aurora e crepúsculo se justapõem, recobrindo a paisagem feérica do primeiro dia com a luz sombria de um exangue sol noturno.

O novo tempo prometido, longamente ansiado, abria as cortinas para o melancólico espetáculo das repetições. A dramaturgia das mudanças estreava sob o signo da continuidade. A aridez da realidade, nas camadas populares, sepultava esperanças. A legitimidade política densa, vivida com emocionada identificação, ao longo do sacrifício de Tancredo, cujo martírio evocara o calvário de Cristo, era erodida no ritmo da desvalorização da moeda, do salário e da dignidade do trabalhador. Em 1988, restava pouco solo fértil para a nova semeadura política, uma vez que retornavam a Ítaca os argonautas da odisseia democrática. Ulysses receberia votação humilhante na eleição presidencial de 1989. As urnas consagrariam um aventureiro de opereta.

Pouco antes, em 1985, a juventude excluída, em versos mais bem-humorados do que ressentidos, e certamente eloquentes, cantava: "Nós vamos invadir sua praia"*. Promessas traídas viravam ameaças, graças à canibalização estética. O sonho feliz de cidade, esvaziado, virava convite irônico a compartilhar pesadelos. No entanto, os cariocas ainda esperariam alguns anos até que os "arrastões" dramatizassem a "passagem ao ato"[5]. Enquanto isso, divertiam-se com as caras pintadas, faziam coro aos linchamentos, indignavam-se, endividavam-se, escarneciam.

Em poucas palavras, a sobreposição das duas dicotomias dilapidou a força instituinte da nova Constituição e do ritual que a promulgou, neutralizou a percepção da mudança, reduziu sua potência. A coincidência referida impediu a difusão de uma leitura razoavelmente consensual, na sociedade, sobre as virtudes da nova institucionalidade, a despeito do fato de que o passado continuava a se reproduzir. Uma leitura que separasse o joio do trigo e evitasse que o desapontamento popular jogasse fora a criança com a água do banho. Uma interpretação que apreendesse a especificidade dos novos marcos legais e não os confundisse com o processo socioeconômico em curso no país. A coincidência entre as duas dicotomias submergiu a transição nas águas turvas da continuidade, diluindo seus contornos, sua identidade, seu sentido histórico, esmaecendo as fronteiras entre o passado ditatorial e o Estado democrático de direito, que emergia sublimando a oposição entre os respectivos valores, apagando limites que serviriam de referências indispensáveis para a reorientação dos agentes do novo poder público.

A recusa do Partido dos Trabalhadores (PT) a endossar a Constituição, nesse contexto tão difícil, contribuiu para o enfraquecimento de seu potencial transformador e, sobretudo, reduziu as chances de que viesse a exercer um impacto positivo

---

* "Nós vamos invadir sua praia" é a canção que dá título ao álbum de estreia da banda paulista de rock Ultraje a Rigor, lançado em 1985 pela gravadora WEA. (N. E.)

[5] Expressão psicanalítica que designa a transposição de fantasia transgressora para a prática.

na percepção da sociedade a respeito da representação parlamentar, da política institucional e da atividade legislativa. O preço da perda dessa oportunidade histórica de conferir credibilidade às instituições políticas seria acertado mais tarde. Naquele momento era mais fácil pôr-se ao lado do senso comum popular cético, ainda que o custo desse posicionamento fosse a depreciação da própria política no imaginário coletivo, colocando em risco a democracia nascente.

No dia seguinte ao sepultamento formal da ditadura, tendo sido promulgada a Constituição, os poderes do Estado emitiam um sinal democrático, cuja mensagem definia os indivíduos como cidadãos e os convidava a participar do novo momento da vida nacional, compartilhando direitos. Por outro lado, a experiência na rua, na esquina, emitia sinais opostos, cujo conteúdo reafirmava a arcaica desigualdade de tratamento: o policial uniformizado, manifestação mais tangível e visível do Estado, agia com a violência de sempre nos territórios populares, abordando, de forma seletiva, pobres e negros. A distinção manifestava-se dramaticamente nas ruas, mas não se resumia à esfera das ações policiais. A dubiedade dos sinais produzia aquilo que psiquiatras e psicanalistas denominam dupla mensagem e cujo efeito é a desestabilização psíquica do receptor.

No caso brasileiro, em que a experiência perturbadora foi (e ainda é) vivida em massa, as consequências foram, por um lado, a construção cultural de uma blindagem de ceticismo ao redor da palavra do poder; por outro, a apropriação manipuladora antagônica dos princípios universalistas, submetendo-os aos interesses privados sem pudor ou, no limite, a substituição do discurso pela força. Se a palavra (o princípio, a Lei) é mero instrumento de domínio em sua aplicação cotidiana, por que não recorrer diretamente a instrumentos mais práticos e, digamos, contundentes? A violência parece autorizada pela duplicidade que marca o comportamento do poder – o qual, desprovido de legitimidade, por revelar-se falso e falsificador, reduz-se à rusticidade selvagem e francamente interessada da força.

Militantes das lutas democráticas sonharam com a difusão ampla, geral e irrestrita da cultura cívica laica, com a promoção de um casamento indissolúvel entre o Estado democrático de direito e a sociedade brasileira. Não foi o que aconteceu, em parte, creio, pelos motivos expostos. Certamente, muitos elementos derivados da cultura cívica laica, individualista e solidária, politicamente liberal, enraizaram-se na sensibilidade popular. Convivem, porém, com valores nem sempre coerentes com o respeito às diferenças e nem sempre refratários às desigualdades. Assim como as práticas de agências públicas – a despeito de inegáveis avanços – persistem tão desiguais quanto as estruturas econômico-sociais.

Bombardeados pela desconcertante dupla mensagem que incidiu sobre suas sensibilidades coletivas em transição, e ainda em busca de novas narrativas que dessem conta de sua acidentada história recente, os segmentos populares não pareciam suficientemente atendidos pelos repertórios religiosos disponíveis. A grande narrativa católica talvez se revelasse incapaz de suscitar uma postura apta a fruir o que a vida oferecia, enfrentando as dificuldades para vencê-las, em vez de resignar-se. A versão tradicional tendia a ser interpretada como um estímulo a aceitar o sofrimento como forma de purgar os pecados e, sacrificando-se, alcançar a salvação espiritual. A versão progressista, inspirada na teologia da libertação, propunha um posicionamento ativo, cujo fundamento era a crítica da sociedade capitalista e a recusa à vida como ela era, ao mundo como se apresentava. Nos dois casos, o fiel popular era descrito como vítima – fosse do enigmático capricho divino, fosse da exploração econômica. As diferenças diziam respeito ao dilema: conformar-se ou empenhar-se na mudança?

No credo socialista cristão, não se tratava de mudança das condições objetivas de vida, mas das estruturas que determinavam a existência de tais condições, o que envolveria a renúncia aos bens materiais, aos valores materialistas e consumistas e aos critérios de julgamento sobre a realização pessoal desejável, a qual só seria alcançada no âmbito coletivo. Na versão ortodoxa, a redenção se dá no reino do espírito, fora do mundo material. Na versão heterodoxa, a salvação acontece fora do mundo materialista. Em ambos os casos, os símbolos insistem em renúncia e vitimização, propondo a recusa da vida como ela é ou como se apresentava aos fiéis naquele momento histórico.

Por outro lado, como vimos, à cultura cívica laica, enredada na esquizofrenia política da dupla mensagem, faltava o encantamento profético do carisma, fonte de promessas e esperanças motivadoras.

Talvez se encontre aí a razão para a emergência do fenômeno mais importante na cultura popular brasileira dos últimos trinta anos: a adesão em massa a igrejas evangélicas. Sem prejuízo da imensa diversidade escondida sob um mesmo título, creio ser possível arriscar uma hipótese interpretativa sintética: o trabalhador precisa contar com uma narrativa que atribua sentido positivo, afirmativo, ao mundo real e à vida como ela é, de tal modo que as eventuais conquistas sejam acessíveis em seu tempo de vida útil. Precisa contar a si mesmo uma história em que não figure como vítima, na qual os objetos de seu desejo não sejam depreciados, em que atue como protagonista e mereça reconhecimento. Precisa de uma crença que o faça sentir pertencente ao mundo e o reassegure. Precisa que a vida como ela lhe aparece não seja reduzida a uma torpe indignidade dos poderosos ou a um truque divino. Maculados a vida material, o dinheiro e os bens materiais, ele e a família estarão inapelavelmente conspurcados enquanto viverem. Ou, na clave revolucionário-sebastianista, enquanto a grande mudança não vier.

Essa leitura faz do mundo evangélico uma grande conspiração conservadora? Não necessariamente, ainda que as religiões mundanas sejam, por natureza, mais próximas da ética do trabalho e das orientações pragmáticas, como nos ensinou Max Weber. Tudo se passa como se parte expressiva do povo brasileiro dissesse a si mesmo: se o capitalismo veio para ficar, joguemos o jogo e empreguemos seu vocabulário, desde que amparados por parâmetros morais que imponham limites aos apetites vorazes, à soberba, à ostentação e ao abuso dos outros. Afinal, talvez o dinheiro nem sempre seja sujo e "vencer na vida" não seja uma blasfêmia competitiva e egoísta. Respondamos à dubiedade do Estado com nossa postura severa e reta. Enfrentemos a plasticidade de situações informais e amorfas, tão próprias às manipulações iníquas, com o rigor de nossa disciplina. Não nos detenhamos, contudo, à espera da redenção utópica nem nos postemos à beira do caminho, clamando por piedosa indulgência e caridade paternal: avancemos para o interior desse mundo com energia e muita ambição.

Dessa visão de mundo que conquista mais adeptos a cada dia, no meio popular, na nova classe média (imersa em crise profunda desde 2016), nas camadas médias tradicionais, deriva um clamor por ordem, estabilização de expectativas, respeito a contratos e regras do jogo, de que a segurança pública constitui o conceito e a síntese prática. Essa demanda nada tem a ver com brutalidade policial nem com práticas iníquas da Justiça Criminal. Pelo contrário, essa demanda é essencialmente contraditória com as ideias que justificam ações arbitrárias – o que não tem sido compreendido por políticos demagógicos e populistas.

No domínio especificamente político, deve-se destacar a natureza do pacto político que viabilizou a transição para a democracia. As lideranças militares negociaram de uma posição de força, a partir da qual calibraram o *timing* e a extensão da "descompressão". Os líderes civis não ousaram tocar no cordão umbilical que ligava as polícias militares ao Exército. Não julgaram adequado pôr em risco o processo em nome de exigências voltadas para a reorganização radical da segurança pública, terreno pantanoso, ainda fortemente marcado pela doutrina da segurança nacional, em cujo âmbito a meta era defender o Estado.

Quando se instaura o Estado democrático de direito, o destinatário da segurança pública passa a ser a cidadania, e a própria expressão "segurança pública" passa a significar estabilização de expectativas positivas quanto à cooperação social e quanto à fruição dos direitos. Não obstante essa alteração radical de finalidade, o arranjo institucional consagrado na Constituição, no artigo 144, mantém a arquitetura institucional legada pelo regime militar. É verdade que princípios e valores democráticos foram adicionados e que as novas metas foram firmadas. Entretanto, os novos componentes convivem com a estrutura organizacional anterior. Supunham, certamente, os legisladores mais bem-intencionados que as antigas formas se adaptariam aos novos conteúdos, isto é, às novas finalidades e ao novo ambiente normativo voltado para a defesa dos direitos. Subestimaram a força coercitiva da forma sobre o conteúdo. Não compreenderam o peso determinante das estruturas organizacionais sobre seu funcionamento real, sobretudo quando as culturas corporativas atravessam intocadas o umbral da transformação histórica. São as culturas profissionais das polícias que movimentam os mecanismos de gestão e põem em prática – ou não – os mandamentos constitucionais, pela via oblíqua das emoções, dos valores e das crenças das elites dirigentes. Não deveria causar surpresa o fato de que naves arcaicas, conduzidas por profissionais formados na e para a ditadura, mantivessem rumos superados apenas no espírito da Constituição.

Além da manutenção das antigas estruturas organizacionais refratárias à gestão racional e ao monitoramento externo, o fator provavelmente decisivo para que os valores (e as práticas) tradicionais fossem, nas instituições da segurança pública, legados às gerações subsequentes, ainda que cedendo aqui e ali, foi a inexistência de um ritual de passagem entre a ditadura e a democracia. Refiro-me à marcação simbólica de uma ruptura com o passado de violações aos direitos humanos, torturas, assassinatos, prisões arbitrárias etc. Mesmo na ausência de uma justiça de transição e de julgamento dos violadores, teria sido fundamental a afirmação oficial de que houve sistemáticos abusos perpetrados pelo Estado e de que essa prática é inadmissível, a tal ponto que o novo regime seria construído para que jamais se repetisse a barbárie institucionalizada.

A prudência dos negociadores civis levou ao compromisso entre novas finalidades e velhas estruturas organizacionais. A cautela das lideranças que fundaram a Nova

República evitou a ritualização da passagem e a assunção da verdade dos crimes da ditadura. A moderação dos primeiros governantes que atuaram ainda sem o amparo da nova Constituição conduziu à adoção de uma abordagem extremamente cuidadosa de tudo o que dizia respeito a polícias e segurança. O espírito conciliador e a instabilidade política provocada não mais pelo fantasma do retorno dos militares, mas pela insidiosa crise econômica e social, consolidaram a timidez no trato da segurança como um padrão, cuja pregnância contribuiu para o reforço do continuísmo cultural (e ideológico) e prático nas corporações policiais e nos presídios.

Unindo as duas pontas de meu argumento, relativas aos processos sociais e à dinâmica política, proponho a seguinte hipótese explicativa da incapacidade nacional de modernizar e democratizar as instituições da segurança pública, para que elas passem a fazer parte da solução e deixem de ser parte do problema:

a) Tensionada pela combinação entre a plasticidade (o veloz e conturbado deslizamento de referências), decorrente do processo que deslocou "placas tectônicas", e a "dupla mensagem" emitida (pelo Estado e a situação socioeconômica) no período em que a nova ordem constitucional foi instaurada, a sociedade brasileira dividiu-se em muitas orientações, entre as quais merecem especial destaque, por um lado, a adesão massiva à informalidade e o envolvimento em negociações *ad hoc* com os marcos legais sob a regência do interesse privado; por outro, a adoção de um rigorismo moral que cultiva princípios em detrimento do ambiente normativo e das disposições institucionais. Nos dois casos, perdem substância a política e a institucionalidade. Nos dois casos, predomina o ceticismo quanto à Justiça e à política como forma democrática de organização da vida coletiva.

b) O universo político rendeu-se quase inteiramente à lógica do mercado eleitoral e, portanto, à construção de carreiras individuais cujo êxito depende da sintonia circunstancial com os movimentos da opinião pública, em sua inevitável volatilidade. Nesse contexto, perdem sentido compromissos reformadores voltados para a geração de resultados de longo prazo, sobretudo aqueles que suscitam resistências e produzem desgaste nas primeiras etapas de implementação.

O efeito sintético expressa uma indisposição generalizada para a elaboração difícil, exigente, de uma pauta consensual em torno do núcleo gravitacional do Estado de direito: a pactuação em torno das regras na perspectiva da equidade e de seu efetivo (e universal) cumprimento, garantido pelo uso comedido e legítimo da força.

Esse quadro se agrava dramaticamente com a vitória eleitoral da ultradireita, que venceu com discurso que celebra torturadores assassinos, grupos de extermínio e milicianos, defende a exclusão de ilicitude para a violência letal por parte de policiais e a flexibilização do estatuto do desarmamento. Esse discurso, assumido ostensivamente por Bolsonaro, e o conjunto de seus gestos que mimetizam armas disparando, além da quebra ritualizada da placa com o nome de Marielle – perpetrada por candidatos do PSL, em palanque, ao lado do futuro governador do Rio de Janeiro, quebra que simulou teatralmente a segunda morte de Marielle –, autorizam, simbolicamente, a violência.

Juventude e violência no Brasil contemporâneo[1]

A violência tem se tornado um flagelo crescente para a sociedade brasileira, difundindo medo e sofrimento e produzindo danos na economia. Os efeitos mais graves da barbárie distribuem-se de forma desigual. As vítimas letais são, sobretudo, jovens (de idade entre 15 e 29 anos) pobres e negros, do sexo masculino.

No Brasil acontecem, anualmente, cerca de trinta homicídios dolosos por 100 mil habitantes. Em algumas regiões das grandes cidades, marcadas pelo desemprego e pela precariedade do acesso à educação, ao esporte e ao lazer, os números chegam a patamares ainda mais alarmantes. Enquanto o crime se organiza e penetra nas instituições públicas, as polícias, em contrapartida, têm sido, com frequência, ineficientes e, muitas vezes, desrespeitosas em relação aos direitos humanos e às leis – as quais lhes cabe defender. A brutalidade policial letal situa as instituições da segurança pública brasileiras entre as mais violentas do mundo. E os milhares de policiais honestos, competentes e dedicados, que arriscam diariamente a vida, têm trabalhado em condições técnicas e organizacionais deficientes e não têm recebido o reconhecimento que merecem. Não raro, são submetidos, principalmente os militares, a condições de trabalho subumanas.

Muitas são as matrizes da criminalidade, e suas manifestações variam conforme as regiões do país. O Brasil é tão diverso que nenhuma generalização se sustenta.

---

[1] A versão original deste ensaio foi publicada em Regina Novaes e Paulo Vanuchi (orgs.), *Juventude e sociedade – trabalho, educação, cultura e participação* (São Paulo, Fundação Perseu Abramo, 2004), com base em hipóteses apresentadas em meu livro *Meu casaco de general: 500 dias no front da segurança pública do Rio de Janeiro* (São Paulo, Companhia das Letras, 2000).

Sua multiplicidade também o torna refratário a soluções uniformes. A sociedade brasileira, por sua complexidade, não admite simplificações nem camisas de força. Em algumas cidades, a maioria dos homicídios dolosos encerra conflitos interpessoais, cujo desfecho seria menos grave se não houvesse tamanha disponibilidade de armas de fogo. Em outras, o assassinato a soldo ainda prevalece, alimentando a indústria da morte, cujo negócio envolve pistoleiros profissionais, que agem individualmente ou se reúnem em "grupos de extermínio", dos quais, com frequência, participam policiais. No Rio de Janeiro, e cada vez mais em outras regiões, prosperam as milícias, máfias compostas de policiais e ex-policiais. Enquanto isso, facções criminosas prosperam no sistema penitenciário, alimentadas pela política de encarceramento em massa, por sua vez resultante da combinação entre nossa hipócrita e irracional lei de drogas, nosso modelo policial (que impede a polícia mais numerosa de investigar e a impele a prender em flagrante) e o punitivismo que assola o país (fruto do medo e da confusão entre vingança e justiça). Na medida em que o "crime organizado" se expande, os mercadores da morte tendem a ser cooptados pelas redes clandestinas que penetram nas instituições públicas, vinculando-se a interesses políticos e econômicos específicos, aos quais nunca é alheia a lavagem de dinheiro, principal mediação das dinâmicas que viabilizam e reproduzem a corrupção e as mais diversas práticas ilícitas verdadeiramente lucrativas.

É indispensável destacar a gravidade da violência doméstica e da violência de gênero, contra as mulheres, em especial do feminicídio, assim como de crimes como o racismo, a homofobia e a transfobia.

O tráfico de armas e drogas é a dinâmica criminal que mais cresce nas regiões metropolitanas brasileiras, mais organicamente se articula à rede do crime organizado, mais influi sobre o conjunto da criminalidade e mais se alastra pelo país, tiranizando comunidades pobres e recrutando seus filhos. As drogas financiam as armas, e estas intensificam a violência associada às práticas criminosas, ampliando seu número e suas modalidades. Esse casamento perverso foi celebrado em meados dos anos 1980, ainda que antes já houvesse vínculos entre ambas. Tal matriz da criminalidade tem assumido uma característica peculiar ao infiltrar-se e disseminar-se como estilo cultural e meio econômico de vida, com mercado próprio e promissor. Exige, portanto, revisão drástica da política de drogas, rumo à legalização, e intervenções sociais preventivas, políticas públicas intersetoriais, sintonizadas com a multidimensionalidade dos problemas envolvidos.

Para elaborar propostas de ação social e políticas preventivas – certamente as mais importantes –, é preciso, antes de mais nada, exorcizar espectros e estigmas, preconceitos e simplificações. É necessário debruçar-se sobre o drama da juventude brasileira e esforçar-se para compreendê-lo.

Um jovem pobre, em especial quando negro, caminhando pelas ruas de uma grande cidade brasileira é um ser socialmente invisível[2]. Há muitos modos de ser invisível e várias razões para sê-lo. No caso desse personagem, a invisibilidade decorre principalmente do preconceito ou da indiferença. Uma das formas mais eficientes de tornar alguém invisível é projetar sobre a pessoa um estigma, um preconceito. Quando fazemos isso, anulamos a pessoa e só vemos o reflexo de nossa própria intolerância. Tudo aquilo que a distingue, tornando-a um indivíduo, tudo o que nela é singular desaparece. O estigma dissolve a identidade do outro e a substitui pelo retrato estereotipado e a classificação que lhe impomos. O preconceito fala mais de quem o enuncia ou projeta que de quem o sofre, ainda que seja esse sofrimento o que deixa marcas. Quem está ali na esquina não é uma pessoa, com sua idade e história de vida, mas o "pivete perigoso" ou a "guria perdida", cujo comportamento passa a ser previsível. Lançar sobre uma pessoa um estigma corresponde a acusá-la simplesmente pelo fato de ela existir. Prever seu comportamento estimula e justifica a adoção de atitudes preventivas. Como aquilo que se prevê é ameaçador, a defesa antecipada será a agressão ou a fuga, também hostil. Quer dizer, o preconceito arma o medo, que dispara a violência preventivamente.

Essa é a caprichosa incongruência do estigma, que acaba funcionando como forma de ocultá-lo da consciência crítica de quem o pratica: a interpretação que suscita será sempre comprovada pela prática não por estar certa, mas por promover o resultado temido. Eis um caso típico de "profecia que se autocumpre".

Outra forma da invisibilidade é a causada pela indiferença. Indiferença e negligência não descrevem apropriadamente os sentimentos e as atitudes da sociedade. A questão reside exatamente neste ponto: não é preciso que os indivíduos sejam insensíveis aos dramas humanos e sociais para atingir o estado de consciência que denomino "indiferença". Pelo contrário, quanto mais sensível, mais chance o

---

[2] É evidente que esta não é uma realidade a generalizar. Descrevo uma situação típica para identificar padrões, simplificando a diversidade de situações a fim de reduzi-las a um modelo que sirva de ferramenta interpretativa. Nem todo jovem é igual, nem toda circunstância é igual, tampouco é igual a reação que provoca ou o sentimento gerado por cada reação. Além disso, enquanto o cidadão de classe média não enxerga determinadas realidades, outros personagens humildes das ruas veem detalhes que escapariam ao mais atento observador, treinado na melhor universidade.

indivíduo terá de bloquear a percepção, entorpecer os sentidos, anestesiar a sensibilidade e turvar a visão, seletivamente. Trata-se de um mecanismo adaptativo. Ele funciona sem a nossa autorização e às vezes contra a vontade consciente. Serve para proteger principalmente quem experimenta empatia com os que sofrem. Para salvar os sensíveis e compassivos – mas não apenas eles, claro – do que é doloroso. Para livrá-los da dor alheia e poupá-los do sofrimento. Por outro lado, a invisibilização dos efeitos das brutais desigualdades, promotora e efeito da indiferença, serve também para impedir a desestabilização das visões predominantes que legitimam e naturalizam a ordem social.

O fato é que há indiferença, e ela, assim como o preconceito, encobre, sob um manto imperceptível, meninos e meninas pobres, especialmente negros[3]. Indiferença gera invisibilidade. Resultado: jovens transitam invisíveis pelas grandes cidades. O que significa para um adolescente esse desaparecimento, esse não reconhecimento, essa recusa de acolhimento por parte de quem olha e não vê?

Sabemos como é difícil a adolescência. Cobranças fuzilam de todos os lados: porque não se é mais criança; porque ainda não se é adulto. As autoimagens vacilam, tremem, sem nitidez, mergulham na fantasia temerária, recuam encharcadas de medo e insegurança, diluem-se na imaterialidade de quase tudo. A formação da identidade para os jovens é um processo penoso. As referências positivas escasseiam e se embaralham com as negativas. A construção de si é bem mais difícil que escolher uma roupa, ainda que a analogia não seja de todo má, uma vez que o interesse por uma camisa de marca, pelo tênis de marca, por exemplo, corresponde a um esforço para ser diferente e para ser igual, para ser *diferente-igual-aos outros*, isto é, igual àqueles que merecem a admiração por parte dos segmentos sociais que mais importam aos jovens – o que também varia. Roupas, posturas e imagens compõem uma linguagem simbólica inseparável de valores. Aquilo que na cultura *hip-hop* se chama "atitude" talvez seja a síntese de uma estética e de uma ética que se combinam de modo muito próprio na construção da pessoa.

Há mais um aspecto extremamente interessante: ninguém cria sozinho nem escolhe para si uma identidade como se tirasse uma camisa do varal. Não é algo que se vista e leve para casa. Não se usa uma identidade, como se faria com uma

---

[3] É importante, mais uma vez, distinguir preconceito e indiferença. Nos dois casos, há a anulação da pessoa, mas por meios opostos: ao contrário da indiferença, que negligencia a presença de alguém, o preconceito corresponde a uma hipervisibilidade, que ilumina uma imagem artificial e pré-construída, obscurecendo a individualidade da pessoa, mantida na penumbra.

carteira, um vestido ou um terno. A identidade só existe no espelho, e esse espelho é o olhar dos outros, é o reconhecimento dos outros. É a generosidade do olhar do outro que nos devolve nossa própria imagem ungida de valor, envolvida pela aura da significação, da qual a única prova é o reconhecimento alheio. Nós nada somos nem nada valemos se não contarmos com o olhar alheio acolhedor, se não formos vistos, se o olhar do outro não nos recolher e nos salvar da invisibilidade – invisibilidade que nos anula e que é sinônimo, portanto, de solidão e incomunicabilidade, falta de sentido e valor. Por isso, construir uma identidade é necessariamente um processo social, interativo, de que participa uma coletividade e que se dá no âmbito de uma cultura e no contexto de um determinado momento histórico. Assim como não inventamos uma linguagem individualmente, assim como não há linguagem privada, tampouco há identidade de um homem-ilha, de uma mulher-ilha, apartados de toda e qualquer relação humana. Nos jogos de olhares, palavras e sentimentos, trocamos sinais e mais sinais, pelos movimentos e pelas expressões do corpo. Estamos imersos em florestas de símbolos, como dizia Baudelaire, e somos seres de linguagem, como a filosofia, a antropologia e a psicanálise nos ensinam. Toda linguagem é material e datada, é construção humana coletiva, em permanente mudança. Como consequência, sendo a identidade uma experiência da relação, que se dá na esfera da intersubjetividade, dos símbolos, das linguagens, da cultura, ela é sempre uma experiência histórica e social. Não há como focalizar a problemática da identidade nem evitar a questão do pertencimento. Seria o mesmo que considerar a identidade pela metade, observando-a apenas do ângulo da originalidade e da diferença, eliminando qualquer referência ao outro lado da moeda: a semelhança e a aproximação. Quem é algo é sempre algo para outros; e quem é algo para outros relaciona-se com eles e participa, com eles, de alguma experiência gregária. Eis aí o grupo, no meio da cena, justamente quando esperávamos o indivíduo em seu momento de isolamento máximo, de recolhimento privado e de absoluta independência.

A adolescência (a pós-adolescência aí incluída) é uma época especialmente desafiadora (embora seja uma construção histórico-cultural). Isso se aplica a todos. No entanto, é claro que tudo se complica e fica muito mais difícil quando, às vicissitudes da idade, somam-se problemas como a rejeição em casa, vivida à sombra do desemprego, do alcoolismo e da violência doméstica, e a rejeição fora de casa – a rejeição vivida em casa, por vezes, estende-se ao convívio com uma comunidade pouco acolhedora e se prolonga à escola, que não encanta, não atrai, não seduz o imaginário jovem e não valoriza seus alunos. A invisibilidade é uma carreira que começa cedo, em casa, pela experiência da rejeição, e se adensa, aos poucos, sob o acúmulo de manifestações sucessivas de abandono, desprezo e indiferença, culminando na estigmatização. Essa trajetória é previsível e se repete diariamente. Não atinge apenas as famílias pobres, e os pobres não são pais menos amorosos. Os mais vulneráveis socialmente, porém, têm menos oportunidades de organizar as responsabilidades profissionais de modo a privilegiar a presença em casa, sobretudo quando os filhos são pequenos. Também têm menos chance de contar com apoio terapêutico nos momentos de crise e dispõem de menos recursos para mobilizar especialistas quando se constatam distúrbios de aprendizagem, provocados ou não por sofrimento psíquico. Mais expostas à angústia e à insegurança do desemprego, as famílias de baixa renda enfrentam com mais frequência as tensões que desestabilizam emoções e corroem a autoestima. Em havendo alguma correlação entre experiência de rejeição infantil e violência doméstica, entre esta e o alcoolismo e entre baixa autoestima e alcoolismo, deduz-se a conexão entre desemprego e alcoolismo e, portanto, a ligação entre pobreza extrema, violência doméstica e vivência infantil da rejeição. Ou seja, mesmo não havendo relações causais, diretas e mecânicas, há correlações entre fatores que pertencem a um mesmo campo de fenômenos, campo constituído pela força de gravidade que as tendências probabilísticas representam.

Com máxima cautela, até para que não façamos aquilo que criticamos, isto é, para que não reforcemos os preconceitos que depreciam os pobres, já tão penalizados pela própria pobreza, é preciso reconhecer que há laços prováveis entre as seguintes realidades – as quais tendem a conviver: a) pobreza; b) menor escolaridade; c) menor acesso a oportunidades de trabalho; d) maior chance de desemprego e desamparo econômico e social; e) angústia e insegurança; f) depressão da autoestima; g) alcoolismo; h) violência doméstica; i) geração de ambiente propício ao absenteísmo, à desatenção e à rejeição dos filhos; j) vivência da rejeição na infância, o que fragiliza o desenvolvimento psicológico, emocional e cognitivo, rebaixa a autoestima, estilhaça as imagens familiares que serviriam de referência positiva na construção da identidade e na absorção de valores positivos da sociedade; k) crianças e adolescentes com esse histórico tendem a apresentar maior propensão a experimentar deficiências de aprendizado (tanto por razões psicológicas quanto pelo fato de que as limitações econômicas dos pais impedem a oferta de acesso a escolas mais qualificadas, inclusive para lidar com tais deficiências e para estimular os alunos, valorizando-os); l) dificuldades na família, na escola e pressão para o ingresso precoce no mercado de trabalho (mesmo que seja por uma participação intermitente e informal) tendem a precipitar o abandono da escola, sobretudo no contexto de desconforto e inadaptação e de falta de motivação; m) a saída da escola reduz as chances de acesso a empregos e amplia a probabilidade de que o círculo da pobreza se reproduza por mais uma geração; n) configurando-se esse quadro, aumentam as probabilidades de que o adolescente experimente a degradação da autoestima, especialmente se considerarmos o contexto social e cultural em que prosperam os preconceitos, o padrão da dupla mensagem (da qual trataremos adiante) e as artimanhas da *invisibilização*.

Curioso e paradoxal é que, no Brasil, para os jovens pobres, de modo geral, quase não há adolescência[4] (ou dela só resta o calvário do crescimento inseguro): salta-se direto da infância ao mundo do trabalho (ou do desemprego).

Desse ponto, retomo a navegação que, até aqui, nos conduziu a dois temas: a invisibilidade e a adolescência. O próximo passo vai conectá-los à violência.

Por força da projeção de preconceitos ou por causa da indiferença generalizada, perambulam invisíveis pelas grandes cidades brasileiras muitos jovens pobres, especialmente negros – sobre os quais se acumulam, além de estigmas associados à pobreza, outros que derivam do racismo. Um dia, um traficante dá a um desses meninos uma arma. Quando um desses meninos nos parar na esquina, apontando-nos a arma, provocará em cada um de nós o sentimento de medo, que é negativo. Ao fazê-lo, saltará da sombra em que desaparecera e se tornará visível. A arma será o passaporte para a visibilidade.

Imaginemos em detalhes esse encontro fortuito e desafortunado, em qualquer esquina. Vamos imaginar a cena, a primeira experiência de um jovem com a arma diante de um desconhecido, num pedaço sombrio da cidade. A mão ainda vacilante, trêmula, a respiração embolada, o espírito hesitante. Quando nos ameaça pela primeira vez, o menino não aponta para nós sua arma do alto de sua arrogância onipotente e cruel, mas do fundo de sua impotência mais desesperada. O bandido, frio e brutal, o profissional do crime, não existe. Pelo menos, não ainda. Na esquina, apontando-nos a arma, o menino lança a nós um grito de socorro, um pedido de reconhecimento e valorização. Surge diante de nós da treva em que o metemos, desembaraçando-se aos trancos e barrancos do manto simbólico que o ocultava. Quem não era visto impõe-se a nós. Exige que o tratemos como

---

[4] A adolescência é uma invenção sociocultural moderna, que se vive, entretanto, intensamente, como uma realidade "natural".

sujeito. Recupera a visibilidade, recompõe-se como sujeito, se reafirma e se reconstrói. Põe-se em marcha um movimento de formação de si, de autocriação. Se havia dívida (fala-se tanto na grande dívida social), eis aí a fatura.

Há uma fome mais funda que a fome de comida, mais exigente e voraz: a fome de sentido e de valor; de reconhecimento e acolhimento; fome de ser – sabendo-se que só se alcança *ser alguém* pela mediação do olhar alheio que nos reconhece e valoriza. Esse olhar, gesto escasso e banal, não sendo mecânico – isto é, sendo efetivamente o olhar que vê –, é a mais importante manifestação gratuita de solidariedade e generosidade que um ser humano pode prestar a outrem. Esse reconhecimento é, a um só tempo, afetivo e cognitivo, assim como os olhos que veem e restituem à presença o ser que somos não se reduzem ao equipamento fisiológico. O olhar (ou a modalidade de percepção fisicamente possível) que permite ao ser humano o reencontro com sua humanidade, pela mediação do reconhecimento alheio, é o espelho pródigo que restaura a existência plena, reparando o dano causado pelo déficit de sentido, isto é, pela invisibilidade. Esse olhar *vê* o outro, restituindo-lhe – ao menos em potência – o privilégio da comunicação, do diálogo, da troca de sinais e emoções, da partilha de valores e sentido, da comunhão na linguagem. Esses olhos que veem tecem entre as pessoas a ligação que é matriz do que chamamos "sociedade".

Saltando para fora do escuro em que o guardamos e o esquecemos, o adolescente ou o jovem, ou mesmo a criança armada, readquire densidade antropológica, isto é, vira alguém, um ser humano de verdade. Invisível, era um fantasma transparente. Antes da arma, do gesto ameaçador, do sentimento que ela desperta, era como se o corpo do menino não existisse ou só existisse enquanto corpo, não como pessoa, ou se confundisse com as coisas da cidade, sendo mais uma peça do cenário urbano. Pois agora tudo muda. Num passe de mágica, o mundo fica de cabeça para baixo: quem não o via passa a obedecer-lhe. Invertem-se posições. Quem desfilava sua soberba destilando indiferença agora se submete à autoridade do jovem desconhecido. Celebra-se um pacto fáustico: o jovem troca seu futuro, sua alma, seu destino, por um momento de glória, um instante fugaz de glória vã; seu futuro pelo acesso à superfície do planeta, onde se é visível.

Não estou elogiando a violência nem a justificando. Desejo apenas compreendê-la. Não há como mudar uma realidade se não a compreendermos. Proponho uma chave de leitura, uma interpretação. Queremos mudar os jovens que cometem crimes violentos transformando suas condições de existência e sua experiência de si mesmos e da própria alteridade. Sabemos que é preciso impor limites, distribuir responsabilidades e inibir a prática da violência. Mas também – e sobretudo – queremos mudar o comportamento violento dessas pessoas. Até porque aquela cena inaugural, em que se dá o primeiro encontro do menino com a arma e o outro, numa esquina qualquer, é apenas o primeiro capítulo de um roteiro que, em geral, enreda o jovem numa cadeia de eventos e compromissos que o condenam à morte precoce e cruel, antes dos 25 anos. Se há ali um apelo frustrado e contraditório lançado do fundo da impotência e do desamparo, um pedido por acolhimento e valorização, um pleito por afeto e calor humano, um esforço titânico pela recuperação da visibilidade, pela reparação da autoestima estilhaçada, nos capítulos seguintes da saga a voz terá outro tom e a linguagem será mesmo a da arrogância onipotente do profissional da violência. A solução escolhida para reconquistar visibilidade, esta de que falamos, é a pior possível. Ela é destrutiva e autodestrutiva. Quando se ergue da sombra com a arma, o jovem veste a carapuça que o preconceito lhe pespegara e compra o pacote completo de culpas e maldições, porque, com a arma em punho, ele é alguém. Mas quem? Que tipo de pessoa? Impondo que tipo de "respeito"? Ele é alguém a quem a sociedade indagará, provocativamente: "Quem você pensa que é?". Afirma-se, mas pelo negativo de si mesmo, cavando o pior na alma dos outros. Este não é o diálogo de indivíduos livres e autônomos, não é o reconhecimento sonhado.

Quando se vislumbra o horizonte de mudanças, cumpre observar que não há nada mais difícil do que mudar – principalmente provocar a mudança em alguém. Não há aventura humana mais arriscada e radical. Equivale a uma pequena morte, porque, para mudar, matamos algo em nós: aquilo que nós éramos ou parte do que éramos. As religiões tematizam a mudança como problema da conversão. As terapias psíquicas a tematizam como foco central, seja para admiti-la e estimulá-la, seja para redefini-la como aceitação de si ou resignação à "incompletude" e à "finitude". De todo modo, eis um desafio tremendo para a humanidade. Ninguém tem a chave da transformação e nenhuma ciência desenvolveu uma metodologia segura para promovê-la. O que sabemos é que se trata de uma experiência dolorosa e complicada. Uma coisa é certa: ninguém muda para melhor se não plantar em terreno firme a fundação da nova subjetividade que se dispõe a desejar e construir – o verbo aqui é impróprio, porque não se trata de projeto racional e controlável. O solo firme, nesse caso, é a autoestima revigorada. Para livrar-se de uma parte de si julgada negativa, destrutiva e autodestrutiva, é necessário confiar na parte saudável e positiva, porque é ela que garante a força indispensável à mudança; é ela que garante ao agente do processo (protagonista e objeto do processo) que a morte representará renascimento. Quem tem coragem para ousar a mudança tem valor suficiente para essa audácia suprema, tem por que lutar.

Pois é aí que as instituições da Justiça Criminal e as entidades socioeducativas erram. Quando seria necessário reforçar a autoestima dos jovens transgressores no processo de sua recuperação e mudança, as instituições jurídicas, ou da segurança pública, ou socioeducativas, os encaminham na direção contrária: punem, humilham e dizem a eles: "Vocês são o lixo da humanidade". É isso que, com frequência, lhes é afirmado quando são enviados às instituições "socioeducativas", que não merecem o nome que têm – e que mais parece ironia[5].

Sendo lixo, sabendo-se lixo, pensando que é esse o juízo que a sociedade faz a respeito deles, o que se pode esperar? Que eles se comportem conforme o que eles mesmos e os demais pensam deles: sejam lixo, façam sujeira, vivam como abutres alimentando-se dos restos e da morte. As instituições os condenam à morte simbólica e moral, na medida em que matam seu futuro, eliminando as chances de acolhimento, revalorização, mudança e recomeço. Foi dada a partida no círculo vicioso da violência e da intolerância. O desfecho é previsível; a profecia se cumprirá: reincidência.

A carreira do crime é uma parceria entre a disposição de alguém para transgredir as normas da sociedade de um modo violento e a disposição da sociedade para não permitir que essa pessoa desista. As instituições públicas são cúmplices da criminalização ao encetar essa dinâmica mórbida, lançando ao fogo do inferno carcerário-punitivo grupos e indivíduos mais vulneráveis – mais vulneráveis dos pontos de vista social, econômico, cultural e psicológico.

Esmagando a autoestima do adolescente que transgrediu, a sociedade lava as mãos, mais ou menos consciente de que está armando uma bomba-relógio contra si mesma, contudo feliz, estupidamente feliz por celebrar e consagrar seus preconceitos. O preço dessa consagração autocomplacente é a violência. Violência da qual, entretanto, a sociedade não pode prescindir (mesmo sofrendo tanto com ela), porque deseja continuar dispondo de bode expiatório para seus males e para exorcizar sua insegurança mais profunda, aquela que advém do reconhecimento da instabilidade da ordem social e de sua iniquidade, assim como de sua finitude

---

5   Dois livros muito importantes merecem leitura atenta: Carmen Silveira de Oliveira, *Sobrevivendo no inferno: a violência juvenil na contemporaneidade* (Porto Alegre, Sulina, 2001); e Norma Missae Takeuti, *No outro lado do espelho: a fratura social e as pulsões juvenis* (Rio de Janeiro, Relume Dumará, 2002).

individual, isto é, de sua mutabilidade – a história é para as sociedades o que a morte representa para os indivíduos da cultura individualista liberal. É preciso manter a todo custo a geografia moral: de um lado, o bem; de outro, o mal. Tudo para que cada um de nós jamais encontre, em si mesmo, o outro lado; tudo para que a sociedade e suas instituições possam preservar intocado seu espelho idealizador. A invisibilidade de uns serve à invisibilidade que mais importa, aquela que sustenta certa visão de mundo.

Observe-se mais um ponto relevante: o dinheiro obtido no assalto ou no tráfico serve para conseguir o tênis de marca, a camisa de marca. No caso, como o que está em jogo é a busca de reconhecimento e valorização, a marca é o que importa; é a marca o objeto cobiçado; é ela que atende a necessidade – o frio e o calor não importam, o vestuário não interessa como proteção. O vestuário (na moda) interessa como sinal de distinção, isto é, de valorização. O fetiche da moda cumpre esta função: quem a consome deseja diferenciar-se para destacar-se, valorizando-se – quase não percebe que copia o movimento de todos, tornando-se, assim, banal. De todo modo, mesmo iludindo-se com o ardil da moda, mesmo enganando-se – como aliás todos os jovens (e os não tão jovens) das camadas médias e das elites –, os jovens invisíveis copiam os hábitos dos outros para identificar-se com os outros, passando a valer o que eles valem para a sociedade[6]. Inclusão é sonho; respeito é utopia. Aí está: o fio da meada nos levou da grana ao símbolo, da natureza utilitária da violência à sua dimensão afetiva e psicológica. Eis-nos, de volta, uma vez mais, à invisibilidade e aos métodos tortos de resistência.

Claro que nada disso exclui a importância do dinheiro (em si mesmo e como símbolo, ele próprio). Nem subestimo as funções práticas dos utensílios (da moda ou não). Tampouco pretendo generalizar juízos e convertê-los em fórmulas de valor universal. Há casos e casos; cada biografia tem suas peculiaridades; cada contexto, suas características. Examino uma situação hipotética, porém plausível, que pode servir de modelo para a compreensão de aspectos frequentemente negligenciados. Nem tudo se reduz a emprego e renda, mercadoria e moeda, ainda que essas questões sejam essenciais. Insisto em focalizar o lado imaterial de tudo isso, exatamente porque a sociedade não lhe dá maior atenção. Como todos já estamos convencidos da importância da economia, posso aqui concentrar-me no

---

[6] É fascinante verificar a situação paradoxal que se instalou no Brasil: se os jovens pobres copiam a moda da elite, filhos e filhas da elite copiam a moda dos pobres, que não é mais que uma apropriação estilizada da moda da elite (internacionalizada). Ou seja, a elite copia a cópia de si mesma e se deixa embalar pelo sabor marginal que esse jogo de espelhos destila.

que vem sendo esquecido. Repito: não para subestimá-la, mas para complementar a interpretação que, de hábito, suscita. Até porque emprego, renda, moeda e mercadoria também são itens do repertório cultural, também são investidos de emoção, cercam-se de valores e estão mergulhados em símbolos.

Estas reflexões não são ingênuas e não têm a pretensão de sugerir que não haja fome, só fome de amor; que não haja necessidade de emprego, renda, vestuário, mercadorias e moradia, só fetichismo e a procura desenfreada por símbolos de inclusão. Há fome física. Há miséria e seu calvário. Há um rosário de carências. Quero apenas assinalar que não há só isso e que a história não deve ser contada, unilateralmente, pelo ângulo da economia.

Quando o jovem compra o tênis de marca, ele ganha de brinde o ingresso no grupo dos que reconhecem a marca e valorizam a moda de que ela é sintoma. Lembremos que moda, entendida em sentido amplo, envolve determinadas escolhas estéticas, mas também, com frequência, escolhas éticas. A moda envolve coreografia, posturas, comportamentos e certa agenda. Se for mais ambiciosa – como foram os movimentos *hippie*, *punk* e *yuppie* –, envolverá até uma ideologia ou um conjunto de crenças. O que é a atitude do membro do movimento *hip-hop*, senão um *blend* de comportamentos, valores, vocabulário e focos temáticos? Moda? Não, política[7]. Assim como há muitas formas de estruturação do poder, existem muitos modos de subverter a ordem e diversas formas de intervir criativamente na cultura, por meio de obras, *performances*, sinalizações e atitudes.

---

[7] Gostaria de sustentar uma posição contraintuitiva: acredito que as modas – refiro-me àquelas que se realizaram como movimentos culturais –, mesmo quando são cooptadas e assimiladas pelo sistema econômico e viram grife domesticada, inteiramente confortável nos grandes salões das elites, nem por isso merecem desdém. Alguma coisa fica. Há sempre um resto não digerido que se acrescenta à química do cosmos cultural e altera o DNA das sociedades em benefício da liberdade. Nesse sentido – e felizmente –, somos todos transgênicos, porque trazemos conosco um pouco da ousadia dos inconformistas canibalizados pelo mercado. Esse excedente de ousadia foi sublimado e refundido e, de todo modo, empurrou a civilização para outro estágio, reconfigurando o cardápio das opções humanas. A calça rasgada dos *hippies* tornou-se chique, deixou de chocar, mas ajudou a alterar os modelos de interpretação sobre o comportamento humano e a disciplina em que se confina a liberdade individual. Esse debate retoma pontos discutidos nas reflexões de Norbert Elias sobre o processo civilizador e suas contradições. Ver: Norbert Elias, *The Civilizing Process*, v. 1: *The History of Manners* (Nova York, Pantheon Books, 1978) [ed. bras.: *O processo civilizador*, v. 1: *Uma história dos costumes*, trad. Ruy Jungmann, Rio de Janeiro, Zahar, 1990] e *The Civilizing Process*, v. 2: *Power & Civility* (Nova York, Pantheon Books, 1982) [ed. bras.: *O processo civilizador*, v. 2: *Formação do Estado e civilização*, trad. Ruy Jungmann, Rio de Janeiro, Zahar, 1993], e também: *The Court Society* (Nova York, Pantheon Books, 1983) [ed. bras.: *A sociedade de corte*, trad. Pedro Süssekind, Rio de Janeiro, Zahar, 2001], *A sociedade dos indivíduos* (trad. Vera Ribeiro, Rio de Janeiro, Zahar, 1994) e *Os alemães: a luta pelo poder e a evolução do habitus nos séculos XIX e XX* (trad. Álvaro Cabral, Rio de Janeiro, Zahar, 1997).

Todos nós nos sentimos reconfortados quando nos filiamos a algum grupo. Participar de um grupo é gratificante porque fortalece o sentimento de que temos valor e a sensação de que aquilo que pensamos e sentimos é compartilhado por outros, o que revigora o valor de verdade e de correção moral. Filósofos já disseram que realidade é ilusão compartilhada. Nem é preciso ser tão radical para compreender a relevância desse apoio mútuo.

Em geral, somos membros de vários grupos ao mesmo tempo: família, igreja, partido, sindicato, associação de moradores, clube etc. Cada entidade tem suas regras de funcionamento e suas condições de pertencimento, a começar pela nação – o que agrava o drama dos refugiados expatriados. Os grupos se fortalecem quando enfrentam conflitos externos. A rivalidade vivida fora do grupo aproxima os membros da família, da Igreja, do partido, do sindicato. O caso exemplar é o do clube de futebol. O amor aos clubes precisa da tensão das disputas e do ódio ao rival para prosperar. Quanto mais coeso o grupo, maior a gratificação que se extrai da participação. Ao mesmo tempo, a coesão do grupo será tão mais firme quanto mais intensas forem as disputas com grupos rivais. Por isso, nada como a guerra para unir. Nada como a oposição extrema da guerra para unir internamente os grupos que vivem em conflito no *front* doméstico. Infere-se daí que a guerra proporciona aos grupos rivais a maior taxa de coesão e, consequentemente, a mais gratificante experiência de pertencimento.

Não parece lógico, portanto, que jovens invisíveis, carentes de tudo o que a participação pode oferecer, procurem aderir a grupos cuja identidade se forja na e para a guerra? Entende-se o sucesso das facções do tráfico no recrutamento dos jovens. As armas são fundamentais porque credenciam os adolescentes a experimentar a cena que descrevi, o encontro personalizado e personalizador com a violência – encontro no qual se realiza tanto uma ação utilitária, com fins econômicos, quanto um gesto simbólico. Além disso, as armas indiciam a guerra, isto é, inscrevem os rapazes na linguagem bélica e em seus rituais. Funcionam como a carteirinha de sócio-torcedor. Garantem o ingresso na festa mórbida em que são celebrados o destemor, a lealdade, a crueldade mais brutal e a disciplina. É bastante para quem vaga pela cidade, ávido por referências. Nem exige muito esforço explicar ao neófito que as razões do tráfico de armas e drogas são válidas, uma vez que contrariam as leis, mas endossam alguns valores da sociedade: essencialmente, o primado do poder e do dinheiro. Nada mais parecido com o credo capitalista, em sua versão mais fria e socialmente indiferente. A diferença é que, para o tráfico, o mercado é a selva *hobbesiana*, é a guerra de todos contra todos, sem regulamentos – ainda que, aqui e ali, negociem-se pactos de convivência. No tráfico, regras há – e muitas. Turnos de trabalho, hierarquias, processos decisórios, divisão de tarefas, distribuição complementar de responsabilidades, códigos de comportamento, tudo isso é disciplinado.

Registre-se que o julgamento mais importante para os meninos armados é o veredicto das meninas. O desejo delas é quase tudo o que eles desejam. A capacidade de seduzi-las e conquistar-lhes a admiração é a medida do sucesso pessoal masculino.

Se o desejo das gurias é o desejo dos guris (a frase permite leitura em duas mãos), a história entorta quando muitas, entre elas, elegem como modelo o macho violento, arrogante, poderoso e armado. Porque, sendo assim, entre eles, muitos vão imitar o modelo, copiar suas manhas, identificar-se com seus valores. Instaura-se um magnetismo perverso que enseja a emulação da prepotência armada. As moças, encantadas pela estetização do mal, atuam como mediadoras da violência, turbinando a adrenalina de seus pares. Gravitando em torno dos adolescentes que idolatram e portando-se como elos de uma engrenagem que se reproduz automaticamente, elas não são os sujeitos do processo. Pelo contrário, não o conhecem nem controlam. São vítimas e objeto. De forma inadvertida, convertem-se em cúmplices.

A violência se aprende, como se aprende a praticar e orientar-se para a paz. O senso comum supõe que a violência seja a explosão animal de um fogo interno que arde em nós. Quando atiçado por humores venenosos e encharcado pelo combustível do conflito, não sobra pedra sobre pedra. Essa versão naturalista do fenômeno tem sua parcela de verdade. Há tempos o cientista Konrad Lorenz já nos ensinara que o ser humano é o animal mais violento, no âmbito intraespecífico – ou seja, com a própria espécie[8]. É também original pela crueldade. Duas características distinguem o humano: a linguagem e a crueldade. Inegável, portanto, a realidade biológica da violência.

Entretanto, as situações que se conformam à descrição naturalista são muito menos frequentes do que aquelas em que as mediações sociais e culturais dão as cartas. Essas cartas vão desde a definição do que é considerado humilhante ou intolerável, a ponto de provocar a cólera – isso varia de acordo com as culturas, os contextos históricos, as sociedades e as posições individuais em cada situação –, até a oferta de meios e canais para a manifestação da violência e a delimitação do ponto além

---

[8] Refiro-me a Konrad Lorenz, *On Agression* (Londres, Methuen, 1970).

do qual não se deve avançar em cada circunstância. Elementos de psicologia coletiva e individual, ingredientes culturais, regras morais, etiquetas sociais, normas institucionais, cálculos estratégicos a serviço da prudência, tudo isso compõe a plataforma (interna e externa) da qual decola a violência ou na qual ela é purgada, sublimada, filtrada, redirecionada, apaziguada. A natureza e suas erupções fazem parte do complexo, mas nem sempre o dominam. Pelo contrário, de modo geral, são as mediações sociais que predominam e dispõem sobre o momento e as condições em que a natureza reinará. É preciso reconhecer o caráter cultural e histórico do que parece a pura realização da natureza humana[9]. Esse reconhecimento não nega a realidade de fatores genéticos ou de transmissores bioquímicos, apenas os situa, circunscrevendo sua eficácia e limitando sua independência[10].

Os sentimentos humanos, em diversas situações, são "obrigatórios"; quer dizer, fazem parte da boa educação e geram constrangimento quando ausentes. Sua forma e seu conteúdo, inseparáveis, devem manifestar-se em festas, funerais, ritos, celebrações etc. Como dizia o filósofo Wittgenstein, aprender uma língua não é conhecer o significado das palavras e as regras sintáticas, mas saber empregá-las de forma apropriada, no momento pertinente. Na mesma direção, seria possível afirmar que conhecer uma cultura não é saber o significado dos símbolos, mas os aplicar de modo a contar com a aprovação dos interlocutores. Portanto, quando falamos em cultura e emoções, temos de situar-nos muito além da dicotomia sinceridade-artificialidade, autenticidade-formalismo, espontaneidade natural--regras sociais. Essas relações são muito mais complicadas do que parecem, e os próprios sentidos desses conceitos são muito mais relativos e ambíguos do que gostariam de acreditar aqueles que creem em uma natureza humana objetivamente dada, aquém e além da história, da cultura e das elaborações sociais.

Por que é mais frequente a agressão à esposa e aos filhos do que ao patrão, em casos em que a raiva mobilizada seja equivalente? As explosões são menos naturais do que imagina o senso comum e, em geral, pagam, mais do que deixam entrever, um tributo às regras sociais e culturais[11].

---

[9] Este é o título de um ensaio formidável de Marcel Mauss, que está publicado em *Sociologia e antropologia* (2 v., São Paulo, Edusp, 1974). Dois livros interessantes sobre a temática, bastante didáticos e acessíveis aos leitores da língua portuguesa: José Carlos Rodrigues, *O tabu do corpo* (Rio de Janeiro, Achiamé, 1979) e *O tabu da morte* (Rio de Janeiro, Achiamé, 1983).

[10] O livro de Helio Raimundo Santos Silva *Travesti, a invenção do feminino* (Rio de Janeiro, Relume Dumará, 1994) analisa a complexa rede de sentidos e experiências, na fronteira entre os gêneros.

[11] O argumento e ampla inspeção empírica estão em Barbara Musumeci Mourão, *Mulheres invisíveis* (Rio de Janeiro, Civilização Brasileira, 1999).

A pergunta pertinente é a seguinte: seria possível elevar a vida humana ao posto de valor supremo e protegê-la de toda ameaça? Seria viável fazer o mesmo com as extensões da vida humana, isto é, com os direitos humanos? Teoricamente, a resposta é "sim". Há exemplos, inclusive. Nós não temos sido competentes para fazê-lo por meio da educação, quer dizer, pela difusão dos valores e dos símbolos pertinentes. No Ocidente, pelo menos desde o século XVIII, lideranças intelectuais, políticas e várias instituições tentaram promover a introjeção desses valores, em larga escala, via razão (com a filosofia), via emoção (com a arte), via crenças (com as religiões), quando renunciaram, elas mesmas, à violência. Em vão. Restaram-nos a repressão e a punição das transgressões para inibir tentativas futuras. Têm sido insuficientes, frustrantes e contraditórias. Ainda nos cabe experimentar o investimento na cultura da paz.

Guerra e paz, não há inocência: em ambos os casos, assim como em suas derivações cotidianas – violência e cooperação –, as sociedades adestram seus filhos para produzi-las. Soldados ou militantes de ONGs pacifistas, assaltantes ou monges tibetanos, golpistas ou frades franciscanos, esse elenco e os tipos medianos, todos foram adestrados para assumir posições que as sociedades produzem e as culturas oferecem, valorizando-os, estimulando-os ou depreciando-os. De vez em quando alguém inova e alarga o espectro dos personagens possíveis. Mesmo a invenção original acaba se referindo ao repertório tradicional. São variações dos mesmos temas.

Se é assim, o jovem invisível que recorre à arma para pedir socorro e reconquistar visibilidade, afirmando-se pelo avesso, só pode fazê-lo porque essa é uma das hipóteses que nossa sociedade lhe colocou à disposição e a cultura sancionou. Outros morreriam de vergonha, em sentido figurado ou real. Desonra mata, se a identidade individual ergue-se amarrada à baliza da honra. Já aludi ao fato de que o assalto à mão armada seria inconcebível em outras sociedades e culturas. A sociedade brasileira banaliza o delito e se aprimora na arte de desmoralizar limites que nossa própria tradição cultural reverencia, pulverizando referências, diluindo critérios, relativizando responsabilidades e sedando o espírito crítico. O diletantismo *blasé* com que muitas vezes lidamos com as questões éticas consagrou uma bizarra combinação entre paternalismo indulgente e rigor punitivo.

O jovem não age aleatoriamente; segue caminhos mapeados, acompanha a pauta que lhe propuseram; dança conforme a música; faz o jogo de cartas marcadas que vai lhe propiciar um lugar ao sol, no mundo do crime, ao preço do futuro e da felicidade – e até da fruição dos bens que acumular, porque estará condenado a permanecer enroscado nas armas, entrincheirado no pedaço de chão que ainda estiver sob seu controle. Por incrível que pareça, não é incomum que traficantes do Rio de Janeiro passem a (brevíssima) vida no mesmo lugar. Nascem e morrem sem ir ao cinema, à praia, ao Maracanã, sem visitar a cidade, sem sair da favela. Conhecem pela televisão a metrópole onde moram. Para que o dinheiro e o poder? Quanto mais dinheiro acumulam, mais paradoxal será sua situação. Presos em liberdade.

O que se faz com isso? Em outras palavras, depois de escrever tantas páginas sobre a invisibilidade, a importância do afeto, da autoestima e do pertencimento, sobre a dimensão intersubjetiva do primeiro assalto e o caráter culturalmente construído da violência, aonde quero chegar? Que proposta pretendo fazer?

É nosso dever disputar menino a menino, menina a menina; competir com o tráfico e o crime, oferecendo aos adolescentes e às crianças pelo menos as mesmas vantagens que o outro lado oferece, mas com sinal invertido. Ainda que por motivos ilusórios e passageiros, o crime dá prazer, fortalece a autoestima, proporciona a fruição do respeito e da admiração que advêm do pertencimento, permite o acesso ao desejo das gurias (e dos guris), garante ingresso na festa hedonista do consumo. Então, cabe-nos criar condições para que pelo menos as mesmas vantagens possam ser experimentadas no lado de cá.

Os focos da disputa são o coração e a cabeça dos jovens, não o bolso, ainda que ele seja também de grande relevância. O centro da briga histórica que se trava à beira do despenhadeiro e talvez nos afaste da barbárie são o afeto e o imaginário das crianças e dos adolescentes (seu mundo valorativo, simbólico-cultural e psicológico). Não se trata de uma disputa contábil. Não se trata somente (nem principalmente, ousaria dizer) de grana, mesmo que ela seja fundamental – jamais a subestimemos, até porque, vale reiterar, ela é muito mais que instrumento para aquisição de bens e serviços; ela é, em si, símbolo de poder que confere a quem a possui a aura privilegiada que dignifica, distingue e valoriza. Não por outro motivo, tende a funcionar nos moldes das profecias que se autocumprem. O dinheiro vale, sobretudo, como meio de integração – já vimos como opera esse mecanismo que diferencia para integrar.

A pergunta seguinte logo se impõe: como oferecer esses benefícios? Através de que políticas públicas? A sociedade poderia ajudar? Quantos recursos seriam necessários? Como se poderiam sensibilizar o imaginário e o coração dos jovens?

Eis uma resposta possível: ajudando a tecer a rede de alianças em torno de iniciativas inteligentes dos poderes públicos e das organizações da sociedade civil, bem longe das disputas partidárias. O Brasil precisa, com urgência, de um *pacto pela paz*, celebrando nossa unidade – nas irredutíveis e respeitáveis diferenças – em torno de um programa de salvação nacional da juventude vulnerável, no âmbito de um movimento transformador. Pelo futuro democrático do país e contra a desigualdade iníqua que nos envergonha. E para que possamos nos reconciliar com nossa consciência.

Se nos colocamos como quem formula a política pública, que conclusão poderia ser extraída das reflexões expostas até aqui? Parece claro. A melhor perspectiva a adotar, na formulação de políticas preventivas, é a da competição com o polo gravitacional que atrai os jovens para o crime e a violência. A política preventiva eficiente é aquela que disputa menino a menino com o tráfico ou a fonte do crime, qualquer que seja. Deve-se ter presente que condições sociais negativas não determinam mecanicamente comportamentos violentos. Elas são potencializadas pelo empreendedorismo dos criminosos, que intervêm com firmeza nesse ambiente, fazendo-o funcionar a seu favor e recrutando jovens vulneráveis. Por isso, a boa política é a que se pensa e age com o mesmo dinamismo empreendedor, visando a recrutar os mesmos jovens e lhes oferecendo, repito, pelo menos os mesmos benefícios, com sinal invertido.

O beneficiário preferencial de políticas preventivas eficientes é o jovem, e o foco, sua autoestima. A disputa pelo recrutamento dos jovens se dá, antes de mais nada, em seu coração. Antes da fome física está a fome de reconhecimento, acolhimento e valorização. Isso requer a "customização" da política pública, isto é, a individualização do benefício universal – o que explica o enorme potencial da cultura e das artes, sobretudo por sua natureza parcialmente expressiva, pois cada participante/beneficiário torna-se protagonista e se apropria à própria maneira da linguagem e do repertório comuns.

Em resumo, a política preventiva eficiente é aquela que interrompe o abastecimento de mão de obra para o crime, inviabilizando o recrutamento e a reprodução das dinâmicas perversas. As palavras-chave para o gestor comprometido com valores democráticos são "recrutamento" e "reprodução". Assim, transforma-se o quadro tradicional, que é, por excelência, estático: nós contra eles, o bem contra o mal, mocinhos e bandidos, amigos e inimigos.

IV. Direitos humanos, cultura e poder

A segunda morte de Marielle ou Ainda é possível falar em segurança pública e direitos humanos no Brasil?[1]

Nas sociedades modernas, complexas e que se pretendem democráticas, segurança pública e direitos humanos são duas faces da mesma moeda. Ou deveriam ser. Afinal, quando estamos seguros enquanto cidadãos, é porque nossos direitos estão sendo respeitados. Inclusive aquele de lutar por mais direitos e de expandir o sentido que atribuímos à democracia. Vendo pelo outro lado, de que adiantam as declarações internacionais e as cartas de intenção, se os direitos humanos são violados? Para que não o sejam, vários mecanismos têm de ser acionados. A última esfera de proteção é constituída pela segurança e pela Justiça Criminal. No Estado democrático de direito, cabe à segurança pública garantir o exercício e a fruição dos direitos humanos e dos mandamentos constitucionais, os quais, para existir fora do papel, precisam contar, por sua vez, com as instituições e os agentes da Lei. Essa articulação corresponde ao modelo, ao tipo ideal. Representa a combinação necessária a partir da qual devemos orientar as práticas e avaliá-las. Mas essa conexão se realiza na realidade brasileira? É claro que não. Estamos a anos-luz de distância do relacionamento ideal entre segurança e direitos. Qual seria então nossa vantagem em comparação com uma ditadura? Por que estaríamos agora em melhor situação do que estávamos antes de 1988, sobretudo no período propriamente ditatorial? Porque, hoje, dispomos de um marco constitucional compatível com os direitos humanos, quando não explicitamente comprometido com sua afirmação. Por isso, quem os viola – e o Estado vem sendo o principal responsável

---

[1] Uma primeira versão de parte deste texto foi publicada na página do autor, no Facebook, em 5 de outubro de 2018.

por sucessivas e sangrentas violações – é cobrado em nome da legalidade constitucional, o que faz toda a diferença, mesmo que seja, como tem se mostrado, insuficiente para promover as transformações indispensáveis e urgentes. O agente que viola os direitos humanos, quando questionado, tende a negar tê-lo feito, porque o ato é vil, fere a dignidade humana, é eticamente condenável, moralmente abominável e legalmente vedado. Estar do lado da Lei facilita a difusão na sociedade, no sistema educacional e na cultura popular de princípios afinados com os direitos humanos e fortalece, politicamente, os atores sociais que defendem os postulados humanistas. Nenhum agente público ousaria pronunciar-se a favor do vil, do indigno, do abominável, afetando, com isso, sentimentos amplamente compartilhados e valores enraizados e ferindo a própria legalidade. A prática violadora tem de manter-se clandestina, ainda que seja ostensiva nos territórios vulneráveis. Mesmo assim, a luta dos defensores dos direitos humanos tem sido dificílima e não se avançou o bastante, nesses trinta anos em que fomos regidos pela Constituição de 1988. O campo da segurança pública, não obstante esforços admiráveis de alguns profissionais, em vez de contraface dos direitos, tem se tornado crescentemente o espaço do abuso e da violação, no qual se reproduzem o racismo e as desigualdades, assim como tantos preconceitos. Salvo honrosas exceções, o Ministério Público não vem cumprindo sua obrigação constitucional de realizar o controle externo da atividade policial, e a Justiça tem abençoado o imobilismo – afinal, só age provocada e só enxerga o real nos autos, a menos que o ativismo judicial se revele politicamente conveniente, a depender de conjunturas muito particulares.

Mas alguma coisa aconteceu, em 2016, e seu significado é histórico. Caiu por terra o pressuposto de que nenhum agente público ousaria pronunciar-se ostensivamente a favor do vil, do indigno, do abominável. O então deputado federal Jair Bolsonaro prestou homenagem a um torturador em pleno Congresso Nacional[2]. O horror saiu do armário. O abate está liberado. O violador perdeu o pudor. A campanha presidencial vencedora não disfarçou a exortação à barbárie e o elogio ao inominável: a tortura, a chacina, a execução extrajudicial. Ou seja, o ultraje é popular.

Numa inversão surpreendente, parece que quem entrou no armário, envergonhada, foi a Constituição.

---

[2] Antes disso, em junho de 2005, Flávio Bolsonaro, seu filho mais velho, então deputado estadual, tinha homenageado com a medalha Tiradentes, mais alta honraria da Assembleia Legislativa, um policial acusado de homicídio.

Nem sempre é preciso ser explícito. Bastam os gestos. É fácil entender: grande parte de nossas vidas é regida pelo que é invisível: emoções, afetos, expectativas, desejos, memórias, fantasias. Há também nossas crenças, valores e as ideias que produzimos ou reproduzimos. Boa parte dos veículos que dão corpo a esse mundo de coisas intangíveis são os símbolos, de que antropólogos, artistas e psicanalistas se ocupam. Uma característica-chave dessa realidade virtual é que ela está imersa feito um *iceberg* no grande oceano que chamamos inconsciente. Os símbolos são como barcos que brilham no fundo escuro da noite. Quando as ondas baixam, nós os vemos, iluminados, sinalizando para nós alguma mensagem distante e obscura. Quando as ondas sobem, os barcos desaparecem no horizonte.

Essa reflexão nos guia na análise da política brasileira recente. Gostaria de tematizar dois fatos. O primeiro foi fotografado e circula na internet: dois homens fortes e sorridentes, usando camisetas com a estampa de Bolsonaro, erguem, orgulhosamente, a placa de rua com o nome de Marielle Franco[3]. Mas não se trata de homenagem. A placa foi partida ao meio. Os dois homens se vangloriam como quem levanta um troféu. Em o fazendo, transmitem uma mensagem mais profunda do que provavelmente supõem: ao quebrar a placa que celebra a memória da vítima do mais horrendo dos crimes, os dois saúdam a morte, a morte no sentido grego clássico, a morte como condenação ao esquecimento eterno. Por isso, em sua coreografia patética, capturada pela foto, assassinam Marielle pela segunda vez. Evocam sua memória para negá-la. Erguem a placa, retirada de seu lugar de origem, para destruí-la, deixando, entretanto, que permaneça identificável o nome, o nome agora dividido em duas partes, o nome que perde sentido, que vira silêncio. Fazem da placa uma lápide e da lápide partida o símbolo do esquecimento. Isso se chama profanação e promove a segunda morte de Marielle. Esses dois homens lograram eleger-se para a Câmara Federal e a Assembleia Legislativa fluminense. A seu lado, no palanque, estava o atual governador do Rio de Janeiro, então candidato.

---

[3] O evento ocorreu durante a campanha de 2018, na cidade de Petrópolis, estado do Rio de Janeiro. Estavam no palanque um candidato a deputado estadual, um candidato a deputado federal e um candidato ao governo do estado. Todos foram eleitos. Todos estavam unidos pedindo votos para Bolsonaro. Em março de 2019, um ano após o assassinato de Marielle, o governador desculpou-se com a mãe dela, privadamente. Disse que estava no palanque, mas não foi responsável pelo ato de seus dois correligionários, os quais têm demonstrado orgulho pelo gesto: o deputado estadual mantém a placa quebrada numa moldura, em seu gabinete. O deputado federal promoveu "manifestação pelos direitos dos animais", no saguão da Câmara dos Deputados, onde se realizava celebração pela memória de Marielle, na data em que sua morte completava um ano. A manifestação concorrente invadia o espaço sonoro com latidos gravados, disparados em alto-falantes.

O outro fato ocorreu em São Paulo e foi gravado em vídeo. Ainda no contexto da campanha das eleições de 2018, em 3 de outubro, um grupo numeroso de torcedores do Palmeiras aguarda o metrô entoando seu canto de guerra e esse canto, enaltecendo Bolsonaro, promete matar os homossexuais.

Retomo agora o fio da meada: grande parte de nossas vidas é regida pelo que é invisível. Na política, não é diferente. Por isso, não é indispensável incluir no programa de governo referências a um plano de extermínio, nem apresentar publicamente um programa genocida. Não é preciso exaltar a violência e o preconceito, ou incitar o ódio, explicitamente – ainda que, repito, isso tenha sido feito. O que põe em circulação a barbárie não está nos argumentos racionais da candidatura ou em suas propostas de políticas públicas. A mensagem já foi passada à sociedade. E a mensagem se resume a uma autorização. Autorização à barbárie. A morte foi convocada. A barbárie está autorizada. Os espectros da barbárie estão aí, entre nós, a nos assombrar e ameaçar. Estão aí porque já existiam inclusive no espírito de alguns sujeitos que não imaginavam que pudessem ser contaminados. A candidatura da ultradireita autorizou a violência, a *vendetta* ressentida contra o que foi constituído como objeto de ódio e medo: as classes perigosas, os negros, a comunidade LGBTQI e todos os portadores da mudança, a mudança mítica que traz incerteza, incerteza sobretudo quanto a si mesmo. O grande medo que eles têm é de si mesmos. É o medo daquele oceano noturno, que abre sua goela no fundo da noite e dá à luz o lado sombrio do sujeito.

Mas não se enganem, o terror ainda não triunfou definitivamente. Há resistência. Há, bem ou mal, instituições, e a Constituição, com todos os seus limites, resplandece, mesmo dentro do armário. Como o apoio das elites à ultradireita tinha e tem o propósito de fazer implementar a agenda de reformas neoliberais do Estado brasileiro e as bases populares do presidente não leem pela mesma cartilha, atritos podem prosperar e levar ao colapso do primeiro projeto francamente autoritário e obscurantista desde a redemocratização.

Não haveria, portanto, conjuntura em que fosse mais necessário trazer, a contrapelo, para a agenda pública, a problemática dos direitos humanos. Tampouco haveria momento em que fosse mais urgente reiterar a indissociabilidade entre direitos humanos e segurança pública. Por isso, este livro termina com um retrato do que se produziu sobre a questão dos direitos humanos nas ciências sociais brasileiras durante a primeira etapa da retomada democrática. É um convite para que a pesquisa prossiga e para que as reflexões se aprofundem. E para que não se perca o fio da meada, mesmo nas trevas.

Direitos humanos e ciências sociais no Brasil[1]
*Luiz Eduardo Soares e
Miriam Krenzinger A. Guindani*[2]

À memória de Gildo Marçal Brandão, Paulo de Mesquita Neto, Sérgio Vieira de Mello e Suely Almeida. A todos eles a causa dos direitos humanos deve muito.

Considerações introdutórias

Nossa intenção é mapear, em termos analíticos, a produção relativa aos direitos humanos publicada por cientistas sociais no Brasil. A tarefa tem de ser coletiva e deve ser periodicamente renovada em função do dinamismo que tem caracterizado nosso campo intelectual, em especial nessa área.

Procuramos contemplar o conjunto das ciências sociais brasileiras, porque, embora o tema apresente inflexão política inapelável, atravessa todo o campo social,

---

[1] Este ensaio foi originalmente publicado em Renato Lessa (org.), *Ciência política* (Anpocs, 2010), da série Horizontes das Ciências Sociais no Brasil, coordenada por Carlos Benedito Martins, com o apoio de Ciência Hoje, Discurso Editorial e Barcarolla. Portanto, a produção posterior àquela data não foi analisada. Na pesquisa, contamos com a colaboração de Fernanda Carneiro Soares, Teresa Mussel e Bruna M. Soares.

[2] Diretora da Faculdade de Serviço Social da Universidade Federal do Rio de Janeiro (UFRJ) e professora Associada III do Programa de Pós-Graduação em Serviço Social da UFRJ. É pós-doutora em antropologia do direito (UnB) e em ciência política (IUPERJ) e doutora em serviço social (PUCRS). É líder do Núcleo de Políticas de Prevenção da Violência, Acesso à Justiça e Educação em Direitos Humanos, grupo de pesquisa do CNPQ. Organizou as coletâneas *Dores que libertam: falas de mulheres das favelas da Maré no Rio de Janeiro sobre violência* (Curitiba, Appris, 2018); *Populações em situação de rua* (Belo Horizonte, Pallavre, 2017); *Educação em direitos humanos: relatos de experiências no campo de ensino, pesquisa e extensão universitária* (Rio de Janeiro, Montenegro, 2015); e *Diálogos sobre Justiça: avaliação do impacto social do programa "Justiça Comunitária"* (Rio de Janeiro/Brasília, Instituto de Estudos da Religião/Ministério da Justiça, 2012). É autora de *Educação em direitos humanos: caminho para a cidadania* (Rio de Janeiro, Nova Fronteira, 2012).

de tal modo que suprimir referências à sociologia e à antropologia seria, além de empobrecedor, artificial e burocrático.

Portanto, no presente estudo optamos por uma revisão da produção bibliográfica sobre direitos humanos no campo das ciências sociais (antropologia, sociologia e ciência política) – e o fizemos por meio de uma pesquisa qualitativa sobre livros e capítulos de livros dedicados à temática[3], artigos publicados em periódicos e sites especializados[4]. Essas modalidades de publicação, além de comumente mais valorizadas, são aquelas às quais se tem acesso mais facilmente.

O acesso aos artigos em periódicos ocorreu principalmente via biblioteca virtual Scielo. Nessa biblioteca, consta uma seção específica para as ciências humanas, com 169 periódicos cujos artigos estão disponibilizados na íntegra. Dos 169 artigos, foram selecionadas 46 publicações sobre temas que julgamos pertinentes a nosso estudo.

O tratamento conferido aos artigos, aos livros e aos capítulos de livros foi de cunho predominantemente qualitativo e sem pretensões exaustivas. Evitamos definir e classificar os eixos temáticos utilizando medidas e critérios quantitativos. Procuramos identificar o sentido das concepções centrais das publicações.

No entanto, antes de proceder à análise qualitativa dos artigos, realizamos uma caracterização do conjunto da produção a partir de frequências organizadas em um banco de dados, contemplando 176 publicações. Tal caracterização serviu apenas de moldura ou contexto para a análise propriamente dita.

Na abordagem dos textos, identificadas concepções, teses, hipóteses e análises, passamos à etapa das distinções mais relevantes, cuja captação envolvia um duplo movimento: o agrupamento dos textos a partir de consensos qualitativamente robustos e a configuração de uma tabela de diferenças significativas entre os grupos. Estabeleciam-se, então, as condições para uma classificação menos artificial e formalista ou para a elaboração de uma taxonomia de conteúdo. Descrevemos acordos e desacordos, convergências e divergências, por meio de categorias que focalizavam os núcleos semânticos que isolamos na análise. Importante ressaltar, por prudência, que o esforço metódico não elimina doses elevadas de arbitrariedade seletiva. Nem por isso, todavia, deixa de cumprir função organizadora importante, limitando e

---

[3] Foram mapeadas 92 referências de livros e capítulos sobre o tema.

[4] Foram encontrados 66 artigos sobre direitos humanos escritos por autores das ciências sociais, no Scielo e em outros sites, listados ao fim deste texto.

tornando mais autoconscientes as escolhas subjetivas, isto é, aquelas que expressam tanto os pressupostos dos pesquisadores quanto as propriedades do objeto.

Em síntese, foram percorridos os seguintes passos: a) identificação e leitura de cada artigo (ou livro) localizado, visando a uma compreensão global da abordagem pela qual os autores constroem seus objetos no interior da problemática multidimensional dos direitos humanos; b) assimilação de concepções, hipóteses, teses e conclusões analíticas de cada artigo ou livro; c) classificação desse conteúdo central em torno de núcleos semânticos; d) comparação entre os diferentes núcleos de sentido apreendidos (ou interpretativamente reconstruídos) em artigos ou livros estudados; e) classificação dos núcleos de sentido em eixos temáticos e conceituais mais abrangentes; f) redação de sínteses interpretativas a propósito de cada eixo temático ou constelação conceitual.

Após a análise dos conteúdos dos textos, buscamos estabelecer um diálogo entre os eixos temáticos ou conceituais encontrados e a literatura "clássica" sobre direitos humanos (especialmente em outras áreas disciplinares). Dessa interlocução extraímos a base de análise[5] do presente estudo[6].

---

[5] Foram levantadas 55 obras sobre direitos humanos de autores de áreas afins ao campo das ciências sociais. Elas estão listadas na bibliografia no fim deste capítulo.

[6] O universo observado restringe-se à produção publicada, o que exclui um grupo importante de trabalhos, formado por teses de doutorado, dissertações de mestrado e relatórios de pesquisa não publicados. Além disso, o material contemplado limita-se àquele produzido por cientistas sociais brasileiros – antropólogos, sociólogos e cientistas políticos – ou colegas que, embora de outras nacionalidades, estejam ligados a instituições brasileiras. Neste ponto suscitamos outra questão difícil e relevante: não haveria critério mais generoso e adequado, uma vez que trabalhos fundamentais sobre o tema têm sido escritos por acadêmicos das áreas de direito, filosofia, educação, serviço social, psicologia, economia, história, relações internacionais, demografia, teoria da literatura, estudos culturais, para citar apenas alguns?

Uma alternativa óbvia e bem mais inclusiva teria sido tomar como eixo ordenador o tema, em sua multiplicidade disciplinar, desconsiderando a origem ou a inscrição profissional e acadêmica dos autores. Substantivamente, concordamos que este teria sido o encaminhamento mais rico e menos artificial. Portanto, mais desejável. Entretanto, ultrapassaria as possibilidades de um texto modesto com um número de páginas diminuto e transgrediria a orientação subjacente ao projeto em que se insere e cujo resultado se traduz no volume em que foi originalmente publicado (ver nota 1 deste texto).

A própria delimitação da categoria ciências sociais que adotamos foi restritiva. De novo, a opção foi meramente instrumental e de maneira alguma expressa a visão dos autores a respeito da conveniência de operarmos crescentemente com concepções menos artificiais e exclusivistas, em benefício da fecunda interação entre tradições, práticas, métodos e teorias. O campo de estudos sobre o social, a rigor, é inter ou transdisciplinar, e cada vez mais exige de todos nós maior disponibilidade para a interlocução com a alteridade – no interior da academia e com a sociedade –, a abertura crítica aos questionamentos e autoquestionamentos identitários, a sensibilidade autorreflexiva, a desconfiança dos corporativismos e dos efeitos negativos da rotinização (ou seja, da institucionalização, sabendo-se que há também efeitos positivos). Em poucas palavras, a despeito do crivo estreito aqui aplicado, acreditamos que a

Uma última reflexão introdutória: como sabemos que uma obra tematiza os direitos humanos ou o faz em medida suficiente para ingressar na zona coberta pelo espectro de abrangência de nossa observação? Se os cientistas sociais são, nos termos definidos por nosso pacto classificatório, os autores que assim se identificam, optamos por aplicar o mesmo princípio orientador à identificação temática. O ideal seria ler não apenas as obras explicitamente dedicadas ao objeto, mas todos os textos que abordassem indiretamente os direitos humanos. De novo, a escolha foi motivada por limitações práticas. Restringimos a atenção aos textos que incluíssem explicitamente os direitos humanos no título, ou seja, às intervenções que se autoclassificaram integrantes da classe que nos importa. Não nos iludamos, entretanto. Muitas ideias pertinentes estão em livros e artigos que não se dirigem diretamente ao tema. Como exemplos, basta citar os estudos de Wanderley Guilherme dos Santos[7] sobre a precedência histórica, no Brasil, dos direitos sociais sobre os civis e políticos, e de José Murilo de Carvalho[8], sobre a evolução do acesso aos direitos entre nós, em perspectiva comparada, isto é, em contraste com o modelo inspirado na experiência dos países pioneiros na construção desses valores e das instituições correspondentes. Ou a análise comparativa do capitalismo autoritário no Brasil, de Otávio Velho[9], e a interpretação seminal de Roberto DaMatta[10] sobre a resistência ao igualitarismo na cultura brasileira. O ideal seria incluir todas as obras que nos ensinaram a pensar a sociedade brasileira, suas desigualdades e suas contradições, sua diversidade cultural. Contudo, basta enunciar o horizonte para que se compreenda o imperativo das reduções que operamos.

Síntese das perspectivas predominantes

Apesar das limitações, o quadro que surgiu na pesquisa é extremamente rico, tanto quantitativa quanto qualitativamente. E bastante complexo, permitindo

---

direção correta a seguir, como professores e pesquisadores, é expormo-nos aos desafios impostos por nosso tempo, pelas dinâmicas societárias e por seus protagonistas. E mais uma vez tangenciamos a temática de que nos cumpre tratar, ou seja, já estamos imersos em debates que atravessam a problemática dos direitos humanos e que por ela são fertilizados.

[7] Wanderley Guilherme dos Santos, *Cidadania e justiça: a política social na ordem brasileira* (Rio de Janeiro, Campus, 1979).

[8] José Murilo de Carvalho, *Cidadania no Brasil: o longo caminho* (2. ed., Rio de Janeiro, Civilização Brasileira, 2002).

[9] Otávio Velho, *Capitalismo autoritário e campesinato* (São Paulo, Difel, 1976).

[10] Roberto DaMatta, *Carnavais, malandros e heróis: para uma sociologia do dilema brasileiro* (Rio de Janeiro, Zahar, 1979).

distintas abordagens e análises. Deixando de lado os casos que mereceriam ser classificados como híbridos, poderíamos afirmar que as posturas típicas manifestadas nos textos tendem a ser as seguintes: há textos (ou autores) que se mostram, predominantemente, cautelosos, céticos e críticos do que entendem por direitos humanos. Contudo, reconhecem seu valor na medida em que são apropriados por grupos locais e convertidos em ferramentas de resistência cultural, política e social. Há os que investem em pesquisas sobre as múltiplas formas de transgressão aos direitos humanos perpetradas no Brasil e no acompanhamento das lutas pelo respeito aos direitos humanos, empreendidas por movimentos sociais ou políticas públicas. Um terceiro grupo de pesquisas, obras ou autores detém-se, sobretudo, na análise dos arranjos institucionais, transnacionais e nacionais, associados à emergência dos direitos humanos como instrumento político e parâmetro normativo. Claro que há cruzamentos diversos, e o padrão não esgota as possibilidades. Como retrato esquemático de tendências, porém, essas distinções são interessantes e úteis, pois nos conduzem a questões de fundo nem sempre identificadas e elaboradas.

Ou seja, alguns desconfiam, mas valorizam; outros analisam os processos de formação e vocalização da demanda social e as respostas do Estado, ou seu protagonismo; e há os que focam em dinâmicas institucionais ou impactos macropolíticos derivados seja da mobilização popular e da participação cidadã, seja de transformações nos marcos legais, nas estruturas institucionais e na redefinição de seu padrão de atuação.

Como não se trata de mundos estanques, os autores se leem mutuamente, citam-se eventualmente e dialogam entre si, o que se expressa no enriquecimento generalizado das obras, a despeito da preservação de hiatos entre elas e de significativa heterogeneidade de vocabulários, o que remete a diferenças teórico-analíticas e até a distinções culturais não desprezíveis[11]. Nesse sentido, não devemos subestimar a importância da Anpocs como espaço de encontro entre tradições disciplinares, troca de ideias e oportunidade para o exercício de sociabilidade, atravessando fronteiras acadêmicas.

---

[11] Ver Luiz Eduardo Soares, "Antropologia e ciência política: memória, etnografia e definição do ator social", *Anuário Antropológico*, Rio de Janeiro, n. 94, 1995, p. 21-30. Disponível em: <www.dan.unb.br/images/pdf/anuario_antropologico/Separatas1994/anuario94_luizsoares.pdf>; acesso em: 25 mar. 2019.

Entre a academia e a sociedade civil

Instituições e alguns autores que se converteram em lideranças indiscutíveis e referências públicas merecem destaque quando nos reportamos à problemática dos direitos humanos. No processo de transição para a democracia, Paulo Sérgio Pinheiro e seus colegas do Núcleo de Estudos da Violência da Universidade de São Paulo (NEV/USP)[12] – assim como, entre outros, Maria Victoria Benevides[13] e Celso Lafer[14] – estiveram em duas pontas extremas e muito significativas da trajetória brasileira de elaboração e do processo que se poderia denominar "metabolização" político-social e cultural do tema: a) nos primórdios, lançando as bases da construção acadêmica em direitos humanos no campo das ciências sociais, do ponto de vista tanto conceitual quanto institucional[15]; b) na ponta prática, exercida em foros internacionais e no governo federal, diretamente, ou dialogando com os setores responsáveis via avaliações científicas da execução das políticas implementadas.

Assinale-se a inscrição histórica, política e cultural da experiência a que nos reportamos: pensar direitos humanos, falar dos valores que encerra, da trajetória que sinaliza, de pressupostos e implicações para a vida brasileira, pesquisar sobre essas questões e mais tarde organizar um núcleo em torno delas em pleno período de transição da ditadura para a democracia não é o mesmo que fazê-lo hoje. O tempo de instabilidade política e de risco fazia com que a experiência referida

---

[12] Paulo Sérgio Pinheiro, Nancy Cardia e Sérgio Adorno (líder do NEV registrado na base de dados do CNPq) – a quem se somaram, mais tarde, entre outros colegas, Andrei Koerner, Guilherme de Almeida e o saudoso Paulo de Mesquita Neto – afirmaram-se como protagonistas no campo de estudos sobre direitos humanos, a ponto de terem ultrapassado os domínios acadêmicos e se tornado interlocutores influentes de agências públicas devotadas à formulação e à implantação de políticas para a área. O caso de Paulo Sérgio Pinheiro requer tratamento à parte, uma vez que, além de cientista político dedicado a pensar o tema, converteu-se em ator político presente em espaços institucionais de grande relevância nos cenários nacional e internacional. Paulo Sérgio foi secretário nacional de Direitos Humanos no governo Fernando Henrique Cardoso e depois passou a atuar como comissionário e relator sobre os direitos das crianças, da Comissão Interamericana de Direitos Humanos (CIDH), Organização dos Estados Americanos (OEA).

[13] Maria Victoria Benevides, "Linchamentos no Brasil: violência e justiça popular", em Roberto da Matta (org.), *Violência brasileira* (São Paulo, Brasiliense, 1982).

[14] Celso Lafer, *Reconstrução dos direitos humanos: um diálogo com o pensamento de Hannah Arendt* (São Paulo, Companhia das Letras, 2001).

[15] Ressalte-se como gestos fundadores a atribuição de legitimidade intelectual ao tema, a elaboração e a difusão de propostas fundamentais para seu enquadramento reflexivo e a própria criação do NEV, em 1987, na Universidade de São Paulo (USP), cuja vinculação com a temática tem sido permanente, sólida, frutífera e, portanto, constitutiva de sua identidade institucional – desde a origem aberta à interação interdisciplinar.

fosse arriscada e ousada, carregasse as marcas de sua circunstância histórica e, sobretudo, implicasse envolvimento prático, engajamento cívico – militância, para dizê-lo claramente. Trata-se, por certo, de militância qualificada, respeitosa de especificidades e refratada pelas regras que regiam as ações em cada domínio de atividade. Para explicitar ainda mais: falar em direitos humanos quando a ditadura ainda impõe seu arbítrio é também – e talvez acima de tudo – uma forma de resistência política e um compromisso com determinado repertório de valores, utopias e projetos para a sociedade brasileira.

Expliquemos: tematizar os direitos humanos antes da promulgação da Constituição que se proclamou cidadã, em 1988, significa, por um lado, confrontar o regime autoritário que batia em retirada gradual, negociada e administrada; por outro, representa a recusa radical, *in limine*, da constelação político-ideológica que tolera a violência do Estado, que admite o sacrifício dos direitos de primeira geração (civis e políticos) em nome da realização dos direitos de segunda geração (sociais e econômicos) e que postula a substituição da ditadura de direita por outra, supostamente benigna, esclarecida e comprometida com os interesses históricos da classe operária e os explorados da terra.

Na vigência da ditadura e mesmo quando seu poder declinava, a expressão "direitos humanos" era uma heresia, um ultraje que o Estado punia com violência. "Direitos humanos" frequentava o vocabulário dos que denunciavam torturas, arbitrariedades e assassinatos perpetrados pelo aparato de Estado. Tais vozes e denúncias encontraram eco na sensibilidade política do governo Carter e na solidariedade de agências internacionais e contaram com cumplicidade e abrigo na Igreja católica – e apenas mais tarde em outras entidades da sociedade civil, quando elas começaram a respirar, como a Ordem dos Advogados do Brasil (OAB) e a Associação Brasileira de Imprensa (ABI). Nessa etapa, para usar a linguagem dos direitos humanos não era preciso "acreditar" em seus valores nem se dispor a praticá-los ou a incluí-los em seu próprio modelo ideal de Estado e sociedade: para fazer frente à opressão de Leviatã, todo instrumento capaz de enfraquecê-lo era bem-vindo. Recorrendo aos termos da época, havia quem empregasse a bandeira dos direitos humanos com intenções estritamente táticas, assim como havia defensores táticos da democracia, dispostos a "superá-la" depois que, conquistando-a, fosse possível organizar as forças para passos estratégicos e revolucionários. A democracia pluralista seria uma espécie de estação intermediária em um trajeto cujo fim não era concebido nem seria realizado com e para a efetivação dos direitos humanos.

Por isso, levar a sério os direitos humanos, tratá-los como ingrediente constitutivo e estruturante de uma escatologia política alternativa, não apenas incomodava a ditadura; tinha significados subversivos e perturbadores para amplos setores do que poderíamos chamar "cultura da esquerda"[16]. Naquele contexto, portanto, a resistência aos direitos humanos predominante não era representada pelo relativismo antropológico – hoje preponderante, porém matizado –, mas pelo marxismo, inspirado nas concepções enunciadas em *A questão judaica*[17]. Hoje, marxistas se dividem. Vale contrastar, por exemplo, o livro de Ivo Lesbaupin[18], um dos pioneiros na produção brasileira (e este pioneirismo, como vimos, está carregado de sentidos intelectuais e políticos), e o artigo de Carlos Henrique Escobar[19], publicado em 2008. Enquanto o segundo critica, o primeira valoriza os direitos humanos. Não é aleatório que o segundo se detenha no plano teórico, enquanto Lesbaupin dialoga com a pulsação das formas concretas de opressão e luta social. Tampouco é arbitrário que Lesbaupin tenha escrito ainda sob a égide da tensa transição política e Escobar tenha produzido seu texto em plena vigência do regime democrático.

Vários tabus foram vencidos com a formação de espaços universitários dedicados aos direitos humanos nas ciências sociais no período anterior à consolidação formal do trânsito para a democracia: firmavam-se posições contrárias ao regime militar; apostava-se na cooperação entre disciplinas; investia-se no diálogo entre reflexão teórica e pesquisa empírica; assumia-se a legitimidade dos direitos humanos como objeto e campo de estudo; conferia-se validade a suas postulações axiológicas e normativas para além dos marcos da guerra fria ou do paradigma crítico segundo o qual a Declaração de 1948 e seus desdobramentos se inscreviam na dinâmica colonial, isto é, na expansão imperialista do capitalismo. Como se vê, estavam em jogo também preconceitos acadêmicos e visões tradicionais que negligenciavam a temática, subestimando-a ou lhe negando estatuto de campo

---

[16] Destaque-se a lucidez antecipatória – considerando o contexto autoritário e conservador mesmo nas esquerdas – de Rubem César Fernandes e Pedro Celso Uchôa Cavalcanti, *José e Josef, uma conversa sem fim* (Rio de Janeiro, Nova Fronteira, 1985).

[17] Karl Marx, *Sobre a questão judaica* (2. ed., trad. Nélio Schneider, São Paulo, Boitempo, 2010). Ver ensaio sobre o tema de Antônio Carlos Wolkmer, "Marx, a questão judaica e os direitos humanos", *Sequência*, n. 48, jul. 2004, p. 11-28. Ver também Thamy Pogrebinschi, "Emancipação política, direito de resistência e direitos humanos em Robespierre e Marx", *Dados*, v. 46, n. 1, 2003, p. 129-52.

[18] Ivo Lesbaupin, *As classes populares e os direitos humanos* (Petrópolis, Vozes, 1984).

[19] Carlos Henrique Escobar, "Direitos humanos: com Marx", *Psicologia Clínica*, v. 20, n. 2, 2008, p. 47-59.

de estudos – mais que simples objeto. Até porque se trata de objeto impuro, no sentido de que incita e espelha envolvimentos éticos ou ideológicos de inegáveis consequências políticas e sociais.

Considerando as tensões cruzadas, pode-se, hoje, a distância, reconhecer com mais ênfase a importância da análise de Nancy Cardia[20], que leva para o debate as percepções da própria sociedade, em si atravessada por contradições em relação a tópicos que figuram no repertório dos direitos humanos. Em outras palavras, as resistências aos direitos humanos não vinham só da caserna, dos gabinetes governamentais ou de algumas salas de aula e de nichos politizados, mas também – e talvez principalmente – das ruas.

A contribuição de Cardia se somou às análises sobre o Brasil que chamavam atenção para o fato de que a ditadura instalada com o golpe de 1964 não fora, como supuseram os primeiros analistas[21] em textos escritos no calor da hora, ainda nos anos 1960, uma aliança regressiva entre o imperialismo e as oligarquias nacionais, aqueles setores mais retrógrados da economia brasileira, visando a bloquear o desenvolvimento das forças produtivas no país e a impedir a aliança que, supostamente, se prenunciava, antes do golpe, entre a classe operária e a burguesia nacional, incorporando os oprimidos do campo, via reforma agrária radical. Bem longe disso, a ditadura militar empenhara-se em desenvolver as forças produtivas em grande estilo e alta voltagem, aliada à burguesia nativa e com o apoio do imperialismo. E mais: a despeito de não ter realizado a reforma agrária, coube à ditadura a promulgação das leis sociais até então mais avançadas para os trabalhadores rurais, estendendo-lhes os privilégios da legislação trabalhista com que Getúlio Vargas valorizara e cooptara as massas urbanas. Finalmente, apesar dos desastres embutidos nesse processo, o Brasil se urbanizou em duas décadas, o que corresponde a uma das maiores mudanças sociais e econômicas que o mundo conheceu no século XX. Se esse terremoto sociológico explodia laços comunitários e éticas populares, ao mesmo tempo mobilizava valores que permitiriam espantosa, paradoxal e, para nós, defensores da democracia e dos direitos humanos, incompreensível adesão popular ao regime que acusávamos ser, essencialmente, "antipovo".

---

[20] Nancy Cardia, Percepção de direitos humanos: ausência de cidadania e exclusão moral, em Mary Jane Spink, Anna Verônica Mautner e Bader Burihan Sawaia (orgs.). *A cidadania em construção* (São Paulo, Cortez, 1994).

[21] Ver, por exemplo, Caio Prado Jr., *A revolução brasileira* (7. ed., São Paulo, Brasiliense, 1987).

A violação sistemática dos direitos humanos de primeira geração convive com a democracia no Brasil

Em ensaio indispensável, Wellington Almeida[22] discute um problema que sempre atraiu a atenção do NEV, enquanto instituição, e permanentemente tem pautado as pesquisas de seus membros, assim como de alguns colegas em outras unidades acadêmicas[23], como Celso Lafer[24] e João Ricardo Dornelles[25]: a contínua e sistemática violação, no Brasil, dos direitos humanos de primeira geração[26]. Dito assim, parece óbvio e simples. No entanto, não é. A suposição generalizada aponta justamente em sentido contrário. Há certa imagem difusa segundo a qual, graças à restauração democrática, consagrada na Carta de 1988, teríamos resolvido a questão dos direitos civis e políticos – os quais implicariam a superação do racismo e também da discriminação das minorias. Nessa visão formalista da democracia, nosso grande desafio teria sido deslocado para a efetivação dos direitos humanos de segunda geração, isto é, os direitos sociais e econômicos, e daqueles ditos de quarta geração, relativos à preservação do meio ambiente[27]. Contudo, os direitos de primeira geração teriam deixado de ser prioridade. Por isso, quando alguns autores evocam a incompletude da transição democrática, com frequência se reportam às carências relativas ao cumprimento dos direitos de segunda geração. Pensam, via de regra, na "exclusão" social, na miséria, nas desigualdades socioeconômicas. Teorizam sobre a inadequação do conceito de democracia aplicado a uma realidade

---

[22] Wellington Almeida, "A estratégia de políticas públicas em direitos humanos no Brasil no primeiro mandato Lula (2003-2006)", *Anais 33º Encontro Anual da Anpocs; GT 31 – Política dos Direitos Humanos, 2009*.

[23] Além desses, há redes, associações e núcleos de direitos humanos que vêm se destacando na socialização e produção de pesquisas e publicações sobre o tema: Associação Nacional de Direitos Humanos em Pós-Graduação; Centro de Direitos Humanos; Rede Conectas (FGV); Direitos e Desejos Humanos Net; Gabinete de Assessoria Jurídica às Organizações Populares; Rede DH Brasil; Rede Social de Justiça e Direitos Humanos; Centro de Direitos Humanos da UFPB; Núcleo de Estudos de Políticas Públicas em Direitos Humanos; Núcleo Interdisciplinar de Ações para Cidadania; e Fórum de Educação em Direitos Humanos.

[24] Celso Lafer, *Reconstrução dos direitos humanos*, cit.

[25] João Ricardo Dornelles, *O que são direitos humanos* (São Paulo, Brasiliense, 1989).

[26] A distinção entre as gerações dos direitos humanos não significa negar a tese que postula sua indivisibilidade, sua unidade e sua interdependência, plenamente justificáveis de certo ponto de vista teórico e político, ainda que questionáveis por determinados ângulos analíticos, apoiados em bases teóricas igualmente consistentes e legítimas (voltaremos ao ponto). Distinguimos as gerações seguindo o sequenciamento histórico conhecido. A distinção nos ajudou a analisar de forma crítica o regime de violações vigente no Brasil e que atravessou, incólume, mudanças políticas e jurídicas tão importantes.

[27] Os direitos humanos de terceira geração referem-se aos direitos das nacionalidades de exercerem suas diferenças.

marcada pela combinação entre, de um lado, ordenamento jurídico-político aberto à participação plural e à liberdade e, de outro, desigualdades escandalosas. Ou o conceito de democracia é questionado, ou a estabilidade democrática é posta em dúvida, dado o contexto caracterizado pelo contraste entre a liberalidade das instituições e a violência das "exclusões". Mesmo assim, mantém-se intacta a suposição de que estão em plena vigência os direitos civis e políticos.

Estudos e pesquisas de cientistas sociais brasileiros têm demonstrado que, na prática, tais direitos não são garantidos com equidade, universalmente, e que tampouco é aleatória a assimetria gerada pela distribuição desigual do exercício desses direitos. Em outras palavras, não têm vigência, ainda que figurem nos documentos legais. Antes da promulgação da Constituição, esse tema era imperioso. Permanece um desafio crucial[28].

---

[28] Ainda que a plena consciência das implicações dessa constatação esteja longe de se encontrar suficientemente difundida, inúmeros artigos e livros promoverão essa constatação, e alguns lançaram luz sobre os desdobramentos e os corolários. Basta lembrar obras de Roberto Kant de Lima, "Direitos civis e direitos humanos: uma tradição judiciária pré-republicana?", *São Paulo em Perspectiva*, v. 18, 2004, p. 49-59, e "Polícia, justiça e sociedade no Brasil: uma abordagem comparativa dos modelos de administração de conflitos no espaço público", *Revista de Sociologia e Política*, Curitiba, v. 1, n. 13, 1999, p. 23-38; Michel Misse, *Crime e violência no Brasil contemporâneo: estudos de sociologia do crime e da violência urbana* (Rio de Janeiro, Lumen Juris, 2006); José Murilo de Carvalho, *Cidadania no Brasil: o longo caminho*, cit.; Gilberto Velho, *Mudança, crise e violência: política e cultura no Brasil contemporâneo* (Rio de Janeiro, Civilização Brasileira, 2002); Maria Victoria Benevides, *A cidadania ativa* (São Paulo, Ática, 1991) e "Cidadania e direitos humanos", em José Sérgio Carvalho (org.), *Educação, cidadania e direitos humanos* (Petrópolis, Vozes, 2004); Oscar Vilhena Vieira, "A gramática dos direitos humanos", *Revista do Ianud*, São Paulo, n. 17, 2001, e Oscar Vilhena Vieira e A. Scott DuPree, "Reflexões acerca da sociedade civil e dos direitos humanos", *Sur. Revista Internacional de Direitos Humanos*, ano 1, n. 1, 2004; Rita Laura Segato, "Antropologia e direitos humanos: alteridade e ética no movimento de expansão dos direitos universais", *Mana*, v. 12, n. 1, 2006, p. 207-36; Maria Alice Rezende de Carvalho, *Cidade escassa e violência urbana*, Rio de Janeiro, v. 91, 1995, p. 259-69; João Trajano Sento Sé, "Imagens da ordem, vertigens do caos. O debate sobre as políticas de segurança pública no Rio de Janeiro, nos anos 1980 e 1990", *Arché Interdisciplinar*, Rio de Janeiro, v. VII, n. 19, 1998, p. 41-73; Teresa Pires do Rio Caldeira, *Cidade de muros: crime, segregação e cidadania em São Paulo* (São Paulo, Editora 34/Edusp, 2000); e dos colegas já citados do NEV – Paulo Sérgio Pinheiro e Samuel Pinheiro Guimarães, *Direitos humanos no século XXI* (Ipri/Funag, 2002) e Paulo Sérgio Pinheiro, "Os sessenta anos da declaração universal: atravessando um mar de contradições", *Sur. Revista Internacional de Direitos Humanos*, v. 9, 2009, p. 77-87; Nancy Cardia, "Percepção de direitos humanos", cit., *Primeira pesquisa sobre atitudes, normas culturais e valores em relação à violência em 10 capitais brasileiras* (Brasília, Ministério da Justiça, 1999) e "Faces da violência e caminhos da paz", em Conferência Nacional de Direitos Humanos, n. 5. *Relatório da V Conferência Nacional de Direitos Humanos* (Brasília, Câmara dos Deputados, 2001); Sérgio Adorno, "Insegurança *versus* direitos humanos: entre a lei e a ordem", *Tempo Social – Revista de Sociologia da USP*, São Paulo, v. 11, n. 2, out. 1999, p. 129-53, "Estratégias para a paz: políticas públicas de combate à violência", em Conferência Nacional de Direitos Humanos, n. 5, 2001, cit., e "História e desventura: o 3º Programa Nacional de Direitos Humanos", *Novos Estudos*, Cebrap, n. 86, 2010, p. 5-20; Sérgio Adorno e Wânia Pasinato, "A justiça no tempo, o

Evidentemente, não subestimamos a transformação histórica operada pela transição democrática nem a importância extraordinária da Constituição de 1988. Os benefícios, os avanços e as conquistas são conhecidos e aclamados. Cumpre, por isso,

---

tempo da justiça", *Tempo Social – Revista de Sociologia da USP*, São Paulo, v. 19, n. 2, 2007, p. 131-55; além de tantos estudiosos da violência, do domínio territorial tirânico por parte de grupos armados em favelas e áreas pobres e da desigualdade no acesso à Justiça no Brasil – ver Alba M. Zaluar, "Um debate disperso: violência e crime no Brasil da redemocratização", *São Paulo em Perspectiva*, v. 13, n. 3, 1999, p. 3-17, *Violência, cultura, poder* (Rio de Janeiro, Editora FGV, 2000), *A máquina e a revolta* (3. ed., São Paulo, Brasiliense, 2002) e "Democracia inacabada: o fracasso da segurança pública", *Estudos Avançados*, v. 21, 2007, p. 31-49); Luiz Eduardo Soares, *Meu casaco de general: 500 dias no front da segurança pública do estado do Rio de Janeiro* (São Paulo, Companhia das Letras, 2000); Luiz Eduardo Soares, Celso Athayde e MV Bill, *Cabeça de porco* (Rio de Janeiro, Objetiva, 2005). As execuções extrajudiciais atingiram patamares absurdos no Brasil. No Rio de Janeiro, a violência policial letal tem quebrado recordes – ver Luiz Eduardo Soares, *Legalidade libertária* (Rio de Janeiro, Lumen Juris, 2006); Luiz Eduardo Soares e Miriam Guindani, "A violência do Estado e da sociedade no Brasil contemporâneo", *Nueva Sociedad*, n. 208, mar.-abr. 2007 (disponível em: <http://www.nuso.org/upload/articulos/3417_2.pdf>; acesso em: nov. 2018); Ignacio Cano, "Políticas de segurança pública no Brasil: tentativas de modernização e democratização *versus* a guerra contra o crime", *Sur. Revista Internacional de Direitos Humanos*, v. 3, n. 5, 2006, p. 136-55. Não é preciso dizer que a quase totalidade é jovem, do sexo masculino e pobre, residente de áreas pobres, e a maioria é negra. Silvia Ramos e Leonarda Musumeci já mostraram, com dados empíricos, que a abordagem policial é seletiva e segue critérios socioeconômicos, etários e territoriais – Silvia Ramos e Leonarda Musumeci, *Elemento suspeito: abordagem policial e discriminação na cidade do Rio de Janeiro* (Rio de Janeiro, Civilização Brasileira, 2005), v. 1. O Censo Penitenciário não nos dá o retrato de quem perpetra crimes no Brasil, mas de quem é selecionado (pelas polícias, pelas políticas de segurança, pelas políticas criminais e pela Justiça) para submeter-se aos rigores da lei – Julita Lemgruber, *Cemitério dos vivos: análise sociológica de uma prisão de mulheres* (2. ed., Rio de Janeiro, Forense, 1999); Ester Kosovski e Nízia Maria Villaça, *Imagens do cárcere* (Rio de Janeiro, Reproarte/CNPq, 1983); Yolanda Catão, Heleno Cláudio Fragoso e Elizabeth Sussekind, *Direitos dos presos* (Rio de Janeiro, Forense, 1980); Antônio Luiz Paixão, *Recuperar ou punir? Como o Estado trata o criminoso* (2. ed., São Paulo, Cortez, 1991); José Ricardo Ramalho, *Mundo do crime: a ordem pelo avesso* (Rio de Janeiro, Graal, 1979); Augusto F. G. Thompson, *A questão penitenciária* (Petrópolis, Vozes, 1976). A situação ultrajante do sistema penitenciário brasileiro só se mantém porque abriga quase exclusivamente pobres. O acesso a prerrogativas legais depende da classe social ou do nível de renda do interessado.

Até a tortura prossegue, ainda que tenham sido substituídas as vítimas: na democracia, saem os presos políticos e retornam ao pau de arara os presos chamados comuns, que já ocupavam esse lugar antes da ditadura de 1964 e continuaram a ocupá-lo durante o regime militar, restaurando-se a velha ordem, coextensiva à história do Brasil.

Portanto, desde a abordagem policial, na ponta do sistema, até o cumprimento da pena, passando pela instrução do inquérito e do processo, e pela prolatação da sentença, reina, absoluta, a iniquidade. Nada de equidade. Nada de garantias elementares. Os direitos humanos de primeira geração não valem para o Brasil pobre. E a marca da cor é um fator muito relevante.

Para culminar, a aberração que resume e leva ao paroxismo o atropelo dos direitos humanos de primeira geração pelas desigualdades. A prerrogativa que nosso colega Kant de Lima não se cansa de denunciar e que Roberto DaMatta diagnosticara como o sintoma mais eloquente da resistência brasileira ao igualitarismo liberal: o instituto da prisão especial, que concede aos formados em universidade o benefício de um espaço diferenciado para o cumprimento de prisão preventiva ou provisória.

salientar, complementarmente, a linha de continuidade indiferente à mudança. O processo, combinando mudança e conservação, ruptura e permanência, lembra a dinâmica história do problema racial, étnico ou da cor no Brasil. O racismo e suas projeções substantivas, evidenciadas nas desigualdades, persistiu ao longo do século XX, indiferente às transformações profundas e estruturais que abalaram e redesenharam a sociedade brasileira: do campo para a cidade, sob solavancos institucionais e políticos, ao ritmo acelerado da industrialização, redefinindo-se relações sociais e linguagens culturais. Alheias às metamorfoses, mantiveram-se praticamente imóveis, como congelados no tempo, a nebulosa cultural do racismo e seus rastros empíricos na divisão do poder social e econômico[29].

Questionamentos acerca dos direitos humanos

Questionamentos dos direitos humanos, no campo das ciências sociais brasileiras (tal como observado pelo prisma das obras analisadas), têm acompanhado principalmente os seguintes padrões: a) consideram-nos etnocêntricos ou expressões e armas de domínio colonial e de expansão imperialista do capitalismo, implicando expropriação cultural e condenação ao "silêncio", neutralização, silenciamento ou mesmo liquidação da "cultura" nativa. Aqui, há os que reabrem o problema, tensionando a suposição idealizada de unidade do grupo explorado; b) afirmam que as instituições internacionais vinculadas à ONU não têm autonomia e são manipuladas por países e interesses hegemônicos no mundo pós-guerra fria (antes a espelhavam, duplicando-a em cada instância, sendo as diferenças entre os direitos humanos de primeira e segunda gerações sintomáticas das disputas e por elas reapropriadas e ressignificadas); c) consideram que os funcionários nessas instâncias políticas internacionais (da ONU) constroem carreiras e interesses próprios, o que torna quase irrelevante a questão da autonomia, uma vez que, mesmo independentes de forças regionais ou nacionais, elas servirão aos propósitos menores de seus operadores diretos, que se beneficiam de vantagens corporativas derivadas da reprodução dos problemas; d) postulam que as ONGs internacionais desenvolvem interesses próprios, que acabam sendo os de seus operadores, que se burocratizam, além de reproduzirem a cultura liberal dos países capitalistas centrais; e) afirmam que o problema pode ou tende a se reproduzir em escala nacional e, no limite, revela-se questão constitutiva do exercício de qualquer "representação" política; f) consideram que os direitos

---

[29] Ricardo Henriques (org.), *Desigualdade e pobreza no Brasil* (Rio de Janeiro, Ipea, 2000).

humanos constituem formas ou meios de acuar países dependentes ou periféricos, subtraindo-lhes soberania, em nome de valores elevados, mas com interesses escusos; g) declaram que, por mais que os direitos de segunda, terceira e quarta gerações tenham requalificado os direitos humanos, o liberalismo continua sendo sua marca essencial, porque promove a confusão (ou troca) entre as categorias igualdade e equidade, ignora a problemática das classes e dos modos de produção e permanece regido pelos conceitos abstratos de ser humano; h) aceitam seu uso instrumental a serviço dos oprimidos, mas não se identificam com os valores que exprimem. Sob esse prisma, importam mais as violações do que a afirmação positiva dos direitos humanos como paradigma valorativo ou referência política. E as violações são aquelas inteligíveis ou capturáveis pelos códigos de interpretação compatíveis com a teoria marxista. Por isso, a questão para quem se ocupa dos direitos humanos adotando essa perspectiva são as violações, sobretudo as violações perpetradas pelo Estado ou por seus aparelhos, seja na ditadura, seja posteriormente, quando o centro de agenciamento das violações desloca-se para as polícias, por exemplo. Por suposto, o Estado é, nesse contexto, a consubstancialização do domínio de classe. A problemática da violência não incorpora aquela perpetrada por indivíduos ou grupos, sobretudo por indivíduos e grupos de classes subalternas. E quando merecem atenção é para defini-las como vítimas de processos que as conduzem à condição em que atuam de modo violento, sabendo-se que tais práticas de violência não são incluídas entre os casos observáveis de violação de direitos humanos. Só o Estado, suas extensões institucionais e apenas as classes dominantes – pela mediação do Estado ou, diretamente, pela corrupção e por apropriações indébitas de recursos públicos, isto é, como predadores privados – violam direitos humanos. Pobres, oprimidos, explorados, discriminados, por definição, sendo vítimas, não são vistos como violadores. Se isso ocorrer, será para criticar a manipulação midiática do medo das camadas médias, a serviço da demonização das "classes perigosas"; ou o lugar desses oprimidos-violadores, enquanto sujeitos ou agentes, será neutralizado por mediações que, inscrevendo-os em história e redes de relações, os requalificarão, deslocando-os para a posição alienada e passiva ou de mera reprodução agenciada.

Em síntese, direitos humanos serão discurso e conjunto de referências valorativas ou normativas úteis à resistência contra violações do Estado e das classes dominantes. Úteis, portanto, à luta de classes, em sua dimensão negativa, de resistência. A dimensão positiva, que envolveria a absorção desses valores pelo modelo ideal de sociedade postulado como horizonte da revolução, esbarra na essência ou na natureza intrinsecamente liberal que subjaz aos enunciados dos direitos humanos.

O tratamento exclusivamente positivo dos direitos humanos, sem ambivalências ou condicionantes, existe e tem lugar de muito relevo – ainda que isso fosse dito com muito mais ênfase se estivéssemos tratando do campo do direito ou da educação. Observe-se, entretanto, que a adoção de uma perspectiva francamente positiva não implica ingenuidade nem miopia empírica. Por óbvio, quem adota esse ponto de vista não está condenado a ignorar manipulações em casos específicos, contra os supostos beneficiários das iniciativas tomadas em nome dos direitos humanos, nem a negligenciar manobras com segundas intenções (justificadas pela nobre bandeira dos direitos humanos). A diferença é que assumir uma postura eminentemente positiva quanto à legitimidade intrínseca (filosófica ou ética) e extrínseca (histórica e política, considerando o processo de sua constituição internacional) dos direitos humanos significa considerar que manipulações ou instrumentalizações políticas negativas, ou reapropriações mistificadoras e mascaradoras de ações condenáveis, não atingem as ideias nem os valores, tampouco a história de conquistas incorporada aos direitos humanos.

Discutir os direitos humanos traz a lume a indissociabilidade entre adesão axiológica, assunção de perspectiva teórica, opção por prisma analítico, recorte do universo de observação, construção do objeto, identificação no interior do campo acadêmico e no espaço da cidadania[30].

Matriz liberal dos direitos humanos, etnocentrismo e imperialismo

Entre os críticos que consideram os direitos humanos etnocêntricos, destacam-se os antropólogos, em especial aqueles filiados a tradições fortemente marcadas pelo relativismo[31], ainda que nesse grupo encontremos cientistas sociais

---

[30] Nesse âmbito mais amplo, métodos são democraticamente distribuídos entre todas as posições. Afinal, são sempre meios e cumprem missões que lhes são atribuídas por decisões anteriores e superiores: filosóficas, éticas, teóricas e políticas. São sempre meios, a não ser quando submetidos ao neopositivismo metodólatra. Neste caso, métodos passam a ser, sobretudo, fetiche disciplinar, ferramenta em competições institucionais, linguagem do poder (em que força e verdade se justapõem em jogos ritualísticos da academia), brasão identitário em nichos estamentais. No entanto, esse viés não incide sobre o campo em tela de juízo privilegiando qualquer direção.

[31] Que é sempre um atributo problemático e discutível, ensejando legítimas divergências teóricas. Aqui não empregamos o termo como categoria de acusação, mas como artifício para distinção entre tipos de abordagem.

oriundos de outras disciplinas. Para não dizer que a antropologia de corte relativista, qualquer que seja sua dicção filosófica ou seu dialeto teórico, é populista, no sentido russo do século XIX[32], optaríamos por sugerir que há entre ela e o pensamento *narodnik*[33] (uma constelação de valores e noções sobre o mundo social) afinidades eletivas.

Os vínculos tampouco são diretos. Há elos culturais que certamente cumpriram um papel na disseminação da visada antropológica "relativista" no Brasil, além das influências óbvias, inscritas nos centros europeus e estadunidenses de formulação das matrizes disciplinares. Contribuíram para a recepção politizada do relativismo antropológico no Brasil, certamente, concepções produzidas pelo pensamento católico, situado à esquerda do espectro político e que daria origem à Teologia da Libertação, combinando-se com aspectos-chave das teses de Paulo Freire sobre educação popular[34]. Essa linhagem também foi decisiva na construção do PT, de sua identidade e de seu perfil ideológico, ao se encontrar com os sindicalistas do ABC, com os militantes marxistas que rejeitaram a tradição do PCB e com o pensamento progressista desenvolvido na Universidade de São Paulo (USP)[35]. Outra fonte importante foi a cultura política gestada nas Comunidades Eclesiais de Base (CEB), na Comissão Pastoral da Terra (CPT) e, bastante tempo depois, no Movimento dos Trabalhadores Rurais Sem Terra (MST).

Em que consiste a ideologia *narodnik* tal como metabolizada pela cultura política da esquerda brasileira, sobretudo no período da transição democrática, marcado por intenso ativismo e por um fervilhar associativista? Um modo de descrevê-la esquematicamente (traduzindo-a para nosso tempo e nossa linguagem) seria reduzi-la a um tripé. Suas concepções e sua cosmologia nativista articulam uma

---

[32] Isaiah Berlin, *Russian Thinkers* (Londres, Hogarth, 1976).

[33] *Narodnik* significa "ir para o povo" (daí se traduziria pela categoria "populista"), em russo, e diz respeito aos que, inspirados em Rousseau e Herzen, vincularam-se ao movimento pelo socialismo agrário, *Narodnichestvo*, na segunda metade do século XIX, e a suas ideias. Ver Jean-Jacques Rousseau, *Do contrato social ou princípios do direito político* (São Paulo, Abril, 1973); e Aleksandr Herzen, *My Past and Thoughts* (Berkeley, University of California Press, 1982).

[34] Conferir Vanilda Paiva, *Paulo Freire e o nacionalismo desenvolvimentista* (Rio de Janeiro, Civilização Brasileira, 1980); Roberto Romano, *Brasil. Igreja contra Estado* (São Paulo, Kairós, 1979) e *Conservadorismo romântico* (2. ed., São Paulo, Editora Unesp, 1997); Luiz Eduardo Soares, "A paciência da metáfora", em *A interpretação* (Rio de Janeiro, Imago, 1990); Gildo Marçal Brandão, *A esquerda positiva. As duas almas do Partido Comunista (1920/1964)* (São Paulo, Hucitec, 1997); Otávio Velho, *Capitalismo autoritário e campesinato*, cit.

[35] Basta citar Florestan Fernandes e Francisco Weffort; o primeiro foi eleito deputado federal, e o segundo, secretário-geral do partido.

tríplice negação de mediações: cognitiva ou conceitual; didática ou educativa; e política ou institucional[36].

Nega-se a objetividade do conhecimento enquanto produto da razão e, portanto, enquanto supostamente dotado de validade universal. Nega-se a possibilidade de transmissão ou de comunicação, por processos educativos estruturados por uma divisão do trabalho ou de funções entre ensino e aprendizado ou os que ensinam e os que aprendem. Nega-se a possibilidade (ou a validade) da representação de vontade, valores e interesses, por meio de algum artifício institucional, particularmente instâncias políticas regidas por mecanismos neutros e constantes. Por quê? Porque o conhecimento não é um artefato gerado pelo engenho humano, metodicamente aplicado e passível de controle objetivo e neutro. É resultado de uma apreensão sensível, emocional, subjetiva, criativa, interpretativa, mnemônica, ordenada por símbolos e valores, proporcionada pela imersão do sujeito na experiência, na vivência do fenômeno. Como não há subjetividade insulada, essa modalidade experiencial de conhecimento dependerá sempre de uma imersão prévia em uma rede de sociabilidade ou em uma comunidade – e, portanto, no horizonte de uma tradição. Ininteligível e incomunicável, indissociável da linguagem que hospeda, significa e se estrutura a partir da vida comunitária, esse conhecimento emerge na linguagem, sob a forma de comunicação, na prática da interação, estabelecendo relações e, portanto, interlocucionariamente, coletivamente.

Por isso, não há educação sob o regime do ensino e da aprendizagem, como momentos distintos e polares, ainda que complementares, assim como não faz sentido uma divisão de funções entre os que agenciam cada polo dessa díade. Aprender é o que se passa com quem ensina e com quem ouve, escuta, absorve, recepciona discursos, conhecimentos, significações. Em vez de uma divisão do trabalho ou de uma dicotomia de funções, há uma cumplicidade e um compartilhar a aprendizagem. Aquele que aprende ensina ao aprender, e o que ensina aprende ao ensinar. Fora dessa comunhão, no processo da comum descoberta, na qual a verdade emerge como a consciência liberta da alienação, só há jogos de poder destinados a reproduzir a dominação socioeconômica.

Finalmente, nega-se a representação como forma de ação política legítima. O PT constituiu-se inspirado nessa corrente e se firmou, nesse ambiente cultural ou ideológico, filosófico ou ético-político, ao preço de adiar e deslocar sua vocação

---

[36] Luiz Eduardo Soares, "Algumas palavras sobre direitos humanos e diversidade cultural", em Chico Alencar (org.), *Direitos mais humanos* (Rio de Janeiro, Garamond, 1998).

parlamentar. A questão da identidade e do compromisso com as bases se impôs como condição *sine qua non* para sua diferenciação, no cenário político, e para que o partido construísse sua legitimidade popular, mediada pelas elites "basistas" ou "comunitaristas", essencialmente antiburguesas e mais apegadas à fidelidade a valores do que ao realismo. Estar ao lado do povo e dar testemunho do sofrimento provocado pela opressão de classe substituía o cálculo. A leitura em chave leninista-marxista sobre a necessidade histórica do desenvolvimento capitalista e da revolução burguesa era recusada[37]. Representar significa, nesse contexto, usurpar, pôr-se no lugar do sujeito representado e deslocá-lo da cena das decisões e do exercício do poder, excluí-lo, silenciá-lo[38]. Assim como a tradução, a representação implicaria, inevitavelmente, traição. Posição rousseauniana, como se vê. De fato, essa visão crítica está empiricamente respaldada desde o primeiro estudo de sociologia política sobre partido, escrito no início do século XX por Robert Michels[39]. O livro é um clássico e não foi desmentido. Demonstra a inexorabilidade da autonomização do partido e das esferas de representação, por motivos independentes da consciência e da vontade dos atores envolvidos. Weber escreveu

---

[37] O PT nasceu sob a tensão de contrastes porque a Teologia da Libertação se encontrava com o marxismo em algumas esquinas raras e remotas do cosmos intelectual. Ainda assim, a confluência celebrada nessas esquinas foi a fonte da energia criadora original, cujos efeitos permanecem marcantes, ainda que diluídos. Sob esse prisma se entendem – não significa que se concorde – decisões que por décadas afetariam o DNA do partido, ecoando para dentro e para fora, e provocando desdobramentos graves: a recusa a aprovar a Constituição; a recusa a participar da votação no Colégio Eleitoral que elegeu Tancredo Neves e viabilizou a transição democrática (tendo sido expulsos os três parlamentares que desobedeceram a orientação partidária); a recusa a integrar o governo de coalizão presidido por Itamar Franco, depois do *impeachment* do primeiro presidente eleito democraticamente, Fernando Collor de Mello.

[38] É importante, neste ponto, distinguir muito claramente duas perspectivas inteiramente diferentes. De um lado, situam-se os que denunciam a manipulação mascarada pela proposta de representação e defesa dos interesses de outro grupo por parte de profissionais ou militantes. Citamos, como exemplo, dois textos, um deles não brasileiro, mas bastante expressivo dessa corrente: Barbora Bukovská, "Perpetuando o bem: as consequências não desejadas da defesa dos direitos humanos", *Sur. Revista Internacional de Direitos Humanos*, ano 5, n. 9, 2008; o segundo, extremamente sofisticado: Pedro Paulo Gomes Pereira, "O silêncio e a voz", em Roberto Kant de Lima (org.), *Antropologia e direitos humanos*, v. 2 (Niterói, EdUFF, 2003). De outro lado, estão os que analisam as dificuldades de narrar o sofrimento e o que se perde na tradução, e as implicações psicológicas, sociais, culturais e políticas das formalizações institucionais. Como exemplo, dois ensaios magníficos: Ludmila da Silva Catela, "Desaparecidos e direitos humanos: entre um drama nacional e um dilema universal", em Regina Reyes Novaes e Roberto Kant Lima (orgs.), *Antropologia e direitos humanos* (Niterói, EdUFF, 2001); e Rebecca Saunders, "Sobre o intraduzível: sofrimento humano, a linguagem de direitos humanos e a Comissão de Verdade e Reconciliação da África do Sul", *Sur. Revista Internacional de Direitos Humanos*, ano 5, n. 9, 2008.

[39] Robert Michels, *Los partidos políticos: un estudio sociológico de las tendencias oligárquicas de la democracia moderna* (Buenos Aires, Amorrortu, 1972).

sobre a autonomização das esferas como processo sociológico incontornável[40]. Pierre Bourdieu estendeu o modelo analítico sobre a emergência e autonomização dos campos a outras áreas da vida social[41]. Nenhum estudo de ciência política digno desse nome jamais negou a dimensão relativamente autônoma dos mecanismos institucionais da representação democrática moderna. Assim, hoje seria ingênuo refutar a tese da autonomização do representante ou de seu afastamento do representado. O parlamentar está condenado a reger-se por lógicas próprias ao espaço em que atua, assim como a carreira acaba sendo um imperativo não só biográfico e individualista, mas do processo político, que requer acúmulo e alguma continuidade. O governante subordina-se a limitações diversas e não escapa aos dilemas por vezes trágicos produzidos por contradições entre as éticas da convicção e da responsabilidade. Portanto, há sabedoria e realismo na tese crítica da representação. Entretanto, em vez de tomar o olhar crítico como ponto de partida para a formulação de propostas práticas que conduzam a adaptações institucionais em que se incluam novos condicionantes aos mandatos populares e novos espaços de participação, reduzindo danos e aperfeiçoando o sistema, os adeptos do populismo radical se limitam a denunciar o logro democrático, ao qual opõem a idealização da participação direta e deliberativa. A ideia poética, vaga e empiricamente insustentável de que o povo pode construir o caminho ao caminhar e tomar seu destino nas próprias mãos é ingênua e não faz jus ao espírito crítico que foi capaz de desconstruir o instituto da representação.

Nas três negações de mediações percebe-se a presença oblíqua, mas insidiosa, de uma peculiar metafísica do sujeito desindividualizado, dissipado e expandido para o coletivo: a comunidade, o povo de Deus, os oprimidos. Há aí a força romântica análoga à que erige a própria ideia de cultura. Correlata à metafísica do sujeito desindividualizado, como sua contrapartida, insinua-se uma sociologia da coesão sem fissuras ou uma sociologia homeostática – a qual seria, por sua vez, o espelho ou a imagem invertida da luta de classes sem trégua, desprovida de mediações: uma espécie mítica e épica da dialética histórica reduzida à contradição, dissociada do momento da síntese.

---

[40] Max Weber, *Ciência e política: duas vocações* (São Paulo, Cultrix, 1967).
[41] Pierre Bourdieu, *Os usos sociais da ciência: por uma sociologia clínica do campo científico* (São Paulo, Editora Unesp, 2004), *O poder simbólico* (Rio de Janeiro, Bertrand Brasil, 2003) e *Razões práticas: sobre a teoria da ação* (Campinas, Papirus, 1996).

Afinidades eletivas entre o relativismo crítico dos direitos humanos, o romantismo e o populismo reinventados pela cultura política brasileira

Se a hipótese das afinidades eletivas se sustentar, a implicação se mostra provocativa e interessante: as obras antropológicas ou aquelas produzidas no âmbito de outras disciplinas, mas que compartilham a crítica às pretensões universalistas dos direitos humanos, seriam radicadas em uma galáxia ética e intelectual específica, cujas variações incorporam afluentes românticos do século XVIII, sobretudo representados por Herder[42] e um certo Rousseau[43] (que não cabe inteiramente nesse paradigma, na medida em que inspira e se alimenta no racionalismo contratualista do *esclarecimento*). E que assimilam desenvolvimentos anticapitalistas, nacionalistas e comunitaristas da Rússia do século XIX. A consequência seria a necessidade de admitir que a crítica ao etnocentrismo liberal dos direitos humanos seria formulada no interior de uma ideologia que há dois séculos, pelo menos, confronta o liberalismo – negociando, entretanto, com seu universo, uma vez que em parte as referências se superpõem.

Isso equivaleria a dizer que um etnocentrismo inconsciente de si e bem-intencionado (liberal) é criticado por outro etnocentrismo bem-intencionado e inconsciente de si (populista), ambos inscritos em linhagens europeias tradicionais e consagrados por obras canônicas e autores de elevada estirpe intelectual. No afã de não roubar a voz, substituir a voz, calar, trair, desvirtuar, apropriar-se, traduzir e capturar, traduzir e ressignificar a voz dos atores dos grupos estudados, esses antropólogos e antropólogas operam no interior de um campo intelectual, conceitual e valorativo bastante circunscrito e tradicional, ignorando os outros em sua alteridade, ou melhor, na positividade singular de sua alteridade. São seus os fantasmas, as culpas, a identificação, a empatia, a cumplicidade, a aliança, o respeito, a solidariedade. O outro participa desse jogo como figuração dramatizada pela tradição neorromântica, e os *plots* oferecem pequena margem de manobra e invenção. Respeitar o outro desse modo, a partir dos valores descritos e dos conceitos referidos, corresponde, paradoxalmente, a reproduzir narrativas lendárias e clichês político-filosóficos bicentenários. E corresponde, ao mesmo tempo, a colocar em marcha mecanismos institucionais e políticos transnacionais que,

---

[42] Johann Gottfried Herder, *Também uma filosofia da história para a formação da humanidade* (Lisboa, Antígona, 1995).

[43] Jean-Jacques Rousseau, *Do contrato social ou princípios do direito político*, cit.

virtuosos ou perversos, tanto quanto a abordagem dos liberais bem-intencionados, alienam as vontades e as iniciativas dos grupos estudados ou atendidos (se o mesmo entendimento se aplica à abordagem de ONGs internacionais ligadas à defesa dos direitos humanos).

A revalorização dos direitos humanos

Por isso são relevantes e enriquecedoras as sugestões de, entre outros, Cláudia Fonseca[44], Alcida Rita Ramos[45], Mariza Peirano[46], Rita Segato[47], Roberto Cardoso de Oliveira e Luís Roberto Cardoso de Oliveira[48], assim como a postura (conceitos e valores assumindo forma prática) de tantos antropólogos brasileiros, como Otávio Velho[49], João Pacheco[50] e Maria Manuela Carneiro da Cunha[51], que militam pela defesa dos direitos das sociedades tradicionalmente estudadas pelos etnólogos[52]. Todos os citados, de um modo ou de outro, sem ignorar a radicação cultural dos valores e das categorias envolvidos nos direitos humanos e, portanto, sem negligenciar a impropriedade etnocêntrica de sua pretensão à universalidade, todos, insistamos, reconhecem sua importância – seja para que se coloque, em fóruns internacionais, a própria questão do etnocentrismo e das intenções

---

[44] Cláudia L. W. Fonseca, C. A. Faria e V. Terto (orgs.), *Antropologia, diversidade e direitos humanos: diálogos interdisciplinares* (Porto Alegre, Editora da UFRGS, 2004) e Soraya Fleischer, Patrice Schuch e Cláudia Fonseca (orgs.), *Antropólogos em ação: experimentos de pesquisa em direitos humanos* (Porto Alegre, Editora da UFRGS, 2007).

[45] Alcida Rita Ramos, "Cutting through State and Class Sources and Strategies of Self-Representation in Latin America", em Jean Jackson e Kay Warren (orgs.), *Indigenous Movements, Self-Representation, and the State in Latin America* (Austin, University of Texas Press, 2002).

[46] Mariza Peirano, *O contexto dos direitos humanos: três ensaios breves* (Brasília, UnB, 1997).

[47] Rita Laura Segato, "Antropologia e direitos humanos", cit.

[48] Roberto Cardoso de Oliveira e Luís Roberto Cardoso de Oliveira, *Ensaios antropológicos sobre moral e ética* (Rio de Janeiro, Tempo Brasileiro, 1996).

[49] Otávio Velho, *Besta-Fera: recriação do mundo* (Rio de Janeiro, Relume Dumará, 1995).

[50] João Pacheco de Oliveira, "Uma etnologia dos 'índios misturados'? Situação colonial, territorialização e fluxos culturais", *Mana*, n. 4, v. 1, 1998, p. 47-77.

[51] Maria Manuela Carneiro da Cunha, *Antropologia do Brasil: mito, história, etnicidade* (São Paulo, Brasiliense/Edusp, 1986), *Os direitos do índio: ensaios e documentos* (São Paulo, Brasiliense, 1987) e *História dos índios no Brasil* (São Paulo, Companhia das Letras, 1992).

[52] De modo geral, os etnólogos brasileiros têm se dedicado a apoiar as lutas pela demarcação das terras indígenas e pelo respeito aos grupos indígenas, desde antes que a transição democrática gerasse espaços seguros de participação. Registre-se, aqui, portanto, esse reconhecimento, para que não pareça que suas eventuais críticas aos direitos humanos sejam interpretadas como cumplicidade a violações, descompromisso político ou omissão ética. Pelo contrário, a marca da comunidade etnológica e da Associação Brasileira de Antropologia (ABA) tem sido o engajamento e a solidariedade.

imperialistas a que podem servir; seja para que se fortaleça a resistência contra violações, discriminações e opressões diversas, perpetradas contra grupos sociais. O ponto-chave é a capacidade que os grupos têm demonstrado de apropriar-se dos direitos humanos em seu benefício, articulando-os a suas experiências culturais e a seus interesses específicos para enfrentar a dominação externa. Há também situações em que os direitos humanos alimentam lutas internas positivas (no sentido de que são internamente conduzidas) contra formas nativas de opressão, sancionadas pela cultura nativa. De tal maneira, a exterioridade cultural dos direitos humanos, em vez de esmagar a cultura alheia, pode servir de instrumento propulsor de mudanças nos valores, nas categorias e na sociedade, desejadas e protagonizadas por segmentos internos que se sentem violentados.

Na esteira de filósofos como Rousseau, Rita Segato[53] escreveu sobre a hipótese de um impulso ético universal, marcado pela valorização da alteridade e a disposição autocrítica, anterior a codificações culturais. Roberto Cardoso de Oliveira e Luís Roberto Cardoso de Oliveira[54], inspirados em Habermas[55] e Apel[56], situaram o ponto comum universal na razão argumentativa inscrita na dinâmica da comunicação humana ou na linguagem. Os distintos universalismos oferecem pontes mediadoras que abrem espaço para a valorização dos direitos humanos, sem prejuízo das cautelas já referidas. Alcida Ramos constatou etnograficamente a capacidade de reinterpretação e reapropriação das categorias dos direitos humanos pelos movimentos indígenas da América Latina[57]. Alba Zaluar estudou as violações e valorizou o tema, desde suas primeiras obras[58]. Mariza Peirano analisou as variações de sentido, privilegiando, entretanto, não a inviabilidade da comunicação ou do recurso aos direitos humanos, mas sua subordinação a dinâmicas reinterpretativas concretas, históricas e culturalmente circunscritas[59]. Luiz Eduardo Soares

---

[53] Rita Laura Segato, "Antropologia e direitos humanos", cit.

[54] Roberto Cardoso de Oliveira e Luís Roberto Cardoso de Oliveira, *Ensaios antropológicos sobre moral e ética*, cit.

[55] Jürgen Habermas, *The Theory of Communicative Action*, v. 1 (Boston, Beacon, 1984), "A unidade da razão na multiplicidade de suas vozes", *Revista Filosófica Brasileira*, UFRJ, v. 4, n. 4, out. 1989, *Direito e democracia I: entre facticidade e validade* (Rio de Janeiro, Tempo Brasileiro, 2003) e *Direito e democracia II: entre facticidade e validade* (Rio de Janeiro, Tempo Brasileiro, 2003).

[56] Karl-Otto Apel, *Towards a Transformation of Philosophy* (Londres, Routledge & Keagen Paul, 1980).

[57] Alcida Rita Ramos, "Cutting through State and Class Sources and Strategies of Self-Representation in Latin America", cit.

[58] Alba M. Zaluar, *A máquina e a revolta*, cit.

[59] Mariza Peirano, *O contexto dos direitos humanos*, cit.

apontava na mesma direção, afirmando que, quando os detratores públicos dos direitos humanos apontarem para seus defensores como inimigos perigosos, os ativistas compreenderão que essa guerra não admite hesitações, ainda que as dúvidas sejam necessárias e positivas, em outro plano[60]. Em artigo anterior, Soares[61] concluía no mesmo sentido, sugerindo que os direitos humanos não fossem vistos como representações de valores naturalizados, que supostamente espelhariam a natureza humana, mas como projeto político a construir em diálogos transculturais.

Roberto Kant de Lima, Regina Novaes, Miriam Pillar Grossi, Gustavo Lins Ribeiro, Lia Zanotta Machado, Maria Luiza Heilborn e Sérgio Carrara organizaram e prefaciaram os cinco volumes de coletâneas da série Antropologia e Direitos Humanos, patrocinados pela Associação Brasileira de Antropologia e pela Fundação Ford e lançados entre 2001 e 2008, exatamente com esta concepção: a despeito de seus vínculos culturais e dos perigos de suas pretensões universalistas, os direitos humanos têm sido muito mais do que a simples promoção de valores liberais, porque são refratados por contextos específicos e assumidos por agentes sociais criativos e críticos. Nessa mesma direção, merecem registro os esforços de Rosinaldo Silva e Souza, que organizou o volume de 2001 da série, e Daniela Cordovil Corrêa dos Santos, que organizou o de 2003. Registre-se também a importância da liderança intelectual de Cláudia Fonseca, que orientou pesquisas e organizou com colegas duas coletâneas sobre a temática[62].

Ao se estudarem grupos minoritários e discriminados na sociedade brasileira, tende a haver uma natural convergência entre a temática dos direitos e a ótica analítica e teórica adotada nas etnografias. Os direitos humanos correspondem a um repertório que dialoga com essas pesquisas e estimula o envolvimento dos pesquisadores com os grupos estudados[63]. A tal ponto que códigos de ética para pesquisas sociais têm sido elaborados à luz desse mesmo diálogo.

---

[60] Ver Luiz Eduardo Soares, "Algumas palavras sobre direitos humanos e antropologia", R. Novaes (org.), *Direitos humanos: temas e perspectivas* (Rio de Janeiro, Mauad/ABA/Fundação Ford, 2001).

[61] Luiz Eduardo Soares, "Algumas palavras sobre direitos humanos e diversidade cultural", cit.

[62] Cláudia L. W. Fonseca, C. A. Faria e V. Terto (orgs.), *Antropologia, diversidade e direitos humanos: diálogos interdisciplinares*, cit. e Soraya Fleischer, Patrice Schuch e Cláudia Fonseca (orgs.), *Antropólogos em ação: experimentos de pesquisa em direitos humanos*, cit.

[63] Para exemplificar, destacaríamos, entre várias outras obras importantes e omitindo autoras já citadas, os trabalhos de Luis Mott sobre homofobia ("Homoafetividade e direitos humanos", *Revista Estudos Feministas*, Florianópolis, v. 14, n. 2, 2006, p. 509-21); de Lilia Schwarcz sobre racismo (*Espetáculo das raças*, 2. ed., São Paulo, Companhia das Letras, 1995) e de José Jorge de Carvalho sobre ações afirmativas e política de cotas nas universidades (*Inclusão étnica e racial no Brasil: a questão das cotas*

Nesse caminho da antropologia, que se afasta da crítica mais incisiva e radical e se aproxima da temática multidimensional dos direitos humanos numa clave mais positiva, além das contribuições já assinaladas, merece destaque um ponto de inflexão. Ponto de ajuste ou de virada, de correção de rota, que não é apenas intelectual, mas, sobretudo, político e institucional. Representativa dessa redefinição de rumo é a exposição de Regina Novaes[64] a propósito dos primeiros resultados do concurso de trabalhos sobre direitos humanos, patrocinados pela Fundação Ford e organizados pela ABA. Com suas palavras, no concurso e na publicação de uma série de livros dedicados aos direitos humanos, as contradições que expusemos anteriormente não eram eliminadas, mas as ambivalências ético-políticas e teórico-analíticas em certa medida passaram a ser harmonizadas – ou seria melhor dizer sublimadas? – por um movimento de institucionalização do novo campo, cuja construção e/ou reconhecimento (paradoxalmente, os dois processos às vezes são concomitantes, sendo esse fenômeno um dos objetos prediletos da própria antropologia) permitiram que os direitos humanos assumissem o *status* de objeto legítimo e também de estoque de instrumentos úteis e válidos para a resistência de grupos sociais submetidos a distintas modalidades de opressão, discriminação ou exploração.

Pelas palavras de Regina Novaes, a ABA consagrava um inventário de prioridades para a pesquisa antropológica, sintetizando, assim, os principais dilemas que dividiam e ainda dividem opiniões e exigem desenvolvimento reflexivo:

a) Direitos humanos, como categoria de pensamento. Nesta dimensão poderiam ser apresentadas análises sobre os limites e a abrangência da categoria "direitos humanos",

---

no ensino superior, 2. ed., São Paulo, Attar, 2006); de Mariza Corrêa (*Os crimes da paixão*, São Paulo, Brasiliense, 1981, e "O mistério dos orixás e das bonecas: raça e gênero na antropologia brasileira", *Etnográfica*, Lisboa, v. 4, n. 2, 2000, p. 233-66), Barbara Musumeci Soares (*Mulheres invisíveis: violência conjugal e as novas políticas de segurança*, Rio de Janeiro, Civilização Brasileira, 1999), Lourdes Bandeira e Myreia Suarez (*Gênero, violência e poder no Distrito Federal*, Brasília, UnB/Paralelo 15, 1999), Suely Kofes (*Mulher, mulheres: identidade, diferença e desigualdade na relação entre patroas e empregadas*, Campinas, Editora da Unicamp, 2001), Maria Filomena Gregori (*Cenas e queixas: mulheres e relações violentas*, São Paulo, Paz e Terra/Anpocs, 1993) e Maria Filomena Gregori e Guita Debert ("Violência e gênero: novas propostas, velhos dilemas", *Revista Brasileira de Ciências Sociais*, v. 23, 2008, p. 165-85) sobre violência contra a mulher e as questões de gênero. A diversidade religiosa tornou-se tema de grande importância para o qual muitos colegas contribuíram e mereceriam referência caso pudéssemos ampliar nossa abordagem como seria recomendável. Questões de muita importância – os usos, as políticas e os discursos sobre "drogas", assim como as questões relativas aos estigmas – exigem menção, aqui registrada por meio dos estudos pioneiros de Gilberto Velho (*Nobres e anjos: um estudo de tóxicos e hierarquia*, Rio de Janeiro, Editora da FGV, 1998, e *Desvio e divergência: uma crítica da patologia social*, 7. ed., Rio de Janeiro, Zahar, 1999).

[64] Regina Novaes, *Direitos humanos: temas e perspectivas* (Rio de Janeiro, Mauad, 2001).

considerando sua historicidade, os símbolos que evoca e que constrói, as práticas e representações que reforça, desconstrói ou engendra.

b) O trabalho de campo. Ao estabelecer o trabalho de campo como área temática, a comissão organizadora buscava incentivar a reflexão sobre as tensões, os encontros e desencontros entre os valores universais e os contextos particulares nos quais se desenvolvem as pesquisas antropológicas.

c) Direitos humanos hoje. Esta área abrigaria reflexões e estudos etnográficos voltados para a questão dos direitos humanos em interface com vários eixos temáticos, a saber: desigualdades sociais; cidadania; violência (política, urbana, rural); minorias e grupos socialmente vulneráveis (étnicos, religiosos, sexuais, etários, geracionais).[65]

No prefácio do volume 3 da mesma série, Kant de Lima, presidente da comissão de direitos humanos da ABA e organizador do livro, iria mais longe, rumo a uma aproximação positiva da antropologia com os direitos humanos[66]:

> É esperançoso, no entanto, observar o sucesso que a perspectiva antropológica tem alcançado em nosso país, relativizando perspectivas e colaborando, mesmo, com a cultura jurídico-judiciária tradicional na administração de conflitos entre variados segmentos da população, seja na esfera judicial, seja na esfera da segurança pública, mediante intervenções que vão desde a colaboração ativa até a formação de quadros para a área de formulação e execução de políticas públicas, fundadas em pesquisa de qualidade com viés antropológico. Por isso mesmo, continuemos a "porfiar, porquanto é bom porfiar...".[67]

Uma posição particularmente relevante no contexto da produção antropológica é representada por Alba Zaluar, que, sem ignorar o desafio relativista, recusa soluções metafísicas, artificiais ou abstratas, preferindo reconhecer a complexidade do problema e a necessidade de lidar seja com estudos sempre específicos (no mesmo sentido da tendência geral dos antropólogos supra referidos), seja com os imperativos ético-políticos da prática (também apoiando a orientação predominante),

---

[65] Regina Noaves, "Introdução", em Roberto Kant de Lima e Regina Novaes (orgs.), *Antropologia e direitos humanos*, cit., p. 10.

[66] No mesmo sentido vai a contribuição de Theophilos Rifiotis. Conferir, por exemplo, *Direitos humanos: declaração, estratégia e campo de trabalho* (Florianópolis, Laboratório de Estudo das Violências, PPGAS/UFSC, 2006). Do mesmo autor, ver "Direitos humanos: sujeito de direitos e direitos do sujeito", em *Educação em direitos humanos: fundamentos teórico-metodológicos* (João Pessoa, Editora UFPB, 2007).

[67] Roberto Kant de Lima (org.), *Antropologia e direitos humanos*, v. 3 (Niterói, EdUFF, 2005), p. 8.

seja com a dimensão inescapável das "escolhas trágicas"[68]. Numa direção próxima, Soares definia o dilema como "agonístico, aporético e insuperável", abordando, entretanto, o tema das escolhas trágicas por ângulo distinto[69].

Desafios contemporâneos para a reflexão sobre direitos humanos suscitados pela análise da produção brasileira em ciências sociais

O que ainda falta discutir, nas ciências sociais brasileiras, sobre direitos humanos, segundo indicações implícitas ou explícitas dos autores ou das obras contempladas pelo presente esforço de mapeamento? Claro que alguns desses temas são inesgotáveis e que certos dilemas são insolúveis, na medida em que expressam aporias teóricas ou diferenças inconciliáveis que atravessam as disciplinas e lhes infundem a energia agonística necessária para a construção das identidades, o debate crítico e as disputas político-acadêmicas.

Contudo, vale apontar sete tópicos que nos parecem particularmente relevantes e atuais.

1) Dois artigos essenciais de Andrei Koerner[70] colocam o feixe de problemas de que tratamos como primeiro tópico a ser explorado.

---

[68] "Talvez o mais espinhoso de todos os dilemas atuais do fazer antropológico seja o dos direitos humanos no mundo globalizado, cheio de intervenções e trocas interculturais, mas com exemplos frequentes de violações aos direitos de minorias étnicas ou de gênero dentro dos novos países que foram surgindo após o fim dos impérios coloniais. O que fazer quando nativos fora da situação colonial oprimem outros povos em regimes autoritários, fazem guerras de extermínio, ou por causa da limpeza étnica, ou em nome do fundamentalismo religioso? Como interpretar a discriminação religiosa, lá e cá, e a negação absoluta da verdade do outro? Deve silenciar-se sobre tais violências por causa da perspectiva relativista da disciplina? [...] A antropologia terá que dividir com outros ramos do conhecimento as verdades sobre os seus objetos, perdendo a amplitude e a ambição da etnografia tradicional sobre seus objetos tradicionais. Mas ainda lhe restará o que só proporcionam a observação participante – enquanto for possível participar sem negar de onde vem e quem é o observador, com suas similitudes e diferenças éticas – e o registro da interação observador-observado marcada, às vezes, por escolhas trágicas." Alba M. Zaluar, "Pesquisando no perigo: etnografias voluntárias e não acidentais", *Mana*, v. 15, n. 2, 2009, p. 557-84. Disponível em: <www.scielo.br/scielo.php?script=sci_arttext&pid=S0104-93132009000200009>; acesso em: 25 mar. 2019.

[69] Luiz Eduardo Soares, "Luz baixa sob neblina: relativismo, interpretação, antropologia", em *O rigor da indisciplina* (Rio de Janeiro, Relume Dumará, 1994), p. 90, e "Complexidade, pluralismo e transdisciplinaridade", em *Legalidade libertária*, cit.

[70] Andrei Koerner, "Ordem política e sujeito de direito no debate sobre direitos humanos", *Lua Nova*, n. 57, 2002, p. 87-111, e "O papel dos direitos humanos na política democrática: uma análise preliminar", *Revista Brasileira de Ciências Sociais*, v. 18, n. 53, 2003, p. 143-57; disponível em <www.scielo.br/pdf/rbcsoc/v18n53/18083.pdf>, acesso em: 25 mar. 2019.

Nos debates de teoria e sociologia do direito tem-se proposto substituir o modelo da pirâmide de normas pela imagem da rede, do jogo ou mesmo do arquipélago de normas. O direito passa a ser considerado um sistema aberto, permeável, incompleto e com articulações complexas com a sociedade. No limite, alguns autores propõem a própria supressão do direito como um conceito ou uma racionalidade específica [...]. Esses trabalhos põem em relevo a inadequação das abordagens jurídicas convencionais dos direitos humanos, em que estes são estudados a partir de uma perspectiva disciplinar que parte do sujeito de direito para deduzir as condições do sistema normativo concebido como uma pirâmide de normas. Trata-se de um sistema isolado, autônomo em relação às outras dimensões sociais e políticas da sociedade. Essa visão faz uma espécie de purificação epistemológica e política, a qual determina de maneira unívoca o significado e as relações entre os conceitos jurídicos. Contudo, perde o mais importante para se pensarem os direitos humanos: o entrelaçamento do direito a outras dimensões da sociedade, seu caráter polêmico e incompleto, sua mudança contínua.[71]

Essas reflexões demonstram quão importante é trabalhar os direitos humanos promovendo o diálogo entre as três disciplinas que constituem o campo das ciências sociais, às quais outras devem se associar, sobretudo a educação[72], a filosofia, a história, as relações internacionais e o direito. É inviável discutir direitos humanos, no Brasil, sem ler, por exemplo, no campo do direito, as obras fundamentais de Flávia Piovesan[73], Hélio Bicudo[74], Fábio Konder Comparato[75], Antônio

---

[71] Idem, "O papel dos direitos humanos na política democrática: uma análise preliminar", cit., p. 150.

[72] Sobre o tema educação em direitos humanos, ver Vera Maria Candau, "Direitos humanos, educação e interculturalidade: as tensões entre igualdade e diferença", *Revista Brasileira de Educação*, v. 13, n. 37, 2008, p. 45-56; Sergio Haddad, *A educação entre os direitos humanos* (Campinas, Autores Associados, 2006); Renato Janine Ribeiro, "Ética e direitos humanos: interface", *Comunicação, Saúde e Educação*, v. 7, 2003, p. 16; G. Tosi (org.), *Direitos humanos: história, teoria e prática* (João Pessoa, Editora UFPB, 2005). Especialmente, ver as coletâneas organizadas por José Sérgio Carvalho, *Educação, cidadania e direitos* humanos, cit.; e Rosa Godoy, A. Alencar e Nazaré Zenaide, *Educação em direitos humanos: fundamentos teóricos metodológicos* (João Pessoa, Editora UFPB, 2007).

[73] Flávia Piovesan, "Ações afirmativas da perspectiva dos direitos humanos", *Cadernos de Pesquisa*, v. 35, n. 124, jan.-abr. 2005, p. 43-55 (disponível em: <http://www.scielo.br/pdf/cp/v35n124/a0435124.pdf>; acesso em: nov. 2018), "Ações afirmativas no Brasil: desafios e perspectivas", *Revista Estudos Feministas*, Florianópolis, v. 16, n. 3, 2008, p. 887-96, e *Direitos humanos e o direito constitucional internacional* (11. ed., São Paulo, Saraiva, 2010).

[74] Hélio Bicudo, *Direitos civis no Brasil: existem?* (São Paulo, Brasiliense, 1985) e *Direitos humanos e sua proteção* (São Paulo, FTD, 1998).

[75] Fábio Konder Comparato, *A afirmação histórica dos direitos humanos* (São Paulo, Saraiva, 1999).

Augusto Cançado Trindade[76] e Eduardo Bittar[77] – sublinhe-se, neste contexto, o lugar estratégico da produção de Celso Lafer[78] enquanto mediador fundamental entre as áreas do direito, da ciência política, da filosofia e das relações internacionais. O entrelaçamento entre valores, normas, leis, categorias morais, dever e direito é uma questão teórica, analítica e prática. No campo dos direitos humanos, os objetos de estudo se sobrepõem e impõem às disciplinas diálogo e cooperação estreita. Tanto quanto antropólogos e sociólogos não podem se esquivar de pesquisar o Estado, os cientistas políticos não podem negligenciar a etnografia de grupos locais e de sua produtividade político-normativa.

2) O segundo feixe de questões é a judicialização da política – tema cuja importância aprendemos a reconhecer, sobretudo, com Werneck Vianna[79] e seus interlocutores, como Maria Alice Rezende Carvalho, Gisele Cittadino, José Eisenberg e Marcelo Burgos. Caberia indagar de que maneira a problemática dos direitos humanos se articula com esse processo: alimenta-o ou abre veredas alternativas? Acreditamos que as duas hipóteses sejam verdadeiras, dependendo do tipo de situação que se observa. Entretanto, dadas as dificuldades já apontadas de tradução legal dos direitos humanos, assim como sua inscrição nas dinâmicas sociais e nos conflitos políticos, talvez seja provável que as vias não judiciais predominem, colocando em marcha experiências inovadoras na área da mediação de conflitos e exercendo pressão sobre os repertórios governamentais das políticas públicas, em todos os níveis (municipais, estaduais e federais).

Seria extremamente interessante pesquisar as formas surpreendentes pelas quais se transita dos documentos internacionais para políticas públicas, pela mediação do ativismo societário, saltando sobre a catedral jurídica e seus

---

[76] Antônio Augusto Cançado Trindade, "Dilemas e desafios da proteção internacional dos direitos humanos no limiar do século XXI", *Revista Brasileira de Política Internacional*, v. 40, n. 1, 1997, p. 167--77, e "Desarraigamento e a proteção dos migrantes no direito internacional dos direitos humanos", *Revista Brasileira de Política Internacional*, v. 51, n. 1, 2008, p. 137-68.

[77] Eduardo Carlos Bianca Bittar, "Educação e metodologia para os direitos humanos: cultura democrática, autonomia e ensino jurídico", em *Educação em direitos humanos: fundamentos teóricos metodológicos* (João Pessoa, Editora UFPB, 2007), e *Cidadania: condição de exercício dos direitos humanos*, 2010 (disponível em: <www.dhnet.org.br/direitos/militantes/eduardobittar/bittar_cidadania_exerc_dh.pdf>; acesso em: 26 mar. 2019) e Eduardo Carlos Bianca Bittar e Vitor S. L. Blotta, *O lugar dos direitos humanos no Brasil*, 2010.

[78] Celso Lafer, "A ONU e os direitos humanos", *Estudos Avançados*, v. 9, n. 25, 1995, p. 169-85, e *Reconstrução dos direitos humanos*, cit.

[79] Luiz Werneck Vianna et al., *A judicialização da política e das relações sociais no Brasil* (Rio de Janeiro, Revan, 1999).

mecanismos muitas vezes progressistas, do ponto de vista substantivo, mas despolitizados e despolitizantes.

Mais uma vez, as observações de Koerner[80] se mostram importantes: se o direito se desloca da hierarquia piramidal normativa para as redes em expansão, talvez seja, em parte, porque, do outro lado, a vida social inventa mediações para passar do valor à prática substantiva, envolvendo a mobilização participativa dos grupos afetados e a intervenção na opinião pública, gerando consensos e negociando com o Poder Executivo.

3) O terceiro grupo de problemas diz respeito à negação extrema dos direitos humanos: a crueldade exponencial institucionalizada, de que o holocausto é retrato radical e signo. Analisando os procedimentos que envolvem a desumanização – o esvaziamento da linguagem e dos recursos de construção simbólica, comunicativa e cognitiva do mundo e a desertificação dos sinais de reconhecimento – e as estratégias de sua reprodução automática, Renato Lessa[81], na linha de alguns filósofos e historiadores, tem chamado atenção para a insuficiência da narrativa regida pela ideia dos direitos humanos diante do colapso dos dispositivos de subjetivação tipicamente humanos, ou seja, ante o desafio de uma segunda natureza ou de uma vida social invertida, em que o mal (a degradação do outro e a imposição arbitrária de sofrimento) converte-se em norma. Não basta determinar a correção da rota e trocar valores ou normas, uma vez que o agente capaz da brutalidade mais selvagem não seria um condutor de práticas a ser redirecionado. O holocausto e a violência extrema nos situam diante de um abismo: propor normas decentes para reger a vida coletiva supõe certa disponibilidade para o bem – a história nos autoriza a supô-la?

4) O quarto feixe de questões: a evolução das conquistas sociais introduziu no repertório dos direitos humanos compromissos sociais, econômicos, ambientais e de reconhecimento de suas identidades, na diversidade de suas escolhas e de suas formações culturais. Ficaram conhecidas como as quatro "gerações" sucessivas dos direitos humanos. Um princípio com frequência é evocado e reiterado, mas protegido de qualquer questionamento: referimo-nos à celebrada indivisibilidade dos direitos humanos, que se caracterizariam por sua unidade e sua interdependência

---

[80] Andrei Koerner, "Ordem política e sujeito de direito no debate sobre direitos humanos", cit., e "O papel dos direitos humanos na política democrática: uma análise preliminar", cit.

[81] Renato Lessa, "David Hume em Auschwitz: notas sobre o trauma e a supressão das crenças ordinárias", *Revista Brasileira de Psicanálise*, v. 39, 2006, p. 67-78.

– notável exceção é Emílio García Méndez[82], que se inscreve na linhagem filosófica antifundacionalista de Eduardo Rabossi[83] e Richard Rorty[84], em diálogo com o construtivismo histórico de Norberto Bobbio[85], Isaiah Berlin[86] e Michael Ignatieff[87]. Apesar de acolhido com fervor ideológico, ético, doutrinário e político, o princípio não suporta os ventos mais fortes da experiência nem o escrutínio sociológico. Ainda que fossem congruentes entre si, configurando um todo coerente – o que é discutível, dependendo do ponto de vista a partir do qual se defina cada norma e cada valor –, na esfera abstrata, os direitos, quando aplicados, expõem-se a toda sorte de choques e contradições. Tomemos apenas os principais: liberdade e igualdade, estendidas ao plano socioeconômico.

Não é preciso voltar a Tocqueville[88], John Stuart Mill[89] ou John Rawls[90] nem contemplar a história do século XX e o destino das revoluções para saber que a promoção da igualdade, em determinadas condições e realizada em profundidade e extensão, entra em conflito com a liberdade. Por isso, o grande desafio para quem cultua ambos os valores é maximizá-los, na prática, até o limite em que os danos causados cancelem os benefícios alcançados. O ajuste fino é variável, delicado, problemático e muda segundo o contexto. Cultivar uma pluralidade de valores implica lidar com escolhas às vezes trágicas. Entre o ideal e a prática,

---

[82] Emilio García Méndez, "Origem, sentido e futuro dos direitos humanos: reflexões para uma nova agenda", *Sur. Revista Internacional de Direitos Humanos*, n. 1, 2004.

[83] Eduardo Rabossi, "La teoría de los derechos humanos naturalizada", *Revista del Centro de Estudios Constitucionales*, n. 5, jan.-mar. 1990, p. 159-75.

[84] Richard Rorty, "Human Rights, Rationalility, and Sentimentality", em *Philosophical Papers 3: Truth and Progress* (Cambridge, UK, Cambridge University Press, 1998)

[85] Norberto Bobbio, "Presente y futuro de los derechos del hombre", em *El problema de la guerra y las vías de la paz* (Barcelona, Gedisa, 1982) e *A era dos direitos* (trad. Carlos Nelson Coutinho, Rio de Janeiro, Campus, 2004).

[86] Isaiah Berlin, "A busca do ideal", em *Estudos sobre a humanidade: uma antologia de ensaios* (trad. Rosaura Eichenberg, São Paulo, Companhia das Letras, 2002).

[87] Michael Ignatieff, *Human Rights as Politics and Idolatry* (Princeton: Princeton University Press, 2001).

[88] Alexis Tocqueville, *Democracy in America* (Londres, Penguin, 2003) [ed. bras.: *A democracia na América*, Livro I: *Leis e costumes*, trad. Eduardo Brandão, 3. ed., São Paulo, Martins Fontes, 2014, e *A democracia na América*, Livro II: *Sentimentos e opiniões*, trad. Eduardo Brandão, 2. ed., São Paulo, Martins Fontes, 2014].

[89] John Stuart Mill, *The Basic Writings of John Stuart Mill: On Liberty, the Subjection of Women and Utilitarianism* (Nova York, Classic Books America, 2009) [ed. bras.: *Sobre a liberdade/A sujeição das mulheres*, trad. Paulo Geiger, São Paulo, Penguin Companhia, 2017].

[90] John Rawls, *A Theory of Justice* (Cambridge, Harvard University Press, 1971) [ed. bras.: *Uma teoria da justiça*, trad. Jussara Simões, São Paulo, Martins Fontes, 2016].

há mediações e os chamados efeitos perversos ou de composição. Isaiah Berlin nos ensina que há um platonismo velado na suposição de que "as respostas verdadeiras, quando encontradas (para os problemas humanos ao nível dos valores e das normas de conduta individual ou social), devem ser necessariamente compatíveis entre si e formar um conjunto único, pois uma verdade não pode ser incompatível com outra"[91].

Interessante comparar a expectativa de unidade ou a vontade idealista de harmonia com as construções equivalentes nas ciências ditas naturais, igualmente fadadas a ignorar a imperfeição e as inconsistências da "natureza"[92]. Essa reflexão faria a festa de antropólogos e sociólogos que estudam o sincretismo religioso no Brasil e as bricolagens da cultura popular, cujo valor poderia, portanto, ser mais incisivamente reconhecido. Dialogando com tradições da filosofia, Kolakowski[93] escreveu o elogio da inconsistência, o qual Soares[94] procurou valorizar e aplicar.

É tempo de abrirmos esse debate não para renunciarmos à luta pelos direitos de todas as quatro gerações, tampouco para negar a necessidade de aderirmos ao modelo ideal produzido pela agregação de todos os direitos postulados (nas quatro gerações) e os valores que os justificam, mas para reconhecermos dificuldades teóricas, anteciparmos as dificuldades políticas, prepararmo-nos para enfrentá-las e prevenirmo-nos quanto à eventualidade provável de sermos instados a tomar decisões trágicas ante equações de soma zero, nas quais a redução de danos será um critério importante[95].

Hoje não há experiência histórica verificável nem modelo realista de sociedade, capaz de compatibilizar, em seu funcionamento, a aplicação plena – socioeconômica, cultural e política – de liberdade e igualdade. Enfrentar essa discussão evitará a ilusão de que a luta pelos direitos será um processo contínuo, apenas obstado por opressores que se beneficiam de violações e privações. Impedirá que definamos todos os objetivos com valores que preferiríamos ver consensualmente

---

[91] Isaiah Berlin, "A busca do ideal", cit., p. 45.
[92] Marcelo Gleiser, *Criação imperfeita: cosmo, vida e o código oculto da natureza* (Rio de Janeiro, Record, 2010).
[93] Leszek Kolakowski, "In Praise of Inconsistency", em *Toward a Marxist Humanism* (Nova York, Grove, 1968).
[94] Luiz Eduardo Soares, "O trabalho da inércia", cit.
[95] Por redução de danos compreendemos, aqui, o cálculo que busca uma equação em cujos termos se alcança a efetivação máxima das orientações adotadas até o limite ditado pela minimização dos prejuízos provocados nesse mesmo movimento.

aceitos como naturais, universais, constitucionais e pétreos. Quando afirmamos que um objetivo ou um direito que postulamos é um "direito humano", em certa medida o subtraímos da mesa de negociações e do espaço público argumentativo e dialógico, político e democrático. Como fazê-lo, isto é, como retirar do debate e fixar definitivamente aqueles objetivos ou direitos que, no processo de implementação, podem contradizer ou afetar de forma negativa alguns outros que também defendemos? A divisibilidade abre portas para o debate, o que pode significar recuos. Sua negação dogmática, porém, é insustentável e fragiliza o acúmulo de conquistas extraordinárias que constituem um patrimônio da humanidade. Parece que estamos condenados ao debate e ao risco, à contingência e à política. Enfim, às contradições. Em outras palavras, à realidade. O consolo é que talvez assim, admitindo contradições e fissuras na unidade indivisível, a construção dos direitos humanos seja ainda mais sólida e menos reversível.

5) O quinto feixe de questões diz respeito às possibilidades e aos limites enfrentados pela precária institucionalidade transnacional, no mundo pós-guerra fria, para desenvolver com um mínimo de autoridade e consistência a defesa dos direitos humanos. O autor que, por excelência, nos propõe essa reflexão é o cientista social brasileiro que desempenha o papel mais importante nessa arena, Paulo Sérgio Pinheiro:

> Está na hora de tornarmos os princípios da Declaração Universal e de outros importantes instrumentos de direitos humanos, que contribuíram para a criação de uma rede global de proteção de direitos, aplicáveis a todas as pessoas, independentemente de onde estiverem e para além de qualquer "excepcionalismo" cultural.[96]

As questões continuam sendo: como alcançar os referidos objetivos no contexto internacional contemporâneo, em que apenas a economia se globaliza, institucionalizando alguns mecanismos e certas regras, enquanto a política ainda se reduz à força e as importantes iniciativas de estruturar um sistema de justiça transnacional ainda são incipientes? Como alcançar os objetivos citados sem os negar, atropelando o direito à cultura em sua singularidade, ou seja, em sua diferença? A antropologia brasileira avançou na resposta à segunda pergunta, mas a realidade hobbesiana internacional resiste às mudanças sem as quais a primeira pergunta permanecerá sem resposta.

---

[96] Paulo Sérgio Pinheiro, "Os sessenta anos da declaração universal: atravessando um mar de contradições", *Sur. Revista Internacional de Direitos Humanos*, ano 5, n. 9, 2008. Disponível em: <sur.conectas.org/os-sessenta-anos-da-declaracao-universal>; acesso em: 25 mar. 2019.

6) O sexto feixe de problemas diz respeito à política governamental. Por um lado, identificam-se qualidades, como continuidade, coerência, expansão gradual de temas e compromissos e ampliação da participação – com reflexos na própria produção acadêmica: nunca antes na história desse país criaram-se tantos grupos de pesquisa[97] junto ao CNPq, tantas unidades acadêmicas, nem se publicou tanto sobre direitos humanos como tem ocorrido desde 2003. Por outro lado, o hiato entre propostas e sua efetivação cresce de forma proporcional ao aumento da agenda, e as resistências se politizam, extrapolando a antiga arena de debates. O já mencionado ensaio de Sérgio Adorno, publicado em 2010, analisa a história recente e identifica um conjunto de questões tão relevantes quanto atuais[98]. Os dilemas em pauta requerem, nesse caso, não apenas que os cientistas sociais ajudemos a pensar, como também que nos mobilizemos para levar o debate ao espaço público, além dos *campi* universitários. Nesse contexto, inscreve-se a importante problemática metodológica relativa à avaliação das políticas públicas[99] destinadas a promover a implementação dos direitos humanos. Há aí um conjunto de questões urgentes e muito complexas.

7) O sétimo eixo refere-se a encontros e desencontros entre direitos humanos e transição democrática, memória e verdade, acesso às informações, reparação e reconciliação. Essa problemática envolve o estudo comparativo sobre os modos pelos quais diferentes países, das mais variadas partes do mundo, lidaram com as questões sensíveis da atribuição de responsabilidades pelos crimes perpetrados pelas ditaduras e seus agentes, do estabelecimento de regras e limites para a anistia, da negociação de pactos visando à estabilização do novo regime. A sociedade brasileira voltou a discutir essas questões, e o Supremo Tribunal Federal adotou decisão polêmica, já em 2010, desautorizando interpretações restritivas da Lei de Anistia. Isto é, impedindo processos contra torturadores e agentes da ditadura responsáveis por diferentes tipos de crime, inclusive estupros, sequestros e assassinatos. O que está em jogo são distintas culturas políticas e diferentes estratégias relativas a mediação de conflitos, distribuição de responsabilidades e fixação prospectiva de valores e horizontes normativos. Não se trata apenas de reavaliações históricas, mas

---

[97] No levantamento feito junto à base de dados CNPq/Grupos de pesquisa, foram identificados 378 grupos no campo dos direitos humanos: 172 estão concentrados na área de ciências aplicadas, especialmente no direito; identificamos 67 cadastrados nas ciências sociais – 17 na antropologia, 23 na ciência política e 27 na sociologia.

[98] Sérgio Adorno, "História e desventura", cit.

[99] Ver Fernande Raine, "O desafio da mensuração nos direitos humanos", *Sur. Revista Internacional de Direitos Humanos*, ano 3, n. 4, 2006, p. 6-29.

de análise de características atuais das diferentes sociedades que viveram transições políticas para a democracia. Características em parte derivadas do modelo de transição e, certamente, geradoras de efeitos futuros, culturais e políticos[100].

Sem dúvida, outros feixes de questões poderiam ser identificados. De todo modo, o inventário que propusemos basta para demonstrar a riqueza do campo de pesquisas e reflexões sobre os direitos humanos nas ciências sociais brasileiras. Campo em processo contínuo de construção dialógica.

Fontes

1. Sites especializados e documentos oficiais

Associação Brasileira de Antropologia (ABA), <www.portal.abant.org.br>
Associação Nacional de Direitos Humanos, Pesquisa e Pós-Graduação (Andhep), <www.andhep.org.br>
Biblioteca Virtual de Direitos Humanos, <www.direitoshumanos.usp.br>
Biblioteca Virtual Scielo, <www.scielo.org/php/index.php>
Conectas, <www.conectas.org>
DHNet, <www.dhnet.org.br>
Diretório dos Grupos de Pesquisa no Brasil (DGP), <lattes.cnpq.br/web/dgp>
Instituto Civitas, <www.cdh.org.br>
Movimento Humanos Direitos, <www.humanosdireitos.org>
Movimento Nacional de Direitos Humanos, <www.mndh.org.br>
Núcleo de Cidadania e Direitos Humanos da UFPB, <www.cchla.ufpb.br/ncdh>
Núcleo de Estudos de Políticas Públicas em Direitos Humanos Suely Souza de Almeida, <www.nepp-dh.ufrj.br>
Rede de Observatório de Direitos Humanos, <www.observatorio.nevusp.org>
Rede Social de Justiça e Direitos Humanos, <www.social.org.br>

MINISTÉRIO DA JUSTIÇA. Programa Nacional de Direitos Humanos (PNDH) I. Brasília, 1996.
MINISTÉRIO DA JUSTIÇA. Programa Nacional de Direitos Humanos (PNDH) II. Brasília, 2002.

---

[100] Ver Cristina Buarque de Holanda, "Violência e trauma na transição política: o caso sul-africano", em Regina Maria da Cunha Bustamante e José Francisco de Moura (orgs.), *Violência na história* (Rio de Janeiro, Mauad/Faperj, 2009); Glenda Mezarobba, "O que é justiça de transição? Uma análise do conceito a partir do caso brasileiro", em Inês V. P. Soares e Sandra A. S. Kishi (orgs.), *Memória e verdade: a justiça de transição no Estado democrático brasileiro* (Belo Horizonte, Fórum, 2009) e "O processo de acerto de contas e a lógica do arbítrio", em Edson Teles e Vladimir Safatle (orgs.), *O que resta da ditadura: a exceção brasileira* (São Paulo, Boitempo, 2010); Luiz Eduardo Soares, "Perdão e esquecimento: a cultura política brasileira e as lições da África do Sul" e "Complexidade, pluralismo e transdisciplinaridade", em *Legalidade libertária*, cit., e "Forgiveness and Reconciliation: Preliminary Considerations or A Political Philosophy of Forgiveness and Reconciliation", em Leonel Narvaez (org.), *Political Culture of Forgiveness and Reconciliation* (Bogotá, Fundación para la Reconciliación, 2010).

SECRETARIA ESPECIAL DE DIREITOS HUMANOS DA PRESIDÊNCIA DA REPÚBLICA. Programa Nacional de Direitos Humanos (PNDH) II. Brasília, 2006.

SECRETARIA ESPECIAL DE DIREITOS HUMANOS DA PRESIDÊNCIA DA REPÚBLICA. Programa Nacional de Direitos Humanos (PNDH) III. Brasília, 2009-2010.

2. Coletâneas e revistas especializadas

Antropologia e direitos humanos. NOVAES, Regina Reyes; KANT DE LIMA, Roberto (orgs.). Prêmio da Associação Brasileira de Antropologia/Fundação FORD. Niterói, Eduff, 2001.

Antropologia e direitos humanos, v. 2. KANT DE LIMA, Roberto (org.). Prêmio da Associação Brasileira de Antropologia/Fundação FORD. Niterói, Eduff, 2003.

Antropologia e direitos humanos, v. 3. KANT DE LIMA, Roberto (org.). Prêmio da Associação Brasileira de Antropologia/Fundação FORD. Niterói, Eduff, 2005.

Antropologia e direitos humanos, v. 4. GROSSI, Miriam Pilar; HEILBORN, Maria Luiza; MACHADO, Lia Zanotta (orgs.). Prêmio da Associação Brasileira de Antropologia/Fundação FORD. Blumenau, Nova Letra, 2006.

Antropologia e direitos humanos, v. 5. KANT DE LIMA, Roberto (org.). Prêmio da Associação Brasileira de Antropologia/Fundação FORD. Niterói, Eduff, 2008.

Revista Direitos Humanos. Segurança, Justiça e cidadania. Recife, Gajop, 1998.

Revista Direitos Humanos. Declaração Universal 50 anos. Recife, Gajop, 1998.

Revista Direitos Humanos. Os direitos humanos na entrada do novo milênio. Recife, Gajop, 1999.

Revista Direitos Humanos. Proteção a testemunhas no Brasil. Recife, Gajop, 2001.

Revista Direitos Humanos. Violência e direitos humanos. Recife, Gajop, 2004.

Revista Direitos Humanos. Brasília, Secretaria de Direitos Humanos da Presidência da República do Brasil, n. 1, 2008.

Revista Direitos Humanos, Brasília, Secretaria de Direitos Humanos da Presidência da República do Brasil, n. 2, 2009.

Revista Direitos Humanos, Brasília, Secretaria de Direitos Humanos da Presidência da República do Brasil, n. 3, 2009.

Revista Direitos Humanos, Brasília, Secretaria de Direitos Humanos da Presidência da República do Brasil, n. 4, 2010.

Revista Direitos Humanos, Brasília, Secretaria de Direitos Humanos da Presidência da República do Brasil, n. 5, 2010.

Sur. Revista Internacional de Direitos Humanos. Conectas Direitos Humanos. Disponível em: <sur.conectas.org>; acesso em: mar. 2019.

3. Periódicos consultados

Dados. Revista de Ciências Sociais. Instituto Universitário de Pesquisas do Rio de Janeiro.

Horizontes Antropológicos. Programa de Pós-Graduação em Antropologia, Universidade Federal do Rio Grande do Sul.

Mana. Estudos de Antropologia Social. Programa de Pós-Graduação em Antropologia Social, Museu Nacional, Universidade Federal do Rio de Janeiro.

Novos Estudos. Centro Brasileiro de Análise e Planejamento (Cebrap).

Revista Brasileira de Ciências Sociais. Associação Nacional de Pós-Graduação e Pesquisa em Ciências Sociais (Anpocs).

Revista Brasileira de Política Internacional. Instituto Brasileiro de Relações Internacionais.

Revista de Antropologia. Departamento de Antropologia, Faculdade de Filosofia, Letras e Ciências Humanas, Universidade de São Paulo.

Revista de Economia e Sociologia Rural. Sociedade Brasileira de Economia e Sociologia Rural.

Revista de Sociologia e Política. Universidade Federal do Paraná.

Revista Estudos Feministas. Centro de Filosofia e Ciências Humanas e Centro de Comunicação e Expressão, Universidade Federal de Santa Catarina.

Revista Praia Vermelha. Estudos de Política e Teoria Social. Centro de Filosofia e Ciências Humanas e Escola de Serviço Social, Universidade Federal do Rio de Janeiro.

Scientiae Studia. Departamento de Filosofia, Universidade de São Paulo.

Sociedade e Estado. Departamento de Sociologia, Universidade de Brasília.

Sociologias. Programa de Pós-Graduação em Sociologia, Universidade Federal do Rio Grande do Sul.

Tempo. Departamento de História, Universidade Federal Fluminense.

4. Livros

BANDEIRA, Lourdes; SUAREZ, Myreia. *Gênero, violência e poder no Distrito Federal*. Brasília, UnB/Paralelo 15, 1999.

BENEVIDES, Maria Victoria. *A cidadania ativa*. São Paulo, Ática, 1991.

BRANDÃO, Gildo Marçal. *A esquerda positiva*: as duas almas do Partido Comunista (1920/1964). São Paulo, Hucitec, 1997.

CALDEIRA, Teresa Pires do Rio. *Cidade de muros*: crime, segregação e cidadania em São Paulo. São Paulo, Editora 34/Edusp, 2000.

CARDIA, Nancy. *Primeira pesquisa sobre atitudes, normas culturais e valores em relação à violência em dez capitais brasileiras*. Brasília, Ministério da Justiça, 1999.

CARDOSO DE OLIVEIRA, Roberto; CARDOSO DE OLIVEIRA, Luís Roberto. *Ensaios antropológicos sobre moral e ética*. Rio de Janeiro, Tempo Brasileiro, 1996.

CARNEIRO DA CUNHA, Maria Manuela. *Cultura com aspas*. São Paulo, Cosac Naify, 2009.

CARVALHO, José Jorge de. *Inclusão étnica e racial no Brasil*: a questão das cotas no ensino superior. 2. ed. São Paulo, Attar, 2006.

CARVALHO, José Murilo de. *Cidadania no Brasil*: o longo caminho. 2. ed. Rio de Janeiro, Civilização Brasileira, 2002.

CARVALHO, José Sérgio (org.). *Educação, cidadania e direitos humanos*. Petrópolis, Vozes, 2004.

CATÃO, Yolanda; FRAGOSO, Heleno Cláudio; SUSSEKIND, Elizabeth. *Direitos dos presos*. Rio de Janeiro, Forense, 1980.

CITTADINO, Gisele. *Pluralismo, direito e justiça distributiva*. Rio de Janeiro, Lumen Juris, 1999.

DAMATTA, Roberto. *Carnavais, malandros e heróis*: para uma sociologia do dilema brasileiro. Rio de Janeiro, Zahar, 1979.

_____ (org.). *Violência brasileira*. São Paulo, Brasiliense, 1982.

DORNELLES, J. R. W. *O que são direitos humanos*. São Paulo, Brasiliense, 1989.

FERNANDES, Rubem César; CAVALCANTI, Pedro Celso U. *José e Josef, uma conversa sem fim*. Rio de Janeiro, Nova Fronteira, 1985.

FLEISCHER, Soraya; SCHUCH, Patrice; FONSECA, Claudia (orgs.). *Antropólogos em ação*: experimentos de pesquisa em direitos humanos. Porto Alegre, Editora da UFRGS, 2007.

FONSECA, Claudia; TERTO JÚNIOR, Veriano; ALVES, Caleb Faria (orgs.). *Antropologia, diversidade e direitos humanos*: diálogos interdisciplinares. Porto Alegre, Editora da UFRGS, 2004.

GALINDO, George Rodrigo Bandeira. *Tratados internacionais de direitos humanos e Constituição brasileira*. Belo Horizonte, Del Rey, 2002.

GLEISER, Marcelo. *Criação imperfeita*: cosmo, vida e o código oculto da natureza. Rio de Janeiro, Record, 2010.

GREGORI, Maria Filomena. *Cenas e queixas*: mulheres e relações violentas. São Paulo, Paz e Terra/ Anpocs, 1993.

KOFES, Suely. *Mulher, mulheres*: identidade, diferença e desigualdade na relação entre patroas e empregadas. Campinas, Editora da Unicamp, 2001.

KOSOVSKI, Ester; VILLAÇA, Nízia Maria. *Imagens do cárcere*. Rio de Janeiro, Reproarte/CNPq, 1983.

LAFER, Celso. *Reconstrução dos direitos humanos*: um diálogo com o pensamento de Hannah Arendt. São Paulo, Companhia das Letras, 2001.

LEMGRUBER, Julita. *Cemitério dos vivos*: análise sociológica de uma prisão de mulheres. 2. ed. Rio de Janeiro, Forense, 1999.

LESBAUPIN, IVO. *As classes populares e os direitos humanos*. Petrópolis, Vozes, 1984.

LEVIN, L. *Direitos humanos*: perguntas e respostas. São Paulo, Brasiliense, 1985.

MANUELA CARNEIRO DA CUNHA. *Antropologia do Brasil*: mito, história, etnicidade. São Paulo, Brasiliense/Edusp, 1986.

_____. *Os direitos do índio*: ensaios e documentos. São Paulo, Brasiliense, 1987.

_____. *História dos índios no Brasil*. São Paulo, Companhia das Letras, 1992.

MISSE, M. *Crime e violência no Brasil contemporâneo*: estudos de sociologia do crime e da violência urbana. Rio de Janeiro, Lumen Juris, 2006.

NOVAES, Regina. *Direitos humanos*: temas e perspectivas. Rio de Janeiro, Mauad, 2001.

PAIVA, Vanilda. *Paulo Freire e o nacionalismo desenvolvimentista*. Rio de Janeiro, Civilização Brasileira, 1980.

PAIXÃO, Antônio Luiz. *Recuperar ou punir?* Como o Estado trata o criminoso. 2. ed. São Paulo, Cortez/Autores Associados, 1991.

PEIRANO, Mariza. *O contexto dos direitos humanos*. Três ensaios breves. Brasília, UnB/DAN, 1997.

PINHEIRO, Paulo Sérgio; GUIMARÃES, Samuel Pinheiro. *Direitos humanos no século XXI*. Ipri/ Funag, 2002.

RAMALHO, José Ricardo. *Mundo do crime*: a ordem pelo avesso. Rio de Janeiro, Graal, 1979.

RAMOS, André de Carvalho. *Direitos humanos em juízo*. São Paulo, Max Limonad, 2001.

RAMOS, Silvia; MUSUMECI, Leonarda. *Elemento suspeito*: abordagem policial e discriminação na cidade do Rio de Janeiro. Rio de Janeiro, Civilização Brasileira, 2005. (Coleção Segurança e Cidadania, 2)

SANTOS, Wanderley Guilherme dos. *Cidadania e Justiça*: a política social na ordem brasileira. Rio de Janeiro, Campus, 1979.

SANTOS JÚNIOR, Belisário dos. *Direitos humanos*: um debate necessário. São Paulo, Brasiliense, 1988.

SCHWARCZ, Lilia K. Moritz. *Espetáculo das raças*. 2. ed. São Paulo, Companhia das Letras, 1995.

SILVEIRA, Rosa Maria Godoy et al. (orgs.). *Educação em direitos humanos*: fundamentos teórico-metodológicos. João Pessoa, Editora Universitária, 2007.

SOARES, Barbara Musumeci. *Mulheres invisíveis*: violência conjugal e as novas políticas de segurança. Rio de Janeiro, Civilização Brasileira, 1999.
TOSI, G. (org.). *Direitos humanos*: história, teoria e prática. João Pessoa, Editora UFPB, 2005.
TRINDADE, José D. *História social dos direitos humanos*. São Paulo, Fundação Peirópolis, 2002.
VELHO, Gilberto. *Nobres e anjos*: um estudo de tóxicos e hierarquia. Rio de Janeiro, Editora da FGV, 1998.
_____ (org.). *Desvio e divergência*: uma crítica da patologia social. 7. ed. Rio de Janeiro, Jorge Zahar, 1999.
_____. *Mudança, crise e violência*: política e cultura no Brasil contemporâneo. Rio de Janeiro, Civilização Brasileira, 2002.
VELHO, Otávio. *Capitalismo autoritário e campesinato*. São Paulo, Difel, 1976.
VIANNA, Luiz Werneck (org.). *A democracia e os três poderes no Brasil*. Belo Horizonte, UFMG, 2002.
_____ et al. *A judicialização da política e das relações sociais no Brasil*. Rio de Janeiro, Revan, 1999.
ZALUAR, Alba M. *Violência, cultura, poder*. Rio de Janeiro, Editora da FGV, 2000.
_____. *A máquina e a revolta*. 3. ed. São Paulo, Brasiliense, 2002.

5. Capítulos de livros e de coletâneas

BENEVIDES, Maria Victoria. Linchamentos no Brasil: violência e justiça popular. In: DAMATTA, Roberto da (org.). *Violência brasileira*. São Paulo, Brasiliense, 1982.
_____. Cidadania e direitos humanos. In: CARVALHO, José Sérgio (org.). *Educação, cidadania e direitos humanos*. Petrópolis, Vozes, 2004.
_____. Direitos humanos: desafios para o século XXI. In: *Educação em direitos humanos*: fundamentos teóricos metodológicos. João Pessoa, Editora UFPB, 2007.
BONETTI, Alinne. Novas configurações: direitos humanos das mulheres, feminismo e participação política entre mulheres de grupos populares porto-alegrenses. In: KANT DE LIMA, Roberto; NOVAES, Regina R. (orgs.). *Antropologia e direitos humanos*. Niterói, Eduff, 2001.
CARDIA, Nancy G. Percepção de direitos humanos: ausência de cidadania e exclusão moral. In: SPINK, Mary Jane; MAUTNER, Anna Verônica; SAWAIA, Bader Burihan (orgs.). *A cidadania em construção*: uma reflexão interdisciplinar. São Paulo, Cortez, 1994.
_____. Faces da violência e caminhos da paz. In: CÂMARA DOS DEPUTADOS. *Relatório da V Conferência Nacional de Direitos Humanos*. Brasília, Câmara dos Deputados, 2001.
CARVALHO, J. M. O acesso à Justiça e a cultura cívica brasileira. In: ASSOCIAÇÃO DOS MAGISTRADOS BRASILEIROS (org.). *Justiça*: promessa e realidade. Rio de Janeiro, Nova Fronteira, 1996.
CATELA, Ludmila da Silva. Desaparecidos e direitos humanos: entre um drama nacional e um dilema universal. In: KANT DE LIMA, Roberto; NOVAES, Regina Reyes (orgs.) *Antropologia e direitos humanos*. Niterói, Eduff, 2001.
CITTADINO, Gisele. Judicialização da política, constitucionalismo democrático e separação de poderes. In: VIANNA, Luiz Werneck (org.). *A democracia e os três poderes no Brasil*. Belo Horizonte, UFMG, 2002.
FLORES, Elio Chaves. A história e o fardo da vida: depois do genocídio, antes do pós-colonial. In: *Educação em direitos humanos*: fundamentos teóricos metodológicos. João Pessoa, Editora UFPB, 2007.

GENOVOIS, MARGARIDA. Prefácio. In: *Educação em direitos humanos*: fundamentos teóricos metodológicos. João Pessoa, Editora UFPB, 2007.

GODOY, Marcelo. Direitos humanos e violência. In: LAMOUNIER, Bolivar; FIGUEIREDO, Rubens (orgs.). *A era FHC*: um balanço. São Paulo, Cultura Editores Associados, 2002.

GROSSI, Miriam Pilar. Antropologia e direitos humanos: um campo consolidado. In: GROSSI, Miriam Pilar; HEILBORN, Maria Luiza; MACHADO, Lia Zanotta (orgs.). *Antropologia e direitos humanos*, v. 4. Blumenau, Nova Letra, 2006.

HEILBORN, Maria Luiza; CARRARA, Sergio. Perspectivas da Comissão de Direitos Humanos na Gestão 2004-2006. In: GROSSI, Miriam Pilar; HEILBORN, Maria Luiza; MACHADO, Lia Zanotta (orgs.). *Antropologia e direitos humanos*, v. 4. Blumenau, Nova Letra, 2006.

HOLANDA, C. B. Violência e trauma na transição política: o caso sul-africano. In: BUSTAMANTE, Regina Maria da Cunha; MOURA, José Francisco de (orgs.). *Violência na história*. Rio de Janeiro, Mauad X/Faperj, 2009.

LOPES, José Reinaldo Lima. Direitos subjetivos e direitos sociais: o dilema do judiciário no Estado social de direito. In: FARIA, José Eduardo (org.). *Direitos humanos, direitos sociais e justiça*. São Paulo, Malheiros, 1998.

MEZAROBBA, Glenda. O que é justiça de transição? Uma análise do conceito a partir do caso brasileiro. In: SOARES, Inês Virgínia Prado; KISHI, Sandra Akemi Shimada (orgs.). *Memória e verdade*: a justiça de transição no Estado democrático brasileiro. Belo Horizonte, Fórum, 2009.

_____. O processo de acerto de contas e a lógica do arbítrio. In: TELES, Edson; SAFATLE, Vladimir (orgs.). *O que resta da ditadura*: a exceção brasileira. São Paulo, Boitempo, 2010.

PEREIRA, Pedro Paulo Gomes. O silêncio e a voz. In: KANT DE LIMA, Roberto (org.). *Antropologia e direitos humanos*, v. 2. Niterói, Eduff, 2003.

RAMOS, Alcida R. Cutting through State and Class Sources and Strategies of Self-Representation in Latin America. In: JACKSON, Jean; WARREN, Kay (orgs.). *Indigenous Movements, Self-Representation, and the State in Latin America*. Austin, University of Texas Press, 2002.

RIBEIRO, Gustavo Lins. Cultura, direitos humanos e poder. Mais além do império e dos humanos direitos. Por um universalismo heteroglóssico. In: FONSECA, Claudia; TERTO JR., Veriano; ALVES, Caleb Faria (orgs.). *Antropologia, diversidade e direitos humanos*: diálogos interdisciplinares. Porto Alegre, Editora da UFRGS, 2004.

_____; GROSSI, Miriam Pilar. Apresentação. In: KANT DE LIMA (org.). *Antropologia e direitos humanos*, v. 3. Niterói, Eduff, 2005.

_____; OLIVEN, Ruben. Apresentação. In: KANT DE LIMA (org.). *Antropologia e direitos humanos*, v. 2. Niterói, Eduff, 2003.

RIFIOTIS, Theophilos. Direitos humanos: sujeito de direitos e direitos do sujeito. In: *Educação em direitos humanos*: fundamentos teóricos metodológicos. João Pessoa, Editora UFPB, 2007.

SADER, Emir. Contexto histórico e educação em direitos humanos no Brasil: da ditadura à atualidade. In: *Educação em direitos humanos*: fundamentos teóricos metodológicos. João Pessoa, Editora UFPB, 2007.

SOARES, Luiz Eduardo. A paciência da metáfora. In: *A interpretação*. Rio de Janeiro, Imago, 1990.

_____. O trabalho da inércia: história e teologia na formação da subjetividade moderna. In: *O rigor da indisciplina*. Rio de Janeiro, Relume Dumará, 1994.

_____. Luz baixa sob neblina: relativismo, interpretação, antropologia. In: *O rigor da indisciplina*. Rio de Janeiro, Relume Dumará, 1994.

_____. Algumas palavras sobre direitos humanos e diversidade cultural. In: ALENCAR, Chico (org.). *Direitos mais humanos*. Rio de Janeiro, Garamond, 1998.

_____. Algumas palavras sobre direitos humanos e antropologia. In: NOVAES, R. (org.). *Direitos humanos*: temas e perspectivas. Rio de Janeiro, Mauad, 2001.

_____. Complexidade, pluralismo e transdisciplinaridade. In: *Legalidade libertária*. Rio de Janeiro, Lumen Juris, 2006.

_____. Perdão e esquecimento: a cultura política brasileira e as lições da África do Sul. In: *Legalidade libertária*. Rio de Janeiro, Lumen Juris, 2006.

_____. Forgiveness and Reconciliation: Preliminary Considerations or A Political Philosophy of Forgiveness and Reconciliation. In: NARVAEZ, Leonel (org.). *Political Culture of Forgiveness and reconciliation*. Bogotá, Fundación para la Reconciliación, 2010.

TAVARES, Celma. Educar em direitos humanos, o desafio da formação dos educadores numa perspectiva interdisciplinar. In: *Educação em direitos humanos*: fundamentos teóricos metodológicos. João Pessoa, Editora UFPB, 2007.

6. Artigos publicados em periódicos e anais de eventos científicos

ADORNO, Sérgio. Insegurança *versus* direitos humanos: entre a lei e a ordem. *Tempo Social*, São Paulo, v. 11, n. 2, out. 1999. p. 129-53.

_____. Estratégias para a paz: políticas públicas de combate à violência. In: CÂMARA DOS DEPUTADOS. *Relatório da V Conferência Nacional de Direitos Humanos*. Brasília, Câmara dos Deputados, 2001.

_____. Exclusão socioeconômica e violência urbana. *Sociologias*, n. 8, 2002. p. 84-135.

_____. História e desventura: o 3º Programa Nacional de Direitos Humanos. *Novos Estudos*, Cebrap, n. 86, 2010. p. 5-20.

_____; PASINATO, Wânia. A justiça no tempo, o tempo da justiça. *Tempo Social*, v. 19, n. 2, 2007. p. 131-55.

ALMEIDA, Suely Souza de. Violência e direitos humanos no Brasil. *Revista Praia Vermelha*, n. 11, 2º sem. 2004.

ALMEIDA, Wellington. A estratégia de políticas públicas em direitos humanos no Brasil no primeiro mandato Lula (2003-2006). *Anais 33º Encontro Anual da Anpocs*; GT 31 – Política dos Direitos Humanos, 2009.

ANJOS, Gabriele dos. Homossexualidade, direitos humanos e cidadania. *Sociologias*, n. 7, 2002. p. 222-52.

CANO, Ignacio. Políticas de segurança pública no Brasil: tentativas de modernização e democratização *versus* a guerra contra o crime. *Sur*, ano 3, n. 5, 2006. p. 136-55.

CARVALHO, Maria Alice Rezende de. Cidade escassa e violência urbana. *Série Estudos*, Rio de Janeiro, v. 91, 1995. p. 259-69.

CITTADINO, Gisele. Ativismo judicial, direitos humanos e Estado democrático de direito. In: *IV Seminário Internacional da Andhep*, 2008, João Pessoa. Democracia e Educação em Direitos Humanos numa época de insegurança. João Pessoa, Editora UFPB, 2007. v. 1. p. 83-91.

COSTA, Sérgio. Democracia cosmopolita: déficits conceituais e equívocos políticos. *Revista Brasileira de Ciências Sociais*, v. 1, 2005.

DORNELLES, J. R. W. Sobre os direitos humanos, a cidadania e as práticas democráticas no contexto dos movimentos contra-hegemônico. *Revista da Faculdade de Direito de Campos*, ano 6, n. 6, jun. 2005.

ESCOBAR, Carlos Henrique. Direitos humanos: com Marx. *Psicologia Clínica*, v. 20, n. 2, 2008. p. 47-59.

FIGUEIRA, Ricardo Rezende. Por que o trabalho escravo? *Estudos Avançados*, v. 14, n. 38, abr. 2000. p. 31-50.

FONSECA, Claudia; CARDARELLO, Andrea. Direitos dos mais ou menos humanos. *Horizontes Antropológicos*, ano 5, n. 10, maio 1999.

GOMEZ, José Maria. Direitos humanos, desenvolvimento e democracia na América Latina. *Revista Praia Vermelha*, n. 11, 2º semestre 2004.

GREGORI, Maria Filomena; DEBERT, Guita Grin. Violência e gênero: novas propostas, velhos dilemas. *Revista Brasileira de Ciências Sociais*, v. 23, 2008. p. 165-85.

KANT DE LIMA, Roberto. Polícia, justiça e sociedade no Brasil: uma abordagem comparativa dos modelos de administração de conflitos no espaço público. *Revista de Sociologia e Política*, Curitiba, v. 1, n. 13, 1999. p. 23-38.

_____. Direitos civis e direitos humanos: uma tradição judiciária pré-republicana? *São Paulo em Perspectiva*, v. 18, 2004. p. 49-59.

KOERNER, Andrei. Ordem política e sujeito de direito no debate sobre direitos humanos. *Lua Nova*, n. 57, 2002. p. 87-111.

_____. O papel dos direitos humanos na política democrática: uma análise preliminar. *Revista Brasileira de Ciências Sociais*, v. 18, n. 53, 2003. p. 143-57.

LAFER, Celso. A ONU e os direitos humanos. *Estudos Avançados*, v. 9, n. 25, 1995. p. 169-85.

LESSA, Renato. David Hume em Auschwitz: notas sobre o trauma e a supressão das crenças ordinárias. *Revista Brasileira de Psicanálise*, v. 39, 2006. p. 67-78.

LOPES, José Reinaldo de Lima. Direitos humanos e tratamento igualitário: questões de impunidade, dignidade e liberdade. *Revista Brasileira de Ciências Sociais*, v. 15, n. 42, 2000. p. 77-100.

MOTT, Luís. Homoafetividade e direitos humanos. *Revista Estudos Feministas*, Florianópolis, v. 14, n. 2, 2006. p. 509-21.

NADER, Laura. Num espelho de mulher: cegueira normativa e questões de direitos humanos não resolvidas. *Horizontes Antropológicos*, ano 5, n. 10, maio 1999.

OLIVEIRA, Isabel de Assis Ribeiro de. Direito subjetivo – base escolástica dos direitos humanos. *Revista Brasileira de Ciências Sociais*, v. 14, n. 41, 1999. p. 31-43.

PACHECO DE OLIVEIRA, João. Uma etnologia dos "índios misturados"? Situação colonial, territorialização e fluxos culturais. *Mana*, v. 4, n. 1, 1998. p. 47-77.

PINHEIRO, Paulo Sérgio. Os sessenta anos da Declaração Universal: atravessando um mar de contradições. *Sur*, ano 5, n. 9, 2008. p. 77-87.

_____. A genealogia e o legado de Viena. *Revista Direitos Humanos*, v. 5, 2010. p. 6-11.

POGREBINSCHI, Thamy. Emancipação política, direito de resistência e direitos humanos em Robespierre e Marx. *Dados*, v. 46, n. 1, 2003.

PRICE, Richard. Quilombolas e direitos humanos no Suriname. *Horizontes Antropológicos*, ano 5, n. 10, maio 1999.

REIS, Rossana Rocha. Soberania, direitos humanos e migrações internacionais. *Revista Brasileira de Ciências Sociais*, v. 19, n. 55, 2004. p. 149-63.

_____. Os direitos humanos e a política internacional. *Revista Sociologia e Política*, Curitiba, n. 27, nov. 2006. p. 33-42.

ROJO, Raúl Enrique; AZEVEDO, Rodrigo Ghiringeli de. Sociedade, direito, justiça. Relações conflituosas, relações harmoniosas? *Sociologias*, Porto Alegre, ano 7, n. 13, jan./jun. 2005. p. 16-34C11.

SEGATO, Rita Laura. Antropologia e direitos humanos: alteridade e ética no movimento de expansão dos direitos universais. *Mana*, v. 12, n. 1, 2006. p. 207-36.

SENTO-SÉ, J. T. L. Imagens da ordem, vertigens do caos. O debate sobre as políticas de segurança pública no Rio de Janeiro nos anos 1980 e 1990. *Arché Interdisciplinar*, Rio de Janeiro, v. 7, n. 19, 1998. p. 41-73.

SOARES, Luiz Eduardo. Antropologia e ciência política: memória, etnografia e definição do ator social. *Anuário Antropológico*, Rio de Janeiro, v. 94, 1995. p. 21-30. Disponível em: <www.dan.unb.br/images/pdf/anuario_antropologico/Separatas1994/anuario94_luizsoares.pdf>; acesso em: 25 mar. 2019.

_____; GUINDANI, Miriam. A violência do Estado e da sociedade no Brasil contemporâneo. *Nueva Sociedad*, n. 208, mar./abr. 2007. Disponível em: <http://www.nuso.org/upload/articulos/3417_2.pdf>; acesso em: dez. 2018.

VIEIRA, Oscar Vilhena. A gramática dos direitos humanos. *Revista do Ianud*, São Paulo, n. 17, 2001.

_____; DUPREE, A. Scott. Reflexões acerca da sociedade civil e dos direitos humanos. *Sur*, ano 1, n. 1, 2004.

VIGEVANI, Tullo; LIMA, Thiago; OLIVEIRA, Marcelo Fernandes de. Conflito étnico, direitos humanos e intervenção internacional. *Dados*, 2008.

ZALUAR, Alba Maria. Um debate disperso: violência e crime no Brasil da redemocratização. *São Paulo em Perspectiva*, v. 13, n. 3, 1999. p. 3-17.

_____. Democracia inacabada: o fracasso da segurança pública. *Estudos Avançados*, v. 21, 2007. p. 31-49.

_____. Pesquisando no perigo: etnografias voluntárias e não acidentais. *Mana*, v. 15, n. 2, 2009. p. 557-84.

7. Obras consultadas de autores de áreas afins ao campo das ciências sociais

ANISTIA INTERNACIONAL. *Educando para a cidadania*. São Paulo, Pallotti, 1992.

ARCHER, Robert. Os pontos positivos de diferentes tradições: o que se pode ganhar e o que se pode perder combinando direitos e desenvolvimento? *Sur*, ano 3, n. 4, 2006. p. 80-9.

BARBOSA, M. A. R. et al. *Direitos humanos*: um debate necessário. São Paulo, Brasiliense/Instituto Interamericano de Direitos Humanos, v. 1. 1988; v. 2, 1989.

BICUDO, Helio P. *Direitos civis no Brasil*: existem? São Paulo, Brasiliense, 1985.

_____. *Direitos humanos e sua proteção*. São Paulo, FTD, 1998.

_____. Defesa dos direitos humanos: sistemas regionais. *Estudos Avançados*, v. 17, n. 47, 2003.

BITTAR, Eduardo C. Bianca. Educação e metodologia para os direitos humanos: cultura democrática, autonomia e ensino jurídico. In: *Educação em direitos humanos*: fundamentos teóricos metodológicos. João Pessoa, Editora UFPB, 2007.

_____. *Cidadania*: condição de exercício dos direitos humanos. Disponível em: <www.dhnet.org.br/direitos/militantes/eduardobittar/bittar_cidadania_exerc_dh.pdf>; acesso em: mar. 2019.

_____; BLOTTA, Vitor S. L. *O lugar dos direitos humanos no Brasil*. Disponível em: <http://www.andhep.org.br>; acesso em: dez. 2018.

BOFF, Leonardo et al. *Direitos humanos, direito dos pobres*. Petrópolis, Vozes, 1991.

BRAGA, Leonardo Carvalho. O debate cosmopolitismo *versus* comunitarismo sobre direitos humanos e a esquizofrenia das relações internacionais. *Contexto Internacional*, v. 30, n. 1, 2008. p. 141-69.

CAMPILONGO, Celso Fernandes. Os desafios do Judiciário: um enquadramento teórico. In: FARIA, José Eduardo (org.). *Direitos humanos, direitos sociais e Justiça*. São Paulo, Malheiros, 1994. p. 30-51.

CANDAU, Vera Maria. Direitos humanos, educação e interculturalidade: as tensões entre igualdade e diferença. *Revista Brasileira de Educação*, v. 13, n. 37, jan./abr. 2008. p. 45-56.

_____ et al. *Oficinas pedagógicas de direitos humanos*. Petrópolis, Vozes, 1995.

COMPARATO, Fábio Konder. *A afirmação histórica dos direitos humanos*. São Paulo, Saraiva, 1999.

CORRÊA, Mariza. *Os crimes da paixão*. São Paulo, Brasiliense, 1981.

_____. O mistério dos orixás e das bonecas: raça e gênero na antropologia brasileira. *Etnográfica*, Lisboa, v. 4, n. 2, 2000. p. 233-66.

COSTA, Fernanda Doz. Pobreza e direitos humanos: da mera retórica às obrigações jurídicas – um estudo crítico sobre diferentes modelos conceituais. *Sur*, ano 5, n. 9, 2008. p. 88-119.

COUTO, Estêvão Ferreira. Judicialização da política externa e direitos humanos. *Revista Brasileira de Política Internacional*, Brasília, v. 47, n. 1, jan./jun. 2004. p. 140-61.

CUNHA, José Ricardo. Direitos humanos e justiciabilidade: pesquisa no Tribunal de Justiça do Rio de Janeiro. *Sur*, ano 2, n. 3, 2005. p. 138-72.

DALLARI, D. A. *O que são os direitos da pessoa?* São Paulo, Brasiliense, 1982.

DIMENSTEIN, Gilberto; PINHEIRO, Paulo Sérgio. *A democracia em pedaços*: direitos humanos no Brasil. São Paulo, Companhia das Letras, 1996.

FARIA, José Eduardo (org.). *Direitos humanos, direitos sociais e justiça*. São Paulo, Malheiros, 1998.

GOMEZ, José Maria. Direitos humanos, desenvolvimento e democracia na América Latina. *Revista Praia Vermelha*, n. 11, 2º sem. 2004.

GOUVÊA, Marcos Maselli. O direito ao fornecimento estatal de medicamentos. *Revista Forense*, Rio de Janeiro, v. 370, 2003. p. 103-34. Disponível em: <http://www.mp.rs.gov.br/dirhum/doutrina/id507.htm>; acesso em: dez. 2018.

HADDAD, Sergio. *A educação entre os direitos humanos*. Autores Associados, 2006.

HENRIQUES, Ricardo (org.). *Desigualdade e pobreza no Brasil*. Rio de Janeiro, Ipea, 2000.

HERKENHOFF, J. B. *Curso de direitos humanos*. São Paulo, Acadêmica, 1994.

_____. *Direitos humanos*: a construção universal de uma utopia. São Paulo, Santuário, 1997.

HUNT, Lynn. O romance e as origens dos direitos humanos: interseções entre história, psicologia e literatura. *Varia Hist.*, v. 21, n. 34, 2005. p. 267-88.

INESC. *A política de direitos humanos no Brasil*: um caminho de pedras. Nota Técnica n. 99. Brasília, 2005.

LIMA JÚNIOR, Jayme Benvenuto. *Os direitos humanos econômicos, sociais e culturais*. Rio de Janeiro, Renovar, 2001.

LINDGREN ALVES, José Augusto. *Os direitos humanos como tema global*. São Paulo, Perspectiva/Funag, 1994.

_____. *A arquitetura internacional dos direitos humanos*. São Paulo, FTD, 1997.

_____. O contrário dos direitos humanos (explicitando Žižek). *Revista Brasileira de Política Internacional*, v. 45, n. 1, 2002. p. 92-116.

_____. *Os direitos humanos pós-modernidade*. São Paulo, Perspectiva, 2005.

MIRANDA, Nilmário; TIBÚRCIO, Carlos. *Dos filhos deste solo*: mortos e desaparecidos políticos durante a ditadura militar – a responsabilidade do Estado. São Paulo, Boitempo/Fundação Perseu Abramo, 2008.

MONDAINI, Marco. *Direitos humanos no Brasil*. São Paulo, Contexto, 2009.

PERRONE-MOISÉS, Claudia. *O cinquentenário da Declaração Universal dos Direitos do Homem*. São Paulo, Edusp, 2007. (Coleção Direitos Humanos, org. Alberto do Amaral Jr.)

PIOVESAN, Flávia. *Temas de direitos humanos*. Prefácio Fábio Konder Comparato. São Paulo, Max Limonad, 1998.

_____. Ações afirmativas da perspectiva dos direitos humanos. *Cadernos de Pesquisa*, v. 35, n. 124, jan./abr. 2005. p. 43-55. Disponível em: <http://www.scielo.br/pdf/cp/v35n124/a0435124.pdf>; acesso em: dez. 2018.

_____. Ações afirmativas no Brasil: desafios e perspectivas. *Revista Estudos Feministas*, v. 16, n. 3, 2008. p. 887-96.

_____. *Direitos humanos e o direito constitucional internacional*. 11. ed. São Paulo, Saraiva, 2010.

_____; VIEIRA, Renato Stanziola. *Justiciabilidade dos direitos sociais e econômicos no Brasil*: desafios e perspectivas. Disponível em: <http://www.mp.rs.gov.br/dirhum/doutrina/id491.htm>; acesso em: dez. 2018.

PRADO JR., Caio. *A revolução brasileira*. 7. ed. São Paulo, Brasiliense, 1987.

RAINE, Fernande. O desafio da mensuração nos direitos humanos. *Sur. Revista Internacional de Direitos Humanos*, ano 3, n. 4, 2006. p. 6-29.

RIBEIRO, Renato Janine. Ética e direitos humanos. *Interface. Comunicação, Saúde e Educação*, v. 7, 2003. p. 16.

ROMANO, Roberto. *Brasil*: Igreja contra Estado. São Paulo, Kairós, 1979.

_____. *Conservadorismo romântico*. 2. ed. São Paulo, Editora da Unesp, 1997.

RUOTTI, Caren et al. Graves violações de direitos humanos e desigualdade no município de São Paulo. *Revista de Saúde Pública*, v. 43, n. 3, 2009. p. 533-40.

SALMON G., Elizabeth. O longo caminho da luta contra a pobreza e seu alentador encontro com os direitos humanos. *Sur*, ano 4, n. 7, 2007. p. 152-67.

SAVELSBERG, Joachim J. Violações de direitos humanos, lei e memória coletiva. *Tempo Social*, v. 19, n. 2, 2007. p. 13-37.

SCHULER, Fernanda Rangel. A formação para os direitos humanos: uma nova perspectiva para o ensino jurídico? In: BITTAR, Eduardo C. B. (org.). *Direitos humanos no século XXI*: cenários de tensão. Rio de Janeiro/São Paulo/Brasília, Forense Universitária/Andhep/Secretaria Especial dos Direitos Humanos, 2008. p. 143-51. Disponível em: <www.andhep.org.br/anais/arquivos/IIencontro/direitoshumanos-seculoxxi.pdf>; acesso em: mar. 2019.

TRINDADE, Antônio Augusto Cançado. Dilemas e desafios da proteção internacional dos direitos humanos no limiar do século XXI. *Revista Brasileira de Política Internacional*, v. 40, n. 1, 1997. p. 167-77.

_____. Desarraigamento e a proteção dos migrantes no direito internacional dos direitos humanos. *Revista Brasileira de Política Internacional*, v. 51, n. 1, 2008. p. 137-68.

THOMPSON, Augusto F. G. *A questão penitenciária*. Petrópolis, Vozes, 1976.

WOLKMER, Antônio Carlos. Marx, a questão judaica e os direitos humanos. *Revista Sequência*, n. 48, jul. 2004. p. 11-28.

8. Obras consultadas de autores estrangeiros

APEL, Karl Otto. *Towards a Transformation of Philosophy*. Londres, Routledge & Keagen Paul, 1980.

ARENDT, Hannah. *Entre o passado e o futuro*. São Paulo, Perspectiva, 1979.

_____. *Eichmann em Jerusalém, um relato sobre a banalidade do mal*. São Paulo, Diagrama & Texto, 1983.

BERLIN, Isaiah. *Russian Thinkers*. Londres, Hogarth, 1976.

_____. A busca do ideal. In: *Estudos sobre a humanidade*: uma antologia de ensaios. Trad. Rosaura Eichenberg. São Paulo, Companhia das Letras, 2002.

BOBBIO, Norberto. Presente y futuro de los derechos del hombre. In: *El problema de la guerra y las vías de la paz*. Barcelona, Gedisa, 1982.

_____. *Era dos direitos*. Trad. Carlos Nelson Coutinho. Rio de Janeiro, Campus, 2004.

BOURDIEU, Pierre. *Razões práticas*. Sobre a teoria da ação. Campinas, Papirus, 1996.

_____. *O poder simbólico*. Rio de Janeiro, Bertrand Brasil, 2003.

_____. *Os usos sociais da ciência*: por uma sociologia clínica do campo científico. São Paulo, Editora da Unesp, 2004.

BUKOVSKA, Barbora. Perpetrando o bem: as consequências não desejadas da defesa dos direitos humanos. *Sur*, ano 5, n. 9, 2008.

CLAUDE, Richard P.; ANDREOPOULOS, George. *Educação em direitos humanos para o século XXI*. NEV/Pnud/Edusp, 2007. (Coleção Direitos Humanos.)

GRAY, John. *Enlightenment's Wake*. Politics and Culture at the Close of the Modern Age. Londres/Nova York, Routledge, 1997.

HABERMAS, Jurgen. *The Theory of Communicative Action*. v. 1. Boston, Beacon, 1984.

_____. A unidade da razão na multiplicidade de suas vozes. *Revista Filosófica Brasileira*, UFRJ, v. IV, n. 4, out. 1989.

_____. *Direito e democracia I*: entre facticidade e validade. Rio de Janeiro, Tempo Brasileiro, 2003.

_____. *Direito e democracia II*: entre facticidade e validade. Rio de Janeiro, Tempo Brasileiro, 2003.

HERDER, Johann Gottfried. Também uma filosofia da história para a formação da humanidade. Lisboa, Antígona, 1995.

HERZEN, Aleksandr. *My Past and Thoughts*. Berkeley, University of California Press, 1982.

IGNATIEFF, Michael. *Human Rights as Politics and Idolatry*. Princeton, Princeton University Press, 2001.

ISHAY, Micheline R. *Direitos humanos*: uma antologia – principais escritos políticos, ensaios e documentos desde a Bíblia até o presente. NEV/Pnud/Edusp, 2007. (Coleção Direitos Humanos.)

JABINE, Thomas P.; CLAUDE, Richard P. *Direitos humanos e estatísticas*. NEV/Pnud/Edusp, 2007. (Coleção Direitos Humanos.)

JELIN, Elizabeth; HERSHBERG, Eric. *Construindo a democracia*: direitos humanos, cidadania e sociedade na América Latina. NEV/Pnud/Edusp, 2007. (Coleção Direitos Humanos.)

KOLAKOWSKI, Leszek. In Praise of Inconsistency. In: *Toward a Marxist Humanism*. Nova York, Grove, 1968.

LEVINAS, E. Ética e infinito. Lisboa, Edições 70, 1982.

MARX, Karl. *Sobre a questão judaica*. Trad. Nélio Schneider e Wanda Nogueira Caldeira Brant. São Paulo, Boitempo, 2010.

MENDES, Emílio Garcia. Origem, sentido e futuro dos direitos humanos: reflexões para uma nova agenda. *Sur*, n. 1, 2004.

MICHELS, Robert. *Los partidos políticos*: un estudio sociológico de las tendencias oligárquicas de la democracia moderna. Buenos Aires, Amorrortu, 1972.

POOLE, Hilary. *Direitos humanos*: referências essenciais. NEV/Pnud/Edusp, 2007. (Coleção Direitos Humanos.)

RABOSSI, Eduardo. La teoría de los derechos humanos naturalizada. *Revista del Centro de Estudios Constitucionales*, n. 5, jan.-mar. 1990, p.159-75.

RAWLS, John. *A Theory of Justice*. Cambridge, Harvard University Press, 1971. [Ed. bras.: *Uma teoria da justiça*. Trad. Jussara Simões. São Paulo, Martins Fontes, 2016.]

RORTY, Richard. Human Rights, Rationalility, and Sentimentality. In: *Philosophical Papers 3*: Truth and Progress. Cambridge (UK), Cambridge University Press, 1998.

ROUSSEAU, Jean-Jacques. *Do contrato social ou princípios do direito político*. São Paulo, Abril, 1973.

SANTOS, Boaventura de Sousa. Por uma concepção multicultural de direitos humanos. In: *Reconhecer para libertar*: os caminhos do cosmopolitismo liberal. Rio de Janeiro, Civilização Brasileira, 2003.

SAUNDERS, Rebecca. Sobre o intraduzível: sofrimento humano, a linguagem de direitos humanos e a Comissão de Verdade e Reconciliação da África do Sul. *Sur*, ano 5, n. 9, 2008.

STRAW DOGS. *Thoughts on Humans and Other Animals*. Londres, Granta, 2002.

STUART MILL, John. *The Basic Writings of John Stuart Mill*: On Liberty, the Subjection of Women and Utilitarianism. Nova York, Classic Books America, 2009. [Ed. bras.: *Sobre a liberdade/ A sujeição das mulheres*. Trad. Paulo Geiger. São Paulo, Penguin Companhia, 2017.]

TOCQUEVILLE, Alexis. *Democracy in America*. Londres, Penguin, 2003. [Ed. bras.: *A democracia na América*, Livro I: *Leis e costumes*. Trad. Eduardo Brandão. 3. ed. São Paulo, Martins Fontes, 2014. *A democracia na* América, Livro II: *Sentimentos e opiniões*. Trad. Eduardo Brandão. 2. ed. São Paulo, Martins Fontes, 2014.]

WEBER, Max. *Ciência e política*: duas vocações. São Paulo, Cultrix, 1967.

_____. *Economia e sociedade*, v. 1. Brasília, Editora UnB, 1991.

Posfácio
Lições de Marielle

Em 17 de março de 2000, fui exonerado do governo estadual. No dia 20, deixei clandestinamente o Rio de Janeiro e saí do país, com o apoio da Polícia Federal. Em poucos dias, minha família foi a meu encontro, nos Estados Unidos. Voltei a viver no Rio dois anos depois. Minhas filhas demoraram mais a voltar. Em dezembro de 2000, lancei *Meu casaco de general: 500 dias no front da segurança pública do Rio de Janeiro*, pela editora Companhia das Letras, relatando o dia a dia daquela batalha pelos direitos humanos e contra a corrupção policial, irmã siamesa da brutalidade policial. O genocídio de jovens negros e de jovens pobres vinha se tornando mais evidente, ao longo dos anos 1980 e 1990, não só no Rio, onde, porém, acontecia com especial destaque e intensidade. O esforço que liderei contava com uma equipe destemida: éramos apenas sete, três homens e quatro mulheres, mas dispostos a mudar as instituições da segurança, o imaginário social relativo à questão e as políticas públicas na área. Inauguramos, em 1999, uma política orientada por valores democráticos e progressistas, inscrevendo, no centro de nossos compromissos, além da mudança na relação com as comunidades, temas como desarmamento, homofobia, racismo e violência doméstica contra a mulher. Essa inscrição rompeu padrões num setor que parecia inexoravelmente dominado pela direita. Acabamos derrotados, mas muita coisa ficou, além da memória: por exemplo, um conjunto de programas e projetos que seriam replicados adiante, em diferentes estados e em âmbito nacional – ao menos como tentativa.

Garotinho, então no PDT – Brizola ainda vivia –, foi eleito governador do Rio de Janeiro em 1998, numa aliança com partidos de esquerda, como PT e PCdoB.

Aceitei seu convite para assumir a Subsecretaria de Segurança com a condição de indicar o comandante da Polícia Militar (PM) e o chefe da Polícia Civil e de ter autonomia para formular e implementar os programas que representariam a nova política de segurança – programas compatíveis com aquela coalizão política progressista. A despeito de muitas contradições, conflitos e disputas, avançamos bastante ao longo de 1999, ampliando o apoio popular às mudanças. Entretanto, minhas denúncias relativas à banda podre da polícia, indicando que a corrupção chegara ao topo das instituições policiais, produziram o grave revés. Declarei que era tempo de fazer a guerra não contra moradores de favelas, mas contra a corrupção policial e seu par, a violência desse braço do Estado. Guerra total a qualquer custo, ou seríamos engolidos, as instituições seriam tragadas. Eu afirmava que a corrupção tinha raízes na cúpula, associada a redes políticas e econômicas, e que produzia uma metástase cujo sintoma, à época, chamávamos "polícia mineira", as futuras milícias. O admirável delegado Hélio Luz fizera denúncia similar anos antes, mas preferira não bater de frente com seus inimigos – notadamente o grupo Astra, núcleo que atuava na Polícia Civil – para evitar efeitos ainda mais danosos[1]. Decidi partir para o confronto aberto porque constatei que a conciliação, método importado da política, não funciona na polícia. Em vez de submeter os outros a nossa liderança, são aqueles que nos submetem a seu comando.

Elio Gaspari mostrou como a ditadura civil-militar produziu anarquia nas instituições militares, ao contrário do que se poderia supor[2]. Fenômeno semelhante ocorreu e ocorre no Rio de Janeiro – e não só na PM. As vetustas polícias mineiras, assim como as atuais milícias, constituem núcleos autônomos que disputam espaço e poder entre si, conectando-se com as instituições de origem, sobretudo a PM e a Polícia Civil, e vinculando-se crescentemente ao mundo político, via Câmara de Vereadores, Assembleia Legislativa e Executivo estadual. Os policiais que executam extrajudicialmente, nas favelas e nas periferias, formam nichos que se deixam atrair por polos gravitacionais mais organizados e prósperos, como as milícias já existentes, ou as replicam, na medida em que se consolidam e se fortalecem. Do ponto de vista da estrutura militar, a anarquia impera, embora a lógica dos interesses e dos jogos de poder nada tenha de anárquica. Na Polícia

---

[1] Ver Cid Benjamim, *Hélio Luz: um xerife de esquerda* (Rio de Janeiro, Contraponto, 1998).
[2] Elio Gaspari, *A ditadura envergonhada*, v. 1 (2. ed., Rio de Janeiro, Intrínseca, 2014), *A ditadura escancarada*, v. 2 (2. ed., Rio de Janeiro, Intrínseca, 2014), *A ditadura derrotada*, v. 3 (2. ed., Rio de Janeiro, Intrínseca, 2014), *A ditadura encurralada*, v. 4 (2. ed., Rio de Janeiro, Intrínseca, 2014), *A ditadura acabada*, v. 5 (2. ed., Rio de Janeiro, Intrínseca, 2016).

Civil, o processo é análogo. As ameaças mais graves que sofri vieram em resposta ao projeto Delegacia Legal, porque aquela iniciativa, de acordo com seu desenho ambicioso original, organizava uma instituição, a Polícia Civil, que só existia no organograma e nas leis, não na realidade substantiva. Na prática da vida real, havia uma multiplicidade de "baronatos feudais", como eu os denominava, refratários a qualquer ordenamento institucional. Tratava-se de um arquipélago fragmentário, resistente a todo esforço de vertebração. Por isso, os policiais sabiam muito, a instituição, nada. Política integrada, impossível. Avaliação, inviável. Informações transparentes, jamais. Eis aí o berço dos micropoderes. Eles dependiam e dependem da desordem institucional, da autonomia dos nichos, da anarquia (embora, insisto, não houvesse nem haja propriamente anarquia na ponta, porque a força dos interesses funcionava como amálgama e a lógica de reprodução ampliada dos poderes se impunha).

Escrevo sobre esses episódios já remotos, porque, no dia 14 de março de 2019, quando o assassinato de Marielle e Anderson completa um ano, eles se tornaram mais atuais do que nunca. Esse crime bárbaro demonstrou, confirmando o que já se observara no fuzilamento da juíza Patrícia Acioli e o que já antecipara a CPI conduzida por Marcelo Freixo sobre as milícias, que a rede político-criminal no Rio de Janeiro não tem limites. Em 12 de março, foram presos quem matou Marielle e Anderson e quem dirigia o carro que serviu ao assassino. Falta o mais importante: saber quem mandou matar, quem pagou pelo crime e com qual propósito. Peço, aqui, sua atenção para o seguinte ponto.

O campo ideológico-político por cujos valores pautei minha vida, desde a resistência à ditadura, é composto pelas esquerdas, em sua ampla variedade. Tem sido muito difícil construir sua unidade em torno da transformação da segurança pública, numa perspectiva radicalmente democrática e popular. Nossa utopia supõe sociedades sem classes, sem Estado e, portanto, sem polícia, Justiça Criminal e prisões. Esse projeto prospectivo e escatológico nos une, mas, aquém da utopia, só há divisões entre nós. O problema é que o projeto teleológico está tão distante de nossa realidade que o designamos utopia. Pois bem, numa abordagem otimista, eu diria que, no mínimo, resta longa, longa, longa travessia histórica. Durante esse percurso, conviveremos com Estado, polícia e Justiça Criminal. Seus formatos e regimes não são indiferentes à vida humana no planeta, ao planeta e à vida em geral. Fazem toda a diferença. Ditaduras e democracias não são modalidades equivalentes do poder burguês. Polícias brutais, racistas e genocidas e aparelhos judiciais racistas e violadores das garantias individuais não são equivalentes a instituições judiciais comprometidas com uma constituição democrática ou a polícias controladas pela sociedade, que prestem contas de suas ações e se orientem por princípios como a presunção da inocência e os direitos humanos. As distinções não são periféricas e negligenciáveis. Para o cotidiano do povo, fazem a diferença entre a vida e a morte. E mais: um ambiente de garantia de direitos proporciona condições muito mais favoráveis à organização da sociedade e à participação política popular – fatores decisivos para que, um dia, a utopia deixe de sê-lo.

Volto a Marielle e aos episódios de 1999-2000. O que esses eventos comprovam? Que a polícia e a política se fundiram de forma inextricável (o que não quer dizer que todos os policiais compactuem com esquemas criminosos), assim como se interligaram, organicamente, a economia das drogas, a economia informal e a economia formal – também chamada "legal". Há dois corolários da maior importância: se a fusão é fato, quando combatemos as execuções extrajudiciais nas favelas, combatemos a matriz da putrefação da política e, por consequência, da democracia. Por quê? Muito simples: só prospera a violência policial sistemática quando camadas superiores lhe oferecem cobertura, isto é, quando o comando das polícias, as autoridades políticas, a Justiça e o Ministério Público (MP) fazem, em comunhão, vista grossa para a violação de direitos na base da pirâmide social. E quando esse fenômeno ocorre, continuamente, ao longo de décadas – interrompido por alguns esforços temporários, afinal derrotados –, essa aliança de agentes institucionais estimula a criação de incubadoras de redes criminais, em cujas teias se associam atores de todos os níveis da escala, mesmo que suas doses de responsabilidade sobre o caos e a barbárie sejam diferenciadas. Em graus distintos, são todos cúmplices. Observem: a economia política da corrupção e da violência – violência policial e corrupção policial estão, insisto, organicamente articuladas – corresponde a uma dinâmica que não se estanca na porta das delegacias, dos quartéis e dos batalhões. Os X-9 enlaçam para baixo, ligando grupos policiais a criminosos comuns e os fundindo na prática. Os deputados permeáveis às seduções do submundo enlaçam para cima, condecorando assassinos de aluguel fardados ou engravatados, legitimando seus esquemas e suas ações. O MP e a Justiça abençoam esses entrelaçamentos perversos não só quando fingem não ver os crimes perpetrados em larga escala por governadores, por exemplo, mas, sobretudo, quando, no varejo do cotidiano, toleram a brutalidade policial letal como "mal necessário" para "limpar a sociedade de maus elementos". Em nome do bem e do bem jurídico, alimentam o mal e o instalam nos centros de poder.

O assassinato da juíza Patrícia Acioli desnudava a guerra em curso contra o segmento da Justiça que se recusava a sucumbir na geleia geral de cumplicidades. O assassinato de Marielle Franco desmascarou a natureza eminentemente política desse confronto, que há muito ultrapassou o domínio das polícias e da Justiça, se é que algum dia foi assim restrito.

Quando o eleitor vota em candidatos que quebram a placa de Marielle, elogiam a tortura e grupos de extermínio ou defendem o abate de suspeitos, ele compra gato por lebre: em vez de levar ao poder uma autoridade forte, elege a anarquia – e não aquela idealizada pelos ingênuos como a matriz da liberdade, mas aquela outra que, no passado, sorveu a liberdade e, no presente, estilhaça direitos e degrada a democracia.

Glossário da segurança pública

A natureza das definições apresentadas neste glossário

Os conceitos ou as categorias aqui definidos, se não forem apenas a réplica do texto constitucional, são tipos ideais, modelos abstratos destinados a cumprir duplo propósito, formalmente descritivos e normativos, como: 1) descrever as linhas gerais dos objetos a que se referem, em termos formais e abstratos – fenômenos sociais, processos históricos, experiências individuais ou coletivas (como percepções, sensações, crenças, conhecimentos e paixões) e invenções culturais, como instituições, normas e valores; e 2) expor parâmetros normativos que orientam expectativas, circunscrevem condições de possibilidade e assinalam limites para a obediência voluntária, sobre a qual repousa a autoridade (cujo exercício prescinde da força e nega a violência) e que se traduz na legitimidade do poder, compreendido como instrumento que viabiliza a sociabilidade e opera a mediação entre liberdade individual e justiça enquanto equidade.

Os pressupostos da perspectiva adotada nas definições são a autonomia do sujeito e a racionalidade interlocutória: a plausibilidade de ambos, sua indissociabilidade e seu valor intrínseco. Em outras palavras, os conceitos tais como descritos não correspondem a experiências reais, mas a referências indispensáveis à abordagem analítica das práticas e a sua avaliação objetiva e moral; e a metas desejáveis e necessárias, portanto justificáveis em diálogos livres entre interlocutores iguais, do ponto de vista de seu poder. Ou seja, o Estado de direito no Brasil não tem correspondido à realidade da sociedade brasileira, tão profundamente iníqua. "Segurança pública" tem sido sinônimo de "violência". Políticas de segurança com frequência inexistem; não raro, prefere-se a reprodução inercial das rotinas reativas, herdadas de fontes quase imemoriais, organicamente comprometidas com as desigualdades e o racismo.

Contudo, a distância dos tipos ideais oferece um parâmetro para a análise crítica do fenômeno empiricamente observável, assim como para identificar aspectos-chave da "realidade". Em certo sentido, seria possível dizer inclusive que, contemplando os tipos ideais precariamente realizados na prática cotidiana, o cidadão vislumbra "outro mundo" – isto é, a viabilidade da construção de instituições distintas e de uma sociedade alternativa.

É importante acrescentar que, do ponto de vista das ciências sociais, há interpretações distintas, oriundas tanto do marxismo quanto, por exemplo, de paradigmas teóricos crítico-genealógicos inspirados em Michel Foucault. Segundo essas perspectivas, os tipos ideais que descrevem o modelo normativo, na medida em que não correspondem às práticas empiricamente verificadas, apenas mascaram a realidade. Em vez de estruturas formalmente definidas por referência à Constituição, derivadas do modelo abstrato que desenha o Estado democrático de direito, seria mais apropriado observar processos historicamente vivenciados e, a partir deles, identificar o funcionamento efetivo do Estado, entendendo-o não como mecanismos, conceitos, valores e normas traídos por ações reais, mas como positividade instaurada no plano da experiência, cuja natureza não transcenderia a rotina degradante. Esse argumento conduz à conclusão de que as polícias brasileiras são apenas, inelutável e exclusivamente, o que têm sido nas periferias, reduzindo-se à sua prática, inteiramente indiferente, senão contrária, ao tipo ideal: instrumentos da violência do Estado contra negros e pobres, indutoras da reprodução do domínio de classe, fatores que aprofundam desigualdades socioeconômicas e intensificam o racismo.

Essa leitura, mesmo quando fiel à empiria, não incorpora a multidimensionalidade complexa da dinâmica histórica, a qual não se esgota nem na dimensão ideal-normativa nem na esfera das práticas, porque incorpora ambas as dimensões em seu tensionamento, em suas contradições. A Constituição brasileira, conquistada com o sacrifício de tantas vidas na resistência à ditadura, não é apenas a máscara civilizada da barbárie estatal que criminaliza a pobreza e extermina jovens, tampouco moldou uma realidade social a sua imagem e semelhança. Uma visão analiticamente mais aguda e teoricamente menos simplista exigiria que as duas dimensões fossem consideradas. A Constituição e suas determinações, por mediações diversas, produzem eventos e orientam práticas, interferindo na construção da realidade social, assim como a brutalidade feroz dos agentes do Estado intervém na vivência cotidiana da sociedade.

Quando se atenta para a complexidade contraditória do social, quando se integram ambas as dimensões, passa a ser possível levar em conta, por exemplo, tanto o calvário de Amarildo[1] quanto a identificação e a prisão de seus algozes. Se a brutalidade criminosa se reduz ao mero funcionamento de instituições cuja função seria esta, brutalizar as classes populares, a mudança estaria descartada, a Constituição deixaria de representar um parâmetro para a crítica, e a transformação dependeria de uma revolução, envolvendo a conquista do Estado (hipótese irrealista e incongruente, considerando a história das revoluções e suas consequências no plano da repressão estatal) ou a formação de novos poderes (sobre cujo funcionamento em ambiente revolucionário não se sabe nada que justifique qualquer otimismo em relação ao respeito aos direitos humanos).

Arquitetura institucional da segurança pública: são as instituições que atuam no campo da segurança pública, em todo o país, e o arranjo formal que limita, impõe e dita os termos de suas inter-relações, estabelecendo também as condições nas quais dar-se-ão as conexões entre elas e as instituições que não pertencem ao campo específico da segurança pública. O arranjo institui um sistema que não é autossuficiente, uma vez que complementa e é complementado por outras instituições e estruturas institucionais, como a Justiça Criminal e o sistema penitenciário. Além disso, harmoniza-se com o ordenamento federalista brasileiro, em cujo âmbito aos estados e aos municípios atribui-se autonomia relativa. Assim, a arquitetura institucional da segurança pública, desenhada pela Constituição Federal, envolve a distribuição de responsabilidades e autoridade entre a União e os entes federados, assim como a identificação dos atores institucionais, sobretudo as polícias.

---

[1] Amarildo, ajudante de pedreiro, de 36 anos aproximadamente, morador da Rocinha, foi assassinado sob tortura por policiais militares da Unidade de Polícia Pacificadora situada naquele bairro, no Rio de Janeiro, em 14 de julho de 2013. Ao contrário do que costuma acontecer com as execuções extrajudiciais, no país, em geral, e no Rio, em particular, que permanecem impunes e ignoradas, o caso de Amarildo alcançou ampla visibilidade e mobilizou muitas entidades da sociedade civil. Graças ao advogado João Tancredo e ao delegado Orlando Zacconi, os culpados foram identificados, acusados, julgados e condenados, inclusive o major que comandava a unidade policial, embora o corpo da vítima nunca tenha sido encontrado. O rápido esclarecimento do crime foi possível porque a violência policial estava em evidência, na agenda pública, tendo se tornado um dos temas das grandes manifestações populares que tomaram as ruas naquele ano. O caso Amarildo deu à vítima genérica da brutalidade policial nome, endereço e biografia, estendendo a empatia para além dos nichos tradicionais e produzindo inédito impacto político.

Carreira única: descreve, como vimos no capítulo "Debate sobre uma proposta de mudança" (p. 66-7), um certo tipo de trajetória profissional prescrita por cada instituição (no caso, policial) cuja característica distintiva é o ingresso único e, portanto, comum, sem prejuízo das especialidades e das ramificações de funções, assim como das hierarquizações internas, as quais dependerão, ao longo do exercício profissional, da avaliação de méritos individuais, de exames sobre a competência e de avaliações de desempenho. Nas polícias federal, civis e militares, há duas portas de entrada: uma para o cargo de delegado, outra para os demais cargos; uma para a posição de oficial, outra para praças.

Ciclo completo: refere-se ao conjunto de tarefas constitucionalmente atribuídas às instituições policiais, as quais envolvem a investigação criminal e o trabalho ostensivo, uniformizado, preventivo. No caso brasileiro, o modelo policial previsto pela Constituição veda que à mesma instituição policial, com exceção da Polícia Federal, seja conferida a responsabilidade de cumprir o ciclo completo.

Descentralização federativa: os Estados podem ser unitários ou federados. Segundo a Constituição, em seu artigo 18, "a organização político-administrativa da República Federativa do Brasil compreende a União, os Estados, o Distrito Federal e os Municípios, todos autônomos". Os entes federados estão indissoluvelmente ligados entre si e submetidos em comum aos ditames constitucionais, em cujos termos se estabelece o Estado democrático de direito. Portanto, a autonomia referida é relativa, havendo espaço para sua ampliação ou redução, conforme a matéria e a capacidade política de negociação envolvida nos movimentos de cada ator, respeitadas as limitações permanentes que representam cláusulas pétreas. Desse modo, são legítimas as propostas de emenda constitucional que envolvam a transferência aos estados da autoridade para definir de acordo com sua realidade, e a vontade da sociedade local, o modelo de polícia mais adequado, fixando-o na Constituição estadual, desde que sejam cumpridas as determinações expressas na Constituição Federal, as quais afirmam o que são polícias, quais são suas condições de funcionamento e quais opções poderiam estar sujeitas a decisões estaduais. Dessa forma, seria possível instaurar um regime, na segurança pública, de descentralização com integração sistêmica e unidade axiológica.

Desmilitarizar: não se trata de um conceito nem mesmo de uma categoria cujo significado é consensual. Há quem defina a palavra atribuindo-lhe sentido político e cultural, visando a estimular mudanças no comportamento dos policiais. Quem entenda que, sendo militares, os profissionais tenderiam a conceber seu ofício não como a prestação de um serviço público destinado à cidadania, mas como combate ao inimigo interno, o que elevaria a violência a graus inaceitáveis e conflitantes com a natureza de instituições policiais submetidas ao Estado democrático de direito. Há os que pensam desmilitarização na chave dos direitos dos policiais enquanto cidadãos trabalhadores: o caráter militar das instituições refletiria em regimentos disciplinares draconianos e inconstitucionais, que violariam os direitos dos profissionais. Nesse contexto, haveria superexploração da força de trabalho policial, calada e domesticada pelo arbítrio punitivo dos superiores sobre os subalternos, em benefício de governos estaduais insensíveis à dignidade do trabalho e aos direitos humanos dos operadores da segurança pública menos graduados. Impedidos de se organizar, criticar, propor mudanças e formular demandas, os policiais seriam as primeiras e principais vítimas de um ordenamento discricionário e autoritário. Há ainda os que evocam a desmilitarização e a defendem, sustentando que as características militares da instituição só teriam como função proporcionar condições para o exercício eficiente do controle interno, viabilizando uma governança competente e eficiente. Constatando que as PMs têm demonstrado inúmeros e frequentes exemplos de que não há controle interno eficiente, tantos e tão seguidos são os casos de corrupção e brutalidade ilegal, deduzem que desmoronou a última razão para a manutenção da forma militar de organização das polícias ostensivas estaduais brasileiras.

Mesmo concordando com as abordagens referidas, a perspectiva que inspirou a PEC-51 (ver, adiante, verbete sobre a PEC-51) enfatiza outro aspecto ao propor a desmilitarização, até porque entende de modo bastante específico a natureza militar da polícia. Em nosso regime legal, ditado pelo artigo 144 da Constituição Federal, conferir à polícia ostensiva o atributo militar significa obrigá-la a organizar-se à semelhança do Exército, do qual ela é considerada força reserva. Sabe-se que o melhor formato organizacional é aquele que melhor serve às finalidades da instituição. Não há formato ideal em abstrato. Finalidades distintas exigem estruturas organizacionais diversas. Desmilitarizar significa libertar a polícia da obrigação de imitar a centralização organizacional do Exército, assumindo a especificidade de sua função: promover com equidade e na medida de suas possibilidades e suas limitações a garantia dos direitos dos cidadãos e das cidadãs. As implicações dessa mudança alcançam diversas dimensões, como aquelas indicadas pelos que postulam a desmilitarização a partir de considerações não organizacionais.

Estado democrático de direito: o Estado democrático de direito é um complexo de instituições, divididas entre três esferas de poder – Executivo, Legislativo e

Judiciário – e regidas por uma Constituição, que, embora expressando a vontade majoritária da população, compromete-se a respeitar as minorias. Assim como acontece com outras formas estatais, o Estado democrático de direito detém o monopólio do uso da força, sendo que, nesse caso, tal prerrogativa reivindica uma qualidade distintiva, a legitimidade, porque é autorizado pela vontade popular, circunscrita pelo respeito às minorias.

Gestão da segurança pública: refere-se à orientação prática e administrativa do conjunto das instituições que atuam no campo da segurança pública, às quais cumpre executar a política definida pela Secretaria de Segurança ou por entidade análoga. Portanto, a gestão operacionaliza as decisões políticas superiores, adotadas no âmbito da Secretaria, fazendo com que as máquinas institucionais funcionem de modo a realizar os objetivos estipulados pela política de segurança, da maneira mais adequada ao cumprimento desses objetivos, respeitados os princípios constitucionais. Uma vez que outras instituições, além daquelas subordinadas à Secretaria, podem participar da implementação da política de segurança, por decisão própria ou determinação superior, a gestão da segurança pode abrir-se a parcerias, desde que suas responsabilidades específicas não sejam abandonadas nem transferidas a terceiros. Observe-se que a gestão tem de ater-se a fazer funcionar – melhor ou pior, com mais ou menos efetividade, numa ou noutra direção – os mecanismos institucionais sob seu comando ou a máquina de que dispõe, assim como os profissionais com que pode contar – já formados, alimentados em certas tradições e imersos em determinada cultura corporativa. Em suma, a gestão não molda a instituição que dirige nem a submete integralmente a seu comando, mesmo que as engrenagens institucionais favoreçam a governança. Convém registrar que a disciplina fruto da rigidez hierárquica e da centralização decisória, e de regimentos severos e repressivos, não implica elevada qualidade da governança, salvo em circunstâncias excepcionais. Essa qualidade em geral provém da magnitude e da intensidade da participação dos profissionais, em ambiente que estimule a confiança e a criatividade, o que pressupõe descentralização e distribuição de responsabilidades. Por isso, é preciso considerar os limites que as estruturas organizacionais – e outros fatores, como a tradição corporativa – impõem à gestão, assim como a inviabilidade de uma política pública insensível aos limites da gestão que a colocará em marcha.

Guarda Municipal: os municípios, segundo o artigo 144 da Constituição Federal, poderão constituir guardas destinadas à proteção de bens, serviços e instalações do município, conforme dispuser a lei. Observe-se que a definição constitucional não corresponde à realidade que se observa no Brasil contemporâneo, na qual há centenas de guardas municipais que atuam como entidades análogas às instituições policiais, particularmente às militares. Fazem muito mais do que proteger bens, serviços e instalações municipais. Elas se tornaram personagens importantes demais para permanecer à margem da arquitetura institucional da segurança pública.

Modelo policial: é a definição constitucional das características organizacionais, de suas inter-relações e das funções conferidas às polícias enquanto atores inscritos na arquitetura institucional da segurança pública. No caso brasileiro, o modelo prevê a existência de duas polícias federais e duas polícias em cada estado e no Distrito Federal – uma civil e outra militar, à primeira cabendo a investigação criminal e à segunda, a prevenção e a preservação da ordem pública. O modelo determina, portanto, a divisão do ciclo do trabalho policial em duas partes, conferindo a cada polícia estadual determinadas tarefas. Observe-se que o modelo policial brasileiro, segundo a Constituição Federal, não inclui guardas municipais, que têm papel específico e limitado pela Constituição. Registre-se que a relativa marginalização do município, verificada no artigo 144 da Constituição Federal, colide com a tendência nacional de compartilhamento – quando não municipalização – das políticas públicas, como se constata em áreas como educação, saúde e ação social.

Ordem pública: segundo o artigo 144 da Constituição Federal, "a segurança pública é dever do Estado e direito, e responsabilidade, de todos, sendo exercida para a preservação da ordem pública e da incolumidade das pessoas e do patrimônio, através das polícias e do corpo de bombeiros". É possível ir além do texto constitucional citado e adotar uma perspectiva mais sociológica do que jurídica. Ordem pública, portanto, seria interpretada como a correspondência (aproximada ou tendencial) entre os padrões normativos identificados na descrição objetiva das relações sociais cotidianas e os parâmetros legais e valorativos fixados na Constituição. Assim, ordem não é sinônimo de ausência de conflito nem da mera reprodução conservadora de tradições e rotinas ou de imposição autoritária e arbitrária de algum tipo de comportamento. Ordem pública, no Estado democrático de direito, equivale à aplicação dos princípios constitucionais na vida prática da sociedade. Em outras palavras, equivale ao respeito universal aos direitos ou à identificação generalizada de que as garantias são, têm sido e serão mantidas ou que, pelo menos, essa é a tendência. O mais importante: se há razoável consenso quanto ao fato de que essa hipótese positiva constitua a tendência mais forte, há também a crença amplamente compartilhada de que o futuro próximo mais provável será caracterizado pela reiteração da garantia dos direitos. E, uma vez que a ordem não é estática, está sempre em movimento, sendo, como é, resultado momentâneo das ações e das decisões dos indivíduos e dos grupos, a possibilidade de que o futuro positivo se confirme torna-se mais forte na medida em que todos acreditem que assim será, posto que suas decisões serão orientadas por tal expectativa favorável. E aqui passamos do conceito de ordem ao conceito de segurança pública.

PEC: é uma proposta de emenda à Constituição, o que é possível sempre que o objeto da alteração não interferir ou fundamentar-se em cláusulas pétreas. A transformação do texto constitucional pode realizar-se de vários modos: reformulando termos, acrescentando outros, suprimindo alguns ou substituindo determinações. Distingue-se, portanto, a PEC dos projetos de lei usuais, que tramitam rotineiramente nas duas casas do Congresso Nacional ou nas Assembleias Legislativas dos estados e nas Câmaras Municipais. Os projetos de lei infraconstitucionais não têm a pretensão de alterar a lei do país, a Carta Magna, matriz e parâmetro para a própria avaliação da pertinência ou da legitimidade das demais legislações. Por sua importância, a aprovação depende do voto de pelo menos três quintos da Câmara, em dois turnos (308 dos 513 deputados federais), e de, no mínimo, 60% do Senado (49 dos 81 senadores), também em dois turnos.

PEC-51: pretende promover a transformação da arquitetura institucional da segurança pública. Suas teses principais são: 1) desmilitarização – as PMs deixam de existir como tais, porque perdem o caráter militar dado pelo vínculo orgânico com o Exército (enquanto força reserva) e pelo espelhamento organizacional; 2) toda instituição policial passa a ordenar-se em carreira única. Hoje, na PM, há duas polícias: oficiais e praças. Na Polícia Civil, delegados e não delegados; 3) toda polícia deve realizar o ciclo completo do trabalho policial (preventivo, ostensivo, investigativo). Sepulta-se, assim, a divisão do ciclo do trabalho policial entre militares e civis. Por obstar a eficiência e minar a cooperação, sua permanência é contestada por 70% dos profissionais da segurança em todo o país; 4) a decisão sobre o formato das polícias operando nos estados (e nos municípios) cabe aos estados. O Brasil é diverso, e o federalismo deve ser observado. O Amazonas não requer o mesmo modelo policial adequado a São Paulo, por exemplo. Uma camisa de força nacional se chocaria com as diferenças entre as regiões; 5) a escolha dos estados restringe-se ao repertório estabelecido na Constituição – pela PEC –, o qual se define a partir de dois critérios e suas combinações: territorial e criminal, isto é, as polícias serão organizadas segundo tipos criminais e/ou circunscrições espaciais. Por exemplo, um estado poderia criar polícias (sempre de ciclo completo) municipais nos maiores municípios, e estas focalizariam os crimes de pequeno potencial ofensivo (previstos na Lei n. 9.099): uma polícia estadual dedicada a prevenir e investigar a criminalidade correspondente aos demais tipos penais, salvo onde não houvesse polícia municipal; e uma polícia estadual destinada a trabalhar exclusivamente contra o crime organizado. Há muitas outras possibilidades autorizadas pela PEC, evidentemente, porque são vários os formatos que derivam da combinação dos critérios referidos; 6) a depender das decisões estaduais, os municípios poderiam assumir novas e amplas responsabilidades na segurança pública. A própria municipalização integral se daria no estado que assim decidisse. O artigo 144 da Constituição, atualmente vigente, é omisso em relação ao município, suscitando um desenho que contrasta com o que ocorre em todas as outras políticas sociais. Na educação, na saúde e na assistência social, o município tem se tornado agente de grande importância, articulado a sistemas integrados que envolvem as distintas esferas, distribuindo responsabilidades de modo complementar. O artigo 144, hoje, autoriza a criação de guarda municipal, entendendo-a como corpo de vigias dos "próprios municipais", não como ator da segurança pública. As guardas civis têm se multiplicado no país por iniciativa *ad hoc* de prefeitos, atendendo à demanda popular, mas sua constitucionalidade é discutível – e, como elas não seguem uma política nacional sistêmica e integrada, sob diretrizes claras, o resultado é que acabam se convertendo em pequenas PMs em desvio de função, repetindo vícios da matriz copiada. Perde-se, assim, uma oportunidade histórica de inventar instituições policiais de novo tipo, antecipando o futuro e o gestando, em vez de reproduzir equívocos do passado; 7) as responsabilidades da União são expandidas na educação, assumindo a atribuição de supervisionar e regulamentar a formação policial, respeitando diferenças institucionais, regionais e de especialidades, mas garantindo uma base comum afinada com as finalidades firmadas na Constituição. Hoje, a formação policial é uma verdadeira babel; 8) a PEC propõe também avanços no controle externo e na participação da sociedade, o que é decisivo para alterar o padrão de relacionamento das instituições policiais com as populações mais vulneráveis, atualmente marcado pela hostilidade, a qual reproduz desigualdades.; 9) os direitos trabalhistas dos profissionais da segurança seriam plenamente respeitados durante as mudanças. A intenção é que todos os policiais sejam mais valorizados pelos governos, por suas instituições e pela sociedade; 10) a transição prevista seria prudente, metódica, gradual e rigorosamente planejada, assim como transparente, envolvendo a participação da sociedade. (Ver o texto da PEC-51 no Apêndice deste volume, p. 285-9.)

Polícia: o monopólio do uso da força, que caracteriza o Estado, e o monopólio do uso legítimo da força, que define o Estado democrático de direito, são exercidos por meio de instituições específicas: as Forças Armadas, quando a força, real ou potencial, aplica-se para defender o território e a soberania nacionais contra ameaças externas; e as polícias, quando a força, real ou potencial, aplica-se para garantir a fruição, pelos cidadãos, de seus direitos, ante a iminência de violações, ou para detê-las, quando em curso, ou para preveni-las e contribuir para reparar seus efeitos, por meio da participação nos mecanismos de persecução criminal, os quais implicam investigação, identificação de responsabilidades, prestação de denúncia, a cargo do Ministério Público, julgamento e prolatação de sentenças, atribuições da Justiça – sentenças eventualmente cumpridas no sistema penitenciário, quando determinar privação de liberdade. As aplicações da força são limitadas pelos princípios da proporcionalidade e do comedimento. As Forças Armadas formam o sistema de defesa, e as polícias, o de segurança pública, que se vincula ao campo da Justiça Criminal.

Polícia Civil: a Constituição Federal afirma, no artigo 144, que às polícias civis, dirigidas por delegados de carreira, incumbem, ressalvada a competência da União, as funções de polícia judiciária e a apuração de infrações penais, exceto as militares.

Polícia Federal: segundo a Constituição, também em seu artigo 144, a Polícia Federal, instituída por lei como órgão permanente, organizado e mantido pela União e estruturado em carreira, destina-se a:

I) apurar infrações penais contra a ordem política e social ou em detrimento de bens, serviços e interesses da União ou de suas entidades autárquicas e empresas públicas, assim como outras infrações cuja prática tenha repercussão interestadual ou internacional e exija repressão uniforme, segundo se dispuser em lei;

II) prevenir e reprimir o tráfico ilícito de entorpecentes e drogas afins, o contrabando e o descaminho, sem prejuízo da ação fazendária e de outros órgãos públicos nas respectivas áreas de competência;

III) exercer as funções de polícia marítima, aeroportuária e de fronteiras[2];

IV) exercer, com exclusividade, as funções de polícia judiciária da União.

Polícia Militar: de acordo com o artigo 144 da Constituição Federal, às polícias militares cabem a polícia ostensiva e a preservação da ordem pública. As

---

[2] Redação dada pela Emenda Constitucional n. 19, de 1998.

polícias militares são forças auxiliares e reserva do Exército e subordinam-se, juntamente com as polícias civis, aos governadores dos estados, do Distrito Federal e dos territórios.

Polícia Rodoviária Federal: diz o artigo 144 da Constituição Federal que a Polícia Rodoviária Federal, órgão permanente, organizado e mantido pela União e estruturado em carreira, destina-se, na forma da Lei, ao patrulhamento ostensivo das rodovias federais[3].

Política criminal: é o conjunto das decisões legislativas que classificam determinadas práticas como criminosas, vedando-as e tornando-as alvo de políticas de segurança ou, mais especificamente, de ações policiais e judiciais, que envolvem sanções e penalizações. Assim como as políticas públicas formuladas e aplicadas pelo Poder Executivo, a política criminal, estipulada pelo Legislativo e implementada pelo Judiciário – uma vez empreendida a persecução criminal na esfera policial, isto é, do Executivo –, enfrenta o dilema dos efeitos perversos. Por exemplo, se a vontade dos legisladores é proibir o acesso da população a determinadas substâncias psicoativas – ou inibir esse acesso e reduzir o consumo –, seus objetivos não serão alcançados com a declaração de proibição. Ao fazer isso, pode, em vez de obter o resultado esperado, estimular práticas criminosas muito mais graves, além de ferir princípios matriciais da Constituição. Portanto, a política criminal não pode cingir-se a expressar dogmas, crenças, convicções e valores. Se pretende ter compromisso com as consequências que deseja produzir, tem de antecipar os efeitos de sua aplicação, quando as normas criadas atravessarem as teias complexas e dinâmicas do social.

Política de segurança pública: é um conjunto sistemático de programas, projetos e ações (de natureza preventiva e/ou repressiva, no sentido que a persecução criminal confere ao termo) concebido a partir de diagnósticos continuamente revisados, atualizados e monitorados com base em avaliações dos resultados obtidos e a ser empreendido pelas polícias e pelas demais agências que funcionam sob a autoridade da Secretaria de Segurança Pública (ou de entidade análoga); tais programas, projetos e ações serão executados em consonância com os marcos legais vigentes, visando à efetivação prática, tão plena quanto possível, da garantia constitucional de acesso universal e equitativo dos cidadãos a seus direitos individuais e coletivos. A Secretaria de Segurança também se vale, para a implementação da política que lhe cabe gerir, da mobilização de parcerias ou acordos cooperativos com outros

---

[3] Idem.

órgãos governamentais das três esferas do poder Executivo – municipal, estadual e federal –, com as instituições inscritas no campo da Justiça Criminal e com atores da sociedade civil, sem abdicação de suas responsabilidades exclusivas. Observe-se que programas, projetos e ações podem incluir mudanças de mecanismos e procedimentos policiais, nos limites circunscritos pelos marcos constitucionais vigentes, posto que os órgãos sob sua autoridade correspondem a meios para a aplicação da política pública em pauta. Em síntese, a política de segurança, como toda política pública, caracteriza-se por identificar prioridades e estabelecer meios de atendê-las, mobilizando para esse fim seus recursos humanos, intelectuais, tecnológicos, materiais e financeiros. O grande desafio para as políticas públicas, especialmente para as de segurança, são os efeitos não antecipados das ações sociais (individuais, coletivas ou promovidas por instituições), também denominados "efeitos de agregação" ou "efeitos perversos", por um lado, e a impermeabilidade das instituições, por outro. Por impermeabilidade entendem-se aqui as limitações impostas a eventuais intervenções transformadoras das políticas de segurança nas estruturas organizacionais das polícias pela arquitetura institucional da segurança pública – que inclui o modelo policial –, estabelecida pela Constituição Federal.

Segurança pública: o primeiro impulso de quem se dedica a pensar o tema é conceber segurança como ausência de crimes ou violência, que são fenômenos distintos. Mesmo sendo uma realidade utópica, valeria como referência, modelo ou tipo ideal. No entanto, há duas questões a enfrentar: a primeira é que o crime não existe antes que uma lei assim o defina. E violência é uma categoria cultural variável, a depender da cultura e do momento histórico. Além disso, há a violência positiva e a negativa, de acordo com critérios em voga. Tome-se como exemplo o caso das artes marciais ou a circunstância em que um ato violento impede a violência arbitrária cometida contra inocentes. A segunda é: e se a ausência de crimes retratar a paz dos cemitérios, isto é, resultar da repressão brutal por parte de um Estado totalitário? As pessoas não se sentem seguras em regimes ditatoriais. Ou seja, o terror do Estado provê a ordem oriunda do medo, a previsibilidade derivada da mais radical insegurança, não a ordem que deriva da confiança, abrindo espaço para o exercício da liberdade e da criatividade. Portanto, é preciso incluir uma mediação entre ordem e segurança públicas: o Estado democrático de direito. É apenas em seu âmbito que ordem e segurança se afinam. Ao trazer o tipo de Estado para o centro das reflexões, afastamos a aplicabilidade do conceito de segurança pública às sociedades sem Estado, para as quais não fazem sentido as ideias de Lei, polícia e Justiça Criminal.

Feitas essas ponderações e considerando que o conceito foi trabalhado extensivamente no capítulo "Segurança pública: dimensão essencial do Estado democrático de direito" (p. 85-91), passo, aqui, diretamente à sua conclusão: segurança pública é a estabilização e a universalização de expectativas favoráveis quanto às interações sociais. Ou, em outras palavras, é a generalização da confiança na ordem pública, a qual corresponde à profecia que se autocumpre e à capacidade do poder público de prevenir intervenções que obstruam esse processo de conversão das expectativas positivas em confirmações reiteradas. Por isso, a postura dos policiais é tão importante: seu foco não são apenas os crimes, sua prevenção ou a persecução criminal, mas também o estabelecimento de laços de respeito e confiança com a sociedade, sem os quais a própria confiança nas relações sociais dificilmente se consolida. Ordem tem menos a ver com força ou repressão do que com vínculos de respeito e confiança.

Apêndice
Excertos do texto original da PEC-51[1]

Proposta de emenda à Constituição n. 51, de setembro de 2013

> Altera os arts. 21, 24 e 144 da Constituição; acrescenta os arts. 143-A, 144-A e 144-B, reestrutura o modelo de segurança pública a partir da desmilitarização do modelo policial.

As mesas da Câmara dos Deputados e do Senado Federal, nos termos do § 3º do art. 60 da Constituição Federal, promulgam a seguinte emenda ao texto constitucional:

Art. 1º O art. 21 da Constituição passa a vigorar acrescido dos seguintes incisos XXVI e XXVII; o inciso XVI do art. 24 passa a vigorar com a seguinte redação, acrescendo-se o inciso XVII:

"Art. 21..
....

XXVI – estabelecer princípios e diretrizes para a segurança pública, inclusive quanto à produção de dados criminais e prisionais, à gestão do conhecimento e à formação dos profissionais, e para a criação e o funcionamento, nos órgãos de segurança pública, de mecanismos de participação social e promoção da transparência; e

XXVII – apoiar os estados e municípios na provisão da segurança pública".

---

[1] Proposta de Emenda Constitucional para a reforma da arquitetura institucional da segurança pública (PEC-51), apresentada ao Senado Federal pelo senador Lindbergh Farias em setembro de 2013.

"Art. 24..
....

XVI – organização dos órgãos de segurança pública; e

XVII – garantias, direitos e deveres dos servidores da segurança pública" (NR).

Art. 2º A Constituição passa a vigorar acrescida do seguinte art. 143-A, ao Capítulo III – Da segurança pública:

"CAPÍTULO III
DA SEGURANÇA PÚBLICA

Art. 143-A. A segurança pública, dever do Estado, direito e responsabilidade de todos, é exercida para a preservação da ordem pública democrática e para a garantia dos direitos dos cidadãos, inclusive a incolumidade das pessoas e do patrimônio, observados os seguintes princípios:

I – atuação isonômica em relação a todos os cidadãos, inclusive quanto à distribuição espacial da provisão de segurança pública;

II – valorização de estratégias de prevenção do crime e da violência;

III – valorização dos profissionais da segurança pública;

IV – garantia de funcionamento de mecanismos de controle social e de promoção da transparência; e

V – prevenção e fiscalização efetivas de abusos e ilícitos cometidos por profissionais de segurança pública.

Parágrafo único. A fim de prover segurança pública, o Estado deverá organizar polícias, órgãos de natureza civil, cuja função é garantir os direitos dos cidadãos e que poderão recorrer ao uso comedido da força, segundo a proporcionalidade e a razoabilidade, devendo atuar ostensiva e preventivamente, investigando e realizando a persecução criminal".

Art. 3º O Art. 144 da Constituição passa a vigorar com a seguinte redação:

"Art. 144. A segurança pública será provida, no âmbito da União, por meio dos seguintes órgãos, além daqueles previstos em lei:

I – Polícia Federal;

II – Polícia Rodoviária Federal; e

III – Polícia Ferroviária Federal.

§ 1º A Polícia Federal, instituída por lei como órgão permanente, organizado e mantido pela União e estruturado em carreira única, destina-se a:

....

§ 2º A Polícia Rodoviária Federal, órgão permanente, organizado e mantido pela União e estruturado em carreira única, destina-se, na forma da lei, ao patrulhamento ostensivo das rodovias federais.

§ 3º A Polícia Ferroviária Federal, órgão permanente, organizado e mantido pela União e estruturado em carreira única, destina-se, na forma da lei, ao patrulhamento ostensivo das ferrovias federais.

§ 4º A lei disciplinará a organização e o funcionamento dos órgãos responsáveis pela segurança pública, de maneira a garantir a eficiência de suas atividades.

§ 5º A remuneração dos servidores policiais integrantes dos órgãos relacionados neste artigo e nos arts. 144-A e 144-B será fixada na forma do § 4º do art. 39.

§ 6º No exercício da atribuição prevista no art. 21, XXVI, a União deverá avaliar e autorizar o funcionamento e estabelecer parâmetros para instituições de ensino que realizem a formação de profissionais de segurança pública" (NR).

Art. 4º A Constituição passa a vigorar acrescida dos seguintes arts. 144-A e 144-B:

"Art. 144-A. A segurança pública será provida, no âmbito dos estados e Distrito Federal e dos municípios, por meio de polícias e corpos de bombeiros.

§ 1º Todo órgão policial deverá se organizar em ciclo completo, responsabilizando-se cumulativamente pelas tarefas ostensivas, preventivas, investigativas e de persecução criminal.

§ 2º Todo órgão policial deverá se organizar por carreira única.

§ 3º Os estados e o Distrito Federal terão autonomia para estruturar seus órgãos de segurança pública, inclusive quanto à definição da responsabilidade do município, observado o disposto nesta Constituição, podendo organizar suas polícias a partir da definição de responsabilidades sobre territórios ou sobre infrações penais.

§ 4º Conforme o caso, as polícias estaduais, os corpos de bombeiros, as polícias metropolitanas e as polícias regionais subordinam-se aos governadores dos estados, do Distrito Federal e dos territórios; as polícias municipais e as polícias submunicipais subordinam-se ao prefeito do município.

§ 5º Aos corpos de bombeiros, além das atribuições definidas em lei, incumbe a execução de atividades de defesa civil".

"Art. 144-B. O controle externo da atividade policial será exercido, paralelamente ao disposto no art. 129, VII, por meio de ouvidoria externa, constituída no âmbito de cada órgão policial previsto nos arts. 144 e 144-A, dotada de autonomia orçamentária e funcional, incumbida do controle da atuação do órgão policial e do cumprimento dos deveres funcionais de seus profissionais e das seguintes atribuições, além daquelas previstas em lei:

I – requisitar esclarecimentos do órgão policial e dos demais órgãos de segurança pública;

II – avaliar a atuação do órgão policial, propondo providências administrativas ou medidas necessárias ao aperfeiçoamento de suas atividades;

III – zelar pela integração e pelo compartilhamento de informações entre os órgãos de segurança pública e pela ênfase no caráter preventivo da atividade policial;

IV – suspender a prática, pelo órgão policial, de procedimentos comprovadamente incompatíveis com uma atuação humanizada e democrática dos órgãos policiais;

V – receber e conhecer das reclamações contra profissionais integrantes do órgão policial, sem prejuízo da competência disciplinar e correcional das instâncias internas, podendo aplicar sanções administrativas, inclusive a remoção, a disponibilidade ou a demissão do cargo, assegurada ampla defesa;

VI – representar ao Ministério Público, no caso de crime contra a administração pública ou de abuso de autoridade; e

VII – elaborar anualmente relatório sobre a situação da segurança pública em sua região, a atuação do órgão policial de sua competência e dos demais órgãos de segurança pública, bem como sobre as atividades que desenvolver, incluindo as denúncias recebidas e as decisões proferidas.

Parágrafo único. A ouvidoria externa será dirigida por ouvidor-geral, nomeado, entre cidadãos de reputação ilibada e notória atuação na área de segurança pública, não integrante de carreira policial, para mandato de 02 (dois) anos, vedada qualquer recondução, pelo governador do estado ou do Distrito Federal, ou pelo prefeito do município, conforme o caso, a partir de consulta pública, garantida a participação da sociedade civil inclusive na apresentação de candidaturas, nos termos da lei".

Art. 5º Ficam preservados todos os direitos, inclusive aqueles de caráter remuneratório e previdenciário, dos profissionais de segurança pública, civis ou militares, integrantes dos órgãos de segurança pública objeto da presente emenda à Constituição à época de sua promulgação.

Art. 6º O município poderá, observado o disposto no art. 144-A da Constituição, converter sua Guarda Municipal, constituída até a data de promulgação da presente emenda à Constituição, em Polícia Municipal, mediante ampla reestruturação e adequado processo de qualificação de seus profissionais, conforme parâmetros estabelecidos em lei.

Art. 7º O estado ou o Distrito Federal poderá, na estruturação de que trata o § 3º do art. 144-A da Constituição, definir a responsabilidade das polícias:

I – sobre o território, considerando a divisão de atribuições pelo conjunto do estado, regiões metropolitanas, outras regiões do estado, municípios ou áreas submunicipais; e

II – sobre grupos de infração penal, tais como infrações de menor potencial ofensivo ou crimes praticados por organizações criminosas, sendo vedada a repetição de infrações penais entre as polícias.

Art. 8º Os servidores integrantes dos órgãos que forem objeto da exigência de carreira única, prevista na presente emenda à Constituição, poderão ingressar na referida carreira, mediante concurso interno de provas e títulos, na forma da lei.

Art. 9º A União, os estados e o Distrito Federal e os municípios terão o prazo máximo de seis anos para implementar o disposto na presente emenda à Constituição.

Art. 10º Esta emenda à Constituição entra em vigor na data de sua publicação.

Referências bibliográficas e outras*

BALESTRERI, Ricardo; SOARES, Luiz Eduardo. A raiz de nossos problemas de segurança. *Folha de S.Paulo*, 18 maio 2012.

BANCO MUNDIAL. O retorno do Estado às favelas do Rio de Janeiro. Rio de Janeiro, Banco Mundial, 2011. Disponível em: <www.upprj.com/upload/estudo_publicacao/O_retorno_do_ Estado_às_favelas_do_Rio_de_Janeiro_Banco_Mundial.pdf>; acesso em: dez. 2018.

BIONDI, Karina. *Junto e misturado*: uma etnografia do PCC. São Paulo, Terceiro Nome, 2018.

_____. *Proibido roubar na quebrada*: território, hierarquia e lei no PCC. São Paulo, Terceiro Nome, 2018.

BOITEUX, Luciana et al. Tráfico e Constituição: um estudo sobre a atuação da justiça criminal do Rio de Janeiro e de Brasília no crime de tráfico de drogas. *Revista Jurídica*, Brasília, v. 11, 2009. p. 1-29.

CANO, Ignacio et al. *Os donos do morro: uma avaliação exploratória do impacto das Unidades de Polícia Pacificadora no Rio de Janeiro*. Rio de Janeiro, Fórum Brasileiro de Segurança Pública/ LAV-UERJ/CAF, maio 2012. Disponível em: <www.upprj.com/upload/estudo_publicacao/ Forum_Brasileiro_de_Segurança_Pública_-_LAV-UERJ_-_UPPs.pdf>; acesso em: dez. 2018.

CERQUEIRA, Daniel et al. *Atlas da Violência*. Rio de Janeiro, Fórum Brasileiro de Segurança Pública/Ipea, jun. 2018.

EDUSP. Coleção Polícia e Sociedade. São Paulo, Edusp, 2004-2017. 10 v.

ELIAS, Norbert. *The Civilizing Process*, v. 1: *The History of Manners*. Nova York, Pantheon Books, 1978. [Ed. bras.: *O processo civilizador*, v. 1: *Uma história dos costumes*. Trad. Ruy Jungmann. Rio de Janeiro, Zahar, 1990.]

_____. *The Civilizing Process*, v. 2: *Power & Civility*. Nova York, Pantheon Books, 1982. [Ed. bras.: *O processo civilizador*, v. 2: *Formação do Estado e civilização*. Trad. Ruy Jungmann. Rio de Janeiro, Zahar, 1993.]

---

* Não inclui as obras citadas no último capítulo do livro, "Direitos humanos e ciências sociais no Brasil", que estão arroladas ao final do próprio capítulo. (N. E.)

_____. *The Court Society*. Nova York, Pantheon Books, 1983. [Ed. bras.: *A sociedade de corte*. Trad. Pedro Süssekind. Rio de Janeiro, Zahar, 2001.]

_____. *A sociedade dos indivíduos*. Trad. Vera Ribeiro. Rio de Janeiro, Zahar, 1994.

_____. *Os alemães:* a luta pelo poder e a evolução do habitus nos séculos XIX e XX. Trad. Álvaro Cabral. Rio de Janeiro, Zahar, 1997.

FRIEDMAN, M. An Open Letter to Bill Bennet. *Wall Street Journal*, 7 set. 1989. In: ROLIM, Marcos. *Políticas públicas sobre drogas*: o papel dos municípios (paper inédito, 2011). Disponível em: <https://web.uncg.edu/dcl/courses/viceCrime/m6/Milton%20Friedman%20-%20An%20Open%20Letter%20To%20Bill%20Bennett.htm>; acesso em: mar. 2019.

FUNDAÇÃO GETULIO VARGAS. Indicadores socioeconômicos nas UPPs do estado do Rio de Janeiro. Rio de Janeiro, FGV, 2012. Disponível em: <www.upprj.com/upload/estudo_publicacao/upp_FGV_site.pdf>; acesso em: dez. 2018.

KANT DE LIMA, Roberto. *A polícia da cidade do Rio de Janeiro*: seus dilemas e paradoxos. Rio de Janeiro, Forense, 1995.

LORENZ, Konrad. *On Aggression*. Londres, Methuen, 1970.

MACHADO DA SILVA, Luiz Antonio. Afinal, qual é a das UPPs?. *Observatório das Metrópoles*, mar. 2010. Disponível em: <www.observatoriodasmetropoles.ufrj.br/artigo_machado_UPPs.pdf>; acesso em: dez. 2018.

MAUSS, Marcel. *Sociologia e antropologia*. Trad. Mauro W. B. de Almeida e Lamberto Puccinelli. 2 v. São Paulo, Edusp, 1974.

MISSAE TAKEUTI, Norma. *No outro lado do espelho*: a fratura social e as pulsões juvenis. Rio de Janeiro, Relume Dumará, 2002.

MOREIRA NUNES, Orlando. *Discricionariedade policial e política criminal*. Dissertação de mestrado em sociologia e direito, Niterói, UFF, 2013.

MUSUMECI, Leonarda; RAMOS, Silvia. *Elemento suspeito*: abordagem policial e discriminação na cidade. Rio de Janeiro, Civilização Brasileira, 2005.

_____ et al. Ser policial de UPP: Aproximações e resistências. *Boletim Segurança e Cidadania*, n. 14, dez. 2013. Disponível em: <www.ucamcesec.com.br/wp-content/uploads/2013/12/boletim14serpolicialdeupp22.pdf>; acesso em: mar. 2019.

MUSUMECI MOURÃO, Barbara. *Mulheres invisíveis*. Rio de Janeiro, Civilização Brasileira, 1999.

NEGREIROS, Dario de. UPP: os cinco motivos que levaram à falência o maior projeto do governo Cabral. *Revista Fórum*, 12 fev. 2014. Disponível em: <www.revistaforum.com.br/blog/2014/02/upp-os-cinco-motivos-que-levaram-a-falencia-o-maior-projeto-do-governo-cabral/>; acesso em: dez. 2018.

NERI, Marcelo. *A nova classe média*. São Paulo, Saraiva, 2011.

NOVAES, Regina; VANNUCHI, Paulo (orgs.). *Juventude e sociedade*: trabalho, educação, cultura e participação. São Paulo, Fundação Perseu Abramo, 2004.

RAMOS, Maria Augusta. *Morro dos Prazeres*. Brasil, 2013, documentário sobre a UPP implantada na favela Morro dos Prazeres.

REIS SOUZA, Robson Sávio. *Quem comanda a segurança pública no Brasil?* Atores, crenças e coalizões que dominam a política nacional de segurança pública. Belo Horizonte, Letramento, 2015.

RODRIGUES, André, SIQUEIRA, Raíza, LISSOVSKY, Mauricio. Unidades de polícia pacificadora: debates e reflexões. Comunicações do Iser. Rio de Janeiro, Iser, n. 67, 2012.

RODRIGUES, José Carlos. *O tabu do corpo*. Rio de Janeiro, Achiamé, 1979.

_____. *O tabu da morte*. Rio de Janeiro, Achiamé, 1983.

ROLIM, Marcos. *A síndrome da rainha vermelha*: policiamento e segurança pública no século XXI. Rio de Janeiro, Zahar, 2006.

SANTOS SILVA, Helio Raimundo. *Travesti*: a invenção do feminino. Rio de Janeiro, Relume Dumará, 1994.

SAVIANO, Roberto. *Zero Zero Zero*. Trad. Federico Carotti et al. São Paulo, Companhia das Letras, 2014.

SAYURI, Juliana. Amarildos, onde estão? *O Estado de S. Paulo*, 24 ago. 2013. Disponível em: <alias.estadao.com.br/noticias/geral,amarildos-onde-estao,1067443/>; acesso em: dez. 2018.

SCHWARCZ, Lilia Moritz. *Nem preto nem branco, muito pelo contrário*. São Paulo, Claro Enigma, 2012.

SENTO-SÉ, João Trajano (org.). *Prevenção da violência*: o papel das cidades. Rio de Janeiro, Civilização Brasileira, 2005.

SILVEIRA DE OLIVEIRA, Carmen. *Sobrevivendo no inferno*: a violência juvenil na contemporaneidade. Porto Alegre, Sulina, 2001.

SISTEMA FIRJAN. Somos os jovens das UPPs. Rio de Janeiro, Firjan/ACAMEP, 2013. Disponível em: <www.upprj.com/upload/estudo_publicacao/2014_pesquisa_somos_jovens_upp_(1).pdf>; acesso em: dez. 2018.

SOARES, Luiz Eduardo. A política de drogas na agenda democrática do século XXI. In: BASTOS, Francisco Inácio; GONÇALVES, Odair Dias (orgs.). *Drogas*: é legal? (Debate.). São Paulo/Rio de Janeiro, Instituto Goethe/Imago, 1993.

_____. *Meu casaco de general*: 500 dias no front da segurança pública do Rio de Janeiro. São Paulo, Companhia das Letras, 2000.

_____. *Legalidade libertária*. Rio de Janeiro, Lumen Juris, 2006.

_____. *Tudo ou nada*: a história do brasileiro preso em Londres por associação ao tráfico de duas toneladas de cocaína. Rio de Janeiro, Nova Fronteira, 2012.

_____. Raízes do imobilismo político na segurança pública. *Revista Interesse Nacional*. Ano 5, n. 20, jan./mar. 2013, p. 23-32.

SOCIABILIDADES subterrâneas. Rio de Janeiro, Afro-Reggae/Cufa/Unesco, 2012. Disponível em: <www.upprj.com/upload/estudo_publicacao/Sociabilidades_Subterrâneas.pdf>; acesso em: dez. 2018.

TRABALHOS FEITOS. Projeto de Pesquisa sobre UPP: artigos e trabalhos de pesquisa. Disponível em: <www.trabalhosfeitos.com/topicos/projeto-de-pesquisa-sobre-upp/0>; acesso em: mar. 2019.

WACQUANT, Loïc. *As prisões da miséria*. Trad. André Telles. Rio de Janeiro, Zahar, 2001.

WAISELFISZ, Julio Jacobo. *Mapa da Violência*. Brasília, Ministério da Justiça, 2011.

_____. *Mapa da Violência*. Brasília, Ministério da Justiça, 2012.

Sobre o autor

Luiz Eduardo Soares foi secretário nacional de Segurança Pública (jan.-out. 2003), subsecretário de Segurança e coordenador de Segurança, Justiça e Cidadania do Estado do Rio de Janeiro (jan.1999-mar. 2000), além de secretário municipal de Prevenção da Violência em Porto Alegre (RS) (jan.-dez. 2001) e Nova Iguaçu (RJ) (dez. 2006-jul. 2009). É escritor, dramaturgo, antropólogo e pós-doutor em filosofia política. É professor aposentado da Universidade Estadual do Rio de Janeiro (UERJ) e ex-professor do Instituto Universitário de Pesquisas do Rio de Janeiro (IUPERJ) e da Universidade Estadual de Campinas (UNICAMP). Foi *visiting scholar* nas universidades Harvard, Columbia, Virginia e Pittsburgh. Tem dezessete livros publicados: *Campesinato: ideologia e política* (Zahar, 1981), *Os dois corpos do presidente* (Relume Dumará, 1992), *O rigor da indisciplina* (Relume Dumará, 1993), *Violência e política no Rio de Janeiro* (Relume Dumará, 1994), *A invenção do sujeito universal: Hobbes e a experiência dramática do sentido* (Editora da Unicamp, 1996), *O experimento de Avelar* (Relume Dumará, 1997), *Meu casaco de general: 500 dias no front da segurança pública do Rio de Janeiro* (Companhia das Letras, 2000), *Cabeça de porco*, com MV Bill e Celso Athayde (Objetiva, 2005), *Elite da tropa*, com André Batista e Rodrigo Pimentel (Objetiva, 2006) – que deu origem ao filme *Tropa de elite* –, *Legalidade libertária* (Lumen Juris, 2006), *Segurança tem saída* (Sextante, 2006), *Espírito Santo*, com Carlos Eduardo Lemos e Rodney Miranda (Objetiva, 2009), *Elite da tropa 2*, com André Batista, Cláudio Ferraz e Rodrigo Pimentel (Nova Fronteira, 2010), *Justiça: pensando alto sobre violência, crime e castigo* (Nova Fronteira, 2011), *Tudo ou nada: a história do brasileiro preso em Londres por associação ao tráfico de duas toneladas de cocaína* (Nova Fronteira, 2012), *Rio de Janeiro: histórias de vida e morte* (Companhia de Letras, 2015) e *Vidas presentes* (Associação Cidade Escola Aprendiz, 2017). Em 2019, além de *Desmilitarizar* (Boitempo), publicará *O Brasil e seu duplo* (Todavia).

Charge da cartunista Laerte publicada na
Folha de S.Paulo em 14 de março de 2019.

Publicado em maio de 2019, quinto mês do governo mais obscurantista, regressivo, autoritário, antipopular e antinacional desde a ditadura, na qual se inspira – governo que apresentou ao Congresso um pacote supostamente anticrime que viola a racionalidade, o bom senso, o conhecimento acumulado na área e os direitos mais elementares da cidadania –, este livro, foi composto em Adobe Garamond, corpo 11/14,3, e impresso em papel Avena 80 g/m², pela Rettec, para a Boitempo, com tiragem de 4 mil exemplares.